Joëlle J. de CORTE

L'éternité
au
bout des doigts

Tome 1
Dix-neuf ans à jamais !

ISBN 978-2-9540750-0-6
Dépôt légal : novembre 2011

Siret 537 736 506 00016

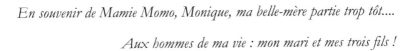

En souvenir de Mamie Momo, Monique, ma belle-mère partie trop tôt....

Aux hommes de ma vie : mon mari et mes trois fils !

PROLOGUE

Palerme, Sicile. Au cœur de l'hiver, décembre 1660. Un quartier pauvre, endroit de la ville où le rebut de la société vit. Un endroit tellement terrifiant de nuit que personne n'ose s'en approcher, même pas la Police. Les cris, les hurlements divers, les bruits de vaisselle brisée sont ici monnaie courante. De jour comme de nuit, il n'y a jamais un moment de paix ou de silence. Personne ne s'occupe de ce qui se passe chez son voisin ou dans la rue, ce qui permet à ces quatre individus, tapis dans l'ombre d'une maison, de passer inaperçus. Chose étrange, car en les examinant de plus près on peut constater que leurs habits ne sont pas du tout du style du quartier, ils semblent plutôt aisés et leur présence dans ce quartier de Palerme est tout à fait incongrue. Ils regardent par une fenêtre crasseuse une scène qui paraît les hypnotiser, tant ils sont immobiles, attentifs et silencieux. Ce qu'ils regardent ? Une scène comme tant d'autres dans cette partie de la ville.

La pièce est éclairée par une simple bougie située au centre de la table. Le père de famille rentré fin saoul insulte une femme courbée en deux et tenant un bol entre ses mains. C'est la mère qui, en y regardant de plus près, semble épuisée, mais aussi ivre que l'homme. Dans un coin sombre, trois garçons rient en se frappant les cuisses, encourageant cette bagarre en usant de phrases pleines de vulgarité et d'irrespect pour ceux qui sont, on le devine aisément, leurs parents. Très rapidement, ils poussent un cri de victoire lorsque la mère jette à la tête du père le bol de vin qu'elle tient en main. Jolie victoire, en effet !

Devant le fourneau, dans un autre angle de la pièce, une jeune fille paraît égarée, ne pas être à sa place dans cette maison. Elle a les cheveux propres, la mine avenante, un doux sourire sur les lèvres et dans le regard une tristesse infinie. Elle serre autour d'elle un châle troué et ne prête aucune attention à ce qui se passe dans son dos. Elle semble concentrée, penchée sur la marmite dont elle tourne le contenu délicatement avec la grande cuillère en bois, perdue dans ses pensées... La soupe est claire ce soir, elle n'a pas trouvé grand-chose dans les détritus du marché ce matin... Il y a des mois que le père n'a plus trouvé de travail, son ivresse permanente faisant fuir les éventuelles embauches... Mais cela ne change pas grand-chose, lorsqu'il travaillait son salaire de journalier était déjà totalement englouti à la taverne du coin.

Ses frères, des idiots sans cervelle, suivent son exemple buvant, ripaillant et ne travaillant point. Enchainant les bagarres à travers la ville, les larcins dans les quartiers aisés pour pouvoir boire encore et encore puis se payer du bon temps auprès des filles de petites vertus. Le travail ne manque pourtant pas au port, pour de jeunes et vaillants gaillards comme eux. Mais à quoi bon se fatiguer, les bourses des nantis leur suffisent. Leurs divers séjours en prison n'apportent de positif qu'un peu de paix à la maison... Ces détentions devraient les calmer, leur faire apprécier la liberté, mais au contraire en geôle ils apprennent de nouvelles techniques pour mieux voler, cambrioler et même désormais à tuer si nécessaire ! Ils en sortent de plus en plus futés, doués dans leurs méfaits, s'échangeant entre eux leurs nouvelles connaissances afin de recommencer dans ce qu'ils disent de meilleures conditions. Ils tuent sans avoir le moindre regret de leurs actes, prenant toutes les précautions nécessaires pour ne laisser aucune trace pouvant les relier à ces meurtres !

À l'origine, ils étaient quatre frères, l'un d'entre eux a été tué par la police quatre ans auparavant au sortir d'un cambriolage ayant mal tourné, les bourgeois avaient riposté ne s'étant pas laissés voler sans réagir. Ce frère mort n'avait que quatorze ans, il était le plus gentil, le dernier des enfants, né moins d'un an après elle. Il prenait en compte ses efforts pour rendre la vie de la maison plus agréable et avait toujours un mot agréable pour elle, allant jusqu'à l'aider... Son décès n'avait fait qu'encourager les autres à se venger, à continuer leur mode de vie, à devenir plus mauvais et donc meilleurs dans leurs pratiques. Ils allèrent jusqu'à s'allier avec une bande d'un autre quartier malfamé, se situant à l'autre bout de Palerme, élargissant ainsi leur terrain de chasse et leurs connaissances malfaisantes !

La mère s'abime à servir dans une taverne d'autres ivrognes, les mêmes que ceux de sa maisonnée. Il y a bien longtemps que la honte et la mort de son plus jeune fils l'ont poussée à boire afin d'oublier ! Aujourd'hui, parfois même, elle vend son corps pour pouvoir assouvir son vice et celui des hommes de sa famille... pendant que sa fille, pour nourrir toute cette racaille, court les poubelles du marché pour trouver quelques légumes, les moins pourris. Mais la pauvrette ne peut faire la difficile et prend ce qu'elle trouve. Souvent, elle se demande pourquoi elle fait tout cela, pour cette famille, des moins que rien sans aucune reconnaissance ! Que deviendraient-ils tous si elle mourait ? La mort lui semble si attirante parfois... Des idées noires qu'elle tente de sortir de sa tête en remuant sa longue chevelure d'un noir corbeau ! Mais elle réussit de moins en moins bien à les rejeter loin d'elle...

Le père a tenté de vendre sa virginité, sa fleur précieuse comme il l'appelait ! Il la proposa à de riches commerçants de la ville et fit affaire avec l'un d'entre eux, envisageant de la mettre au travail après ce coup de force... La prostitution, rien que le mot lui fait horreur... elle n'a pas cédé et s'est enfuie lorsqu'elle vit qu'un homme venait la chercher avec dans les mains une bourse bien rebondie qu'il faisait sauter dans sa paume. Ainsi, ils avaient osé la vendre comme un animal, une vache qu'on mène au taureau.

Sans réfléchir, elle avait couru droit devant elle, ne s'arrêtant que lorsqu'elle fut sûre que l'homme, son père et ses frères n'étaient plus à ses trousses.

Au bout de quelques jours n'ayant pas trouvé où se réfugier en toute sécurité, elle était rentrée au logis, épuisée. Le père lui avait administré une bonne volée de bois vert, aidé de ses fils, tous enragés par la perte d'une petite fortune. Mais que lui importait ! Qu'ils la battent tous lui était égal... Elle savait qu'un jour elle s'enfuirait sans se retourner, un jour elle franchirait le pas et irait se noyer dans la rivière... Elle partirait, comme souvent, laver son linge, ses cheveux et sa peau... Elle plongerait son regard dans l'eau puis se laisserait tenter par celle qui lui tend les bras depuis si longtemps... Pourquoi ne tombait-elle pas malade à en mourir ! C'était pourtant le quotidien de son quartier : la maladie et la mort... Mais elle restait vaillante même lorsqu'elle provoquait le sort en aidant autour d'elle les gens atteints de maladie contagieuse et mortelle à partir de ce monde en souffrant le moins possible... Même ceux qui l'avaient insulté ou même pire, elle les aidait de son mieux malgré la haine qu'ils pouvaient lui inspirer... Elle n'était pas hypocrite et ne pleurait pas ces morts, car ils ne rêvaient pour la plupart que d'une chose pour elle : perpétuer le schéma de sa mère ! Et cela...

Jamais elle ne ressemblerait à sa mère en se laissant imposer la loi par un homme monstrueux à l'image du père ou des frères ! Elle ne serait pas comme ces femmes croisées dans les tavernes quand le père ou les frères sont trop saouls pour rentrer seuls, ces femmes échangeant leurs charmes contre de l'argent. Certaines sont même plus jeunes qu'elle, mais paraissent beaucoup plus vieilles... Elles sont, pour la plupart, gentilles et aiment discuter avec elle. Discussions qui tournent souvent court, interrompues par un homme aviné lui passant les bras autour de la taille, ce qui l'oblige à s'enfuir en courant. NON !

Elle, Générosa, ne serait jamais l'une des leurs... elle se l'était promis et se tiendrait à sa promesse.

Elle se sentait tellement étrangère à cette famille... Depuis de nombreuses années déjà elle ne peut plus les qualifier de SON père et SA mère tout comme ces abrutis n'ont jamais été SES frères... Le, la, les ont remplacés ces termes possessifs, car elle n'est en rien l'une des leurs. Parfois, elle se prend à rêver que ce n'est pas la réalité, mais un affreux cauchemar. Elle se réveillerait dans une famille avec un père et des frères travaillants, une mère complice en compagnie de qui elle nettoierait la maison, le linge à la rivière, préparerait les repas, irait au marché... Une femme qu'on se plaisait à appeler maman, elle en avait croisé quelques-unes dans sa vie, mais bien peu... Mais elle retombe, bien vite, les pieds sur terre, les rêveries dans cette famille sont impossibles à garder bien longtemps... Hélas ! Ce qui l'entoure n'est que la triste réalité, la seule et unique vie qui lui était imposée ! Lors de sa fuite, elle s'était réfugiée dans une église pour la nuit. Depuis l'une de ses activités préférées est de se cacher dans ces bâtisses religieuses, près de l'entrée il y a toujours un coin sombre la protégeant des regards. Elle aime la fraîcheur de la basilique San Francesco d'Assisi[1], située non loin du marché, bien que la religion ne l'attire guère, elle la fascine tout de même. Cet homme dont elle ne comprend pas ce qu'il dit l'apaise lors de ses prêches. Il est venu à elle cette toute première fois lui permettant de dormir à l'intérieur de la basilique. Elle lui a ouvert son cœur, ce qu'elle avait fui et ses idées de quitter définitivement ce monde en se donnant la mort. Il l'a écouté sans l'interrompre tout en

---

[1] *Église gothique de Palerme faisant partie d'un monastère construit entre 1255 et 1277 sur les ruines d'une église détruite par Frédéric II. Sa façade est ornée d'une rosace et d'un portail du 16e siècle. Dans la chapelle de Saint-Joseph est un haut-relief de Saint-Georges terrassant le dragon, construit en 1526 par Antonello Gagini. La statue de l'Immaculée Conception s'y trouve, le maire le 8 décembre effectue l'offre traditionnelle de trente boucliers d'argent, il lit le serment d'allégeance et de prière pour demander la protection de la Sainte Vierge pour toute la ville. La statue est ensuite portée en procession à travers les rues du centre-ville.*

souriant. Il lui exposa la position de dieu sur la prostitution, la félicitant pour son courage, mais lui expliquant aussi ce que ce même dieu pense de ceux qui se donnent la mort. Il lui parla, d'enfer, de damnation et autres choses qu'elle n'avait pas totalement comprises, tant des notions tout à fait inconnues pour elle. Il s'exprima longuement sans juger ce qu'elle avait pu lui confier sur elle, sous elle ne sait quelle impulsion ! Elle était sortie épuisée par cette conversation, mais apaisée pour un peu de temps.

Depuis ce jour, elle y revient souvent, mais ne reste jamais très longtemps, s'enfuyant dès qu'elle voit l'homme s'approcher d'elle, ne se sentant pas la force d'une autre discussion. Visitant diverses autres églises, elle est surprise d'y retrouver chaque fois une atmosphère agréable et identique. Elle se cache dans un recoin écoutant attentivement les gens bien nés s'exprimer… Dans son quartier, ils se moquent tous d'elle en l'entendant parler, même si son sicilien n'est pas parfait, elle s'exprime mieux que tous ces railleurs et elle en retire une certaine fierté… Elle n'est pas pour autant hautaine, juste fière de pouvoir se sentir différente de toutes les personnes de ce quartier. Encore un fossé… parler mieux qu'eux lui permet de se sentir autre, ce n'est pas grand-chose, mais elle s'y accroche de toutes ses forces ! C'est ce qui lui a permis jusqu'ici de toujours être en vie, de ne pas être passé à l'acte ultime…

Le silence s'est enfin installé dans la pièce, elle ferme les yeux pour savourer ce moment. Puis réalisant que ce calme n'est pas normal et encore moins habituel, elle abandonne ses réflexions et se retourne.

Là, elle voit deux hommes et deux femmes. L'un des couples, se tenant tendrement par la main, la fixe en souriant. Chose surprenante, elle ne ressent nulle peur, comme si tout ce surréalisme est tout à fait normal. Détournant son regard pour examiner l'autre couple, elle les voit penchés sur deux corps, mais n'arrive pas à distinguer ce qu'ils font, baissant les yeux elle voit du sang sur le sol. Toujours aucune peur… Elle pousse un léger soupir… du regard fait le tour de la pièce et y voit les corps au sol. Elle abandonne son inspection de la pièce… se sentant invariablement attirée par le couple qui continue de la fixer et de lui parler, elle les fixe à son tour en penchant légèrement la tête… Ils parlent d'une voix douce, presque un murmure, en lui disant qu'elle ne doit pas avoir peur, qu'elle n'aura pas mal… Pourquoi aurait-elle peur d'eux ? Au contraire, elle a une certaine reconnaissance pour ce silence qu'elle apprécie tant et qu'elle peut savourer grâce à eux. Elle n'a aucune tristesse pour les morts l'entourant, elle se sent heureuse et affranchie d'eux, ils n'étaient plus et ce serait bientôt son tour. Cette libération tant attendue arrive, enfin ! Elle eut une pensée fugace pour le prêtre de la basilique, elle ne serait même pas punie par ce Dieu dont il lui avait si longuement parlé, étant une victime et non la responsable de son trépas. À force de fréquenter les églises quelque chose ressemblant à la crainte de Dieu l'avait envahi à son insu.

Elle lève les yeux dans l'attente de l'inévitable, l'homme croise son regard, un si beau et si doux regard… hypnotisant… Un sourire sur les lèvres il vient vers elle. Puis, d'une main caresse ses cheveux et sa joue… Elle s'aperçoit que sa compagne lui a lâché la main et lui enserre à présent la taille. Comment peut-elle prêter attention à de tels détails alors que sa fin approche ? La dame est souriante et l'on pourrait même lire quelque chose comme de l'amour dans son regard et son sourire… Chose insolite, ils paraissent émus, l'un et l'autre, en la regardant… Cela n'avait pas duré si longtemps pour ses frères ! Que se passe-t-il donc ?

11

La femme se tourne vers l'homme et dit dans un souffle : « *C'est elle ! Nous l'avons enfin trouvée... À toi la paternité, mon amour* ». La jeune fille n'a pas le temps de s'appesantir sur ses paroles sibyllines, l'homme l'attire contre lui, une douleur à la base du cou la surprend… Elle sombre dans l'inconscience… Elle se sent heureuse, apaisée et accueille la mort à bras ouverts. Son plus cher désir se réalise enfin ! La fin d'une vie de misère… elle n'aurait plus à subir ces gens, ce quartier puant la maladie et la mort… C'était enfin son tour ! Le dernier bruit qu'elle perçoit avant de mourir est un grognement de colère.

RENAISSANCE

Livio, pourquoi es-tu en colère ? Elle est si… c'est elle…

- Oui mon amour ! Elle te ressemble tant, c'est incroyable… Je pensais que cet humain avait mal vu quand il nous a parlé d'elle et de sa ressemblance avec toi, mais il a vu juste… Elle semble si pure et est tellement jolie, ce qui est normal puisque c'est tout ton portrait !

Il dit tout cela avec un large sourire et un regard en coin, ne réussissant pas à se séparer de celle qu'il tenait étroitement serrée dans les bras.

- Notre fille tant attendue et désirée ! Je suis juste en colère, car sa dernière pensée a été qu'elle… elle était heureuse de mourir… finit-il dans un soupir.
- Elle ne pensera plus jamais cela, nous lui donnerons l'amour qu'elle n'a jamais eu, nous lui montrerons tout ce que la vie offre. Elle sera heureuse, nous ferons tout pour qu'elle le soit ! Notre fille… Oh oui mon aimé ! NOTRE fille ! Conclut-elle avec des sanglots dans la voix.

Des larmes d'un vert translucide coulaient sur son doux visage débordant d'amour. Ils se retournèrent vers Franck et Carol Philips, leurs amis, leur famille depuis des décennies, ils souriaient tous les deux.

- Nous sommes heureux de partager cette joie avec vous, nous en avons tant parlé tous les quatre. Ce qui est incroyable, c'est qu'elle n'a même pas eu peur de vous comme si elle le sentait, le savait… Toutes nos félicitations ! Nous vous aiderons à la protéger pendant ses jeunes années et vous soutiendrons quant à son éducation, n'est-ce pas Carol ? Et peut-être que l'avenir nous réserva un jour cette joie à notre tour ! En tous cas, nous sommes enchantés d'avoir depuis cette minute une nièce…

- Je suis tellement heureuse pour vous, pour notre famille, une nièce ! Nous vous aiderons pour son éducation : Peinture, Musique, Lecture, Langues, Physique, Chimie, Couture et toutes ces choses… À nous quatre, nous en ferons la jeune fille Sanguisuga la plus douée de tous les temps ! Si vous acceptez notre aide bien entendu, nous ne voudrions pas nous imposer, ajouta Carol d'une voix rieuse.

- Comme si nous imaginions les choses autrement ! Merci à vous deux de nous avoir accompagnés et de l'accepter aussi facilement comme votre nièce. Emmenons-la hors de ce trou à rat ! Comment un tel joyau a-t-il pu se retrouver dans un tel endroit ? S'étonnait encore Livio.

Puis, sans lâcher son emprise sur la jeune fille, il serra Domenica contre lui, frôla ses lèvres des siennes en lui murmurant : « *Allons-y, jeune maman !* ». Elle frissonna à ces mots et soupira de bonheur.

- Laissons opérer la transformation et rendons-nous à Venise. Il y a des mois que nous en parlons et cette fois le voyage s'impose comme notre loi l'exige si nous ne voulons pas qu'elle ait des ennuis… intervint Franck, de plus nous y serons plus à l'aise pour ses jeunes années. Comme il y a tant d'années que nous sommes partis, il est temps que nos héritiers annoncent notre décès, rouvrent les murs de ton palais Livio et se fassent connaître à la cour !

- Excellente idée ! Rentrons à Syracuse et dès les premiers pas de cette jeune demoiselle faits nous prendrons la route. Pouvons-nous vous laisser le soin de nettoyer ?

Puis, sentant contre lui sa compagne trembler, la fixa.

14

- Qu'as-tu mon ange ?

- Venise... Les Anciens... Ne vont-ils pas la condamner ? L'accepteront-ils comme l'une des nôtres ?

- Mon ange, nous n'avons enfreint aucune loi, elle est adulte, pourra passer aisément comme un membre de notre famille et pour mémoire c'est ma première transformation ! Je n'ai jamais eu recours à ce genre de pratique auparavant... ils ne pourront rien nous dire ! Nous irons et ferons les choses comme elles doivent l'être pour préserver notre famille et surtout la protéger contre d'éventuels dangers ! Comme l'a dit Franck, nous n'avons plus le choix. Nous ne sommes coupables de rien et n'irons que quand nous la sentirons prête et serons prêts nous-mêmes à affronter les Anciens !

- Tu as raison, je m'inquiète inutilement, je le sais bien... Mais j'ai si peur que l'on tente de nous l'enlever... Je suis sotte... Partons vite de cet endroit indigne de notre fille, dit-elle dans un sourire tremblotant.

- Partez vite, la douleur ne va pas tarder à s'éveiller, nous vous rejoignons au plus vite, le nettoyage sera rapide.

Ils s'embrassèrent et s'étreignirent tous quatre, scène étrange en regard du lieu, des corps au sol et de la crasse ambiante.

Serrant délicatement dans ses bras, celle qui dans son cœur était désormais leur fille à Domenica et lui, il prit la main de son aimée et tous deux se mirent à courir vers Syracuse. Le manoir était en vue quand elle commença à gémir. Ils se dirigèrent directement au premier étage et la couchèrent sur un lit de satin couleur bleu nuit. Domenica prit le nécessaire pour faire une toilette à cette fleur délicate, sa fille. Elle lui parut encore plus belle une fois entièrement propre et un doux parfum de violette l'enveloppant toute entière. Elle lui mit l'une de ses robes, se promettant de s'organiser avec Carol pour lui en coudre afin de remplir ses armoires avant leur départ pour Venise. Elle appela Livio qui la rejoignit très rapidement. Entrant dans la chambre, il découvrit sa bien-aimée avec une expression de souffrance sur le visage.

- Je l'aime tant déjà. Je ne pensais pas pouvoir aimer quelqu'un d'autre que toi aussi vite et de façon aussi intense... Mais, ses sentiments à elle ? Amour ? Haine ? Peur ? Comprendra-t-elle ? J'ai si peur, mon amour...

Un cri de souffrance déchira la nuit et la fit frémir.

- Elle souffre énormément, je ne me souvenais plus que cela était aussi douloureux, chacun de ses cris me ramène à ce jour où je te fis tant souffrir toi aussi !

Livio lui prit la main et la baisant délicatement, lui chuchota :

- Chut mon ange, je n'aurais jamais imaginé vivre sans toi et je ne t'en ai jamais voulu de nous avoir offert une éternité d'amour à tous les deux, au contraire ! Elle comprendra, je n'ai aucun doute à ce sujet !
- Nous avons éliminé sa famille…

Livio l'attira contre lui et pressa ses lèvres contre les siennes pour interrompre les paroles qu'elle s'apprêtait à prononcer.

- Imagines-tu qu'elle était heureuse ? En buvant sa vie, j'ai vu la crasse, la misère et ce que ceux, que je ne peux nommer sa famille, lui faisaient subir chaque jour. Elle était heureuse de mourir pour échapper à tout cela, ne l'oublie pas mon amour ! Elle était heureuse de mourir et appelait la mort de tous ses vœux, comme une délivrance ! Nous sommes sa famille désormais et jusqu'à la fin des temps, mon adorée ! Nous lui ferons comprendre qu'une vraie famille existe pour elle et que c'est nous ! As-tu vu comme Carol et Franck sont heureux de l'avoir comme nièce ? Et je ne doute pas de ton jeune frère et de ton père ! Sa famille c'est nous six à compter d'aujourd'hui, ainsi que tous les Sanguisugas proches de nous ou ceux qu'elle aura l'occasion de rencontrer lors de sa vie.

Domenica se lova contre son mari, puisant dans ce contact la force nécessaire pour apaiser le tumulte de ses sentiments.

- Nous réitérons nos paroles de félicitations et notre joie de la compter comme un membre de notre famille comme tu viens de le souligner Livio, intervint Franck, nous avons tout nettoyé et comme prévu se fut rapide... Quel changement ! Elle est magnifique ainsi, propre et vêtue décemment, ajouta-t-il en s'approchant du lit.

Domenica sourit tendrement à son époux et allait répondre à Franck, mais un nouveau cri de douleur l'arracha des bras aimants et rassurants de Livio pour reprendre son poste sur le lit auprès de sa fille.

- As-tu lu son prénom en buvant sa vie ?
- Générosa, intervint Carol, je l'ai lu dans ses pensées. Pardonne-moi, mais je n'ai pas pu résister pendant que nous les observions... Son étrange ressemblance avec toi ne pouvait pas suffire à en faire l'une des nôtres... Je voulais en savoir plus sur elle et son passé, être sûre que... elle hésita un bref instant, être sûre qu'elle était digne de vous deux ma chère sœur. Et, je te confirme qu'elle l'est ! Livio t'a dit vrai, elle attendait la mort comme une amie et sa... enfin, les autres sont à ses yeux morts depuis très longtemps déjà. Ne t'inquiète pas de sa réaction ! Elle a connu le pire, à nous tous de lui montrer le meilleur de la vie de famille.
- Ma fille Générosa Baldi della Julienus, murmura-t-elle, merci d'avoir lu en elle Carol...

Un marmonnement de satisfaction derrière elle, provenant de Livio, la fit sourire.

- Allez vous reposer, j'appellerais si nécessaire.

Un léger baiser sur son cou, un frôlement sur ses cheveux et elle se retrouva seule avec Générosa. Elle s'allongea, la serra contre elle, regrettant une nouvelle fois, de ne pouvoir prendre les douleurs à son compte.

Trois jours et trois nuits, ils se relayèrent auprès d'elle ne voulant la laisser seule à aucun instant. Domenica ne laissait à personne d'autre qu'elle le soin de lui faire sa toilette deux fois par jour. Ils lui récitaient des poèmes, lisaient des romans, des contes et diverses autres choses... Ils lui parlèrent en italien, français, anglais, allemand, russe... commençant ainsi l'apprentissage de ce cerveau s'ouvrant au monde des Sanguisugas. Les cris se transformèrent en gémissements et vers la fin de la troisième nuit, elle ouvrit les yeux. Domenica appela Livio, emportée de joie et soulagée de la voir enfin cesser de souffrir.

Enfin, ces douleurs dans tout son corps s'amenuisaient, elle ouvrit les yeux. Un homme rejoignit une femme, ils lui tournaient le dos chuchotant dans une langue incompréhensible. Un doux parfum lui chatouillait les narines, mais elle se trouva bien incapable de le définir. Elle l'avait déjà humé sur les belles-dames lors de ses excursions dans les églises. D'autres parfums l'assaillirent, tous distincts, mais tout aussi inconnus pour elle. Une orgie d'odeurs, qui la saoulèrent aussi sûrement qu'une boisson de la taverne. Rien à voir avec les odeurs qu'elle connaissait et qui étaient son quotidien.

Elle tenta de s'asseoir, mais ne réussit qu'à s'appuyer sur ses avant-bras. Le couple se retourna et elle les reconnut... C'est eux qui étaient dans la maison près des corps. Bizarrement, à ce souvenir, ni tristesse pour les disparus ni haine pour leurs assassins, mais plutôt quelque chose comme de la gratitude... et de l'incompréhension, pourquoi n'était-elle pas morte ? Ils lui souriaient tous deux, un sourire doux et aimant... ce sourire qu'elle avait déjà vu dans la maisonnette et qui l'avait laissé tellement perplexe avant de sombrer dans l'inconscience.

La femme était magnifique, assez grande, élancée avec des cheveux bruns lui tombant jusqu'au bas des reins. L'homme était très beau lui aussi, mince, dépassant d'une tête sa compagne, les cheveux courts et d'un châtain clair. L'aidant à s'asseoir et à s'appuyer sur des oreillers moelleux, la femme lui dit :

- Tu dois avoir de nombreuses questions ma chérie, et tu peux être assurée que nous répondrons, en temps voulu, à chacune d'entre elles. Tout ce que tu as besoin de savoir pour le moment c'est que mon mari, Livio, et moi, Domenica, t'avons choisie pour devenir notre fille et nous souhaitons de tout cœur que tu ratifies cette décision.

Cette fois, elle comprenait tout ce que la femme disait... Elle ne devait guère être réveillée quelques secondes plus tôt pour avoir cru les entendre converser dans une langue étrangère. Elle voulut répondre, mais les mots refusèrent de franchir ses lèvres. Une douleur atroce déchira ses entrailles et un bruit ressemblant à un grondement de faim envahit la pièce. L'homme surgi à ses côtés, un gobelet à la main. Il était richement et magnifiquement décoré de petits chats en train de jouer, où l'avait-il trouvé ? Elle aurait juré que ses mains étaient vides quelques secondes plus tôt. L'aidant à s'asseoir, en s'adossant aux oreillers, il lui intima l'ordre de boire en lui tendant le verre... Elle voulut demander ce que c'était, mais n'osa pas. Elle leva la tête et ses mains se tendaient, malgré elle, vers le gobelet qu'elle prit sans rechigner. Sa légèreté et son apparente fragilité la surprirent, elle n'avait jamais eu ce genre de récipient entre les mains. Livio l'aida à le porter et à l'approcher de ses lèvres. L'odeur n'était pas très agréable et le goût une véritable horreur. Elle ne put réprimer une grimace de dégoût… Ne voulant pas froisser ses hôtes, elle le termina jusqu'à la dernière goutte et se sentit légèrement mieux moins endolorie, quoiqu'épuisée. Il lui en présenta un second qu'elle faillit refuser, mais elle l'avala d'une traite sitôt qu'il le porta à ses lèvres.

- Maintenant, repose-toi, jeune demoiselle. À ton prochain réveil, nous pourrons discuter et nous répondrons à toutes tes interrogations. Et…

Elle n'entendit pas la fin de son discours ayant reposé sa tête et s'étant déjà rendormie. Domenica lui enleva le surplus d'oreillers et l'allongea sans la réveiller.

- Enfin elle ne souffre plus ou plutôt moins et… elle a… Son regard est si beau et tellement pur ! As-tu vu ses grands yeux étincelants verts ? Ses longs cils... Tu as raison, je sais qu'elle nous aimera, il ne peut en être autrement !
- Viens te reposer, chérie. Tu es épuisée et nous aurons besoin de forces pour lui apprendre à se contrôler, à chasser… D'ailleurs, je crains que… non, rien, allons nous coucher, lui dit-il tendrement en l'attirant dans le couloir en direction de leur chambre.

Domenica résista voulant des explications sur ces quelques mots énigmatiques et stoppa net :

- Quoi ? Qu'est-ce qui te fait peur, Livio ? Qu'as-tu perçu ? De quoi t'inquiètes-tu ?
- Rien, mon adorée, viens…
- LIVIO !

Son ton impératif, il le savait, allait l'obliger à lui répondre… Comme chaque fois, il tenta de résister… Quel pouvoir que le sien ! Réussir à obtenir tout ce qu'elle veut sur une simple intonation de voix ! Cela agaçait Livio autant que ça le fascinait… Il se sentait un peu jaloux n'ayant, quant à lui, pas de pouvoir aussi puissant et spectaculaire. Son grand sens de la diplomatie et savoir reconnaître quand quelqu'un mentait n'étaient pas à ses yeux des pouvoirs, mais des qualités héritées de sa vie de mortel, même si ses congénères n'étaient pas d'accord avec lui sur ce point… Il lui jeta un regard et ne pouvant résister davantage répondit :

- Notre façon de nous nourrir, j'ai peur qu'elle ne l'apprécie guère ! As-tu vu son froncement de nez, lorsqu'elle a senti et bu ses verres ?
- Chéri, nous gèrerons les problèmes au fur et à mesure. Ne nous en créons pas d'avance, je suis sure que tu as imaginé tout cela…
- Tu as raison, répondit-il cependant peu convaincu, mais ne souhaitant pas la désappointer, le jour se lève, elle ne se réveillera pas avant plusieurs heures. Pour être honnête, je suis impatient de te serrer dans mes bras, tu m'as terriblement manqué et… nous n'avons même pas fêté dignement la naissance de notre fille !

Elle éclata de rire et se mit à courir. Livio sur ses talons, souriant de la voir aussi heureuse. Ils se réveillèrent en milieu d'après-midi, ils étaient suffisamment vieux pour n'avoir besoin que de peu sommeil. Ils paressèrent un peu au lit, profitant de cette intimité pour s'aimer follement. Après une toilette rapide, des vêtements frais sur les épaules ils se précipitèrent dans sa chambre. Elle dormait encore, mais le sourire sur les lèvres et sa façon d'étendre doucement ses bras annonçait un réveil prochain. Tant pis, pas de lecture, ni de poème pour aujourd'hui.

- Bonjour Générosa.

Elle ouvrit les yeux et regarda le couple au pied de son lit… ce n'était donc pas un rêve ! Ne répondant pas immédiatement, elle examina les choses l'entourant et composant la chambre, ce lit soyeux, ces odeurs délicates et même sa peau propre et parfumée… Puis réalisant son manque de politesse, ils devaient attendre une réponse de sa part à leur salut, elle rassembla ses esprits pour se souvenir de leurs prénoms, elle était presque sure qu'ils s'étaient présentés la veille. Elle se redressa et réussit à s'assoir contre les oreillers sans aide.

- Bonjour…

Elle s'interrompit surprise par la douce voix musicale qu'elle entendait. Une intonation qu'elle ne connaissait pas, plus chantante et beaucoup plus agréable que ce qu'elle connaissait, comme si quelqu'un d'autre avait parlé à sa place. Pour être certaine que c'était sa voix, elle se risqua à répéter :

- Bonjour…

Elle se mit à sourire de contentement, enchantée par ce nouveau timbre de voix, elle l'aimait bien mieux que celui d'avant… Avant quoi, d'ailleurs ? Avant d'être propre et accueillie par ces gens décida-t-elle de conclure en son for intérieur. Elle tenta de s'assoir au bord du lit, souhaitant se lever.

- Bonjour, jeune fille ! Reprit l'homme comme s'il n'avait pas fait attention à ce délai de réponse ou même à la répétition, je suis

Livio et voici ma conjointe Domenica, nous sommes tes nouveaux parents, ta famille ma chérie.

- Je n'ai jamais eu de parents ou de famille, répondit-elle sans réfléchir, enfin, je voulais dire que… elle bafouillait, tentant de se reprendre.

L'avoir entendu imposé froidement, comme une évidence être ses parents, l'avait choqué et révolté. L'entendre l'appeler « *ma chérie* » l'avait, par ailleurs, profondément surprise. Domenica s'assit près d'elle, la prit dans ses bras et l'embrassa sur le front.

- Nous avons compris ce que tu voulais dire mon ange, alors s'il te plaît considère-toi comme notre fille de façon pleine et entière. Nous… nous t'aimons déjà si fort, comme si tu avais toujours fait partie de nos vies ! Se risqua-t-elle à dire craignant la réaction qu'elle aurait à ces mots.

Générosa la dévisageait surprise par cette déclaration. Comment pouvait-on aimer quelqu'un qu'on venait à peine de rencontrer, alors que des individus que l'on connaissait bien, ou s'imaginait bien connaître, depuis toujours on ne réussissait jamais à les aimer ! Toute à ses réflexions, elle vit Livio lui tendre le même verre que la veille, elle le prit entre ses mains, mais ne put réprimer une grimace à l'odeur et au goût si étrange de son contenu. Ne souhaitant pas les désobliger après toute cette gentillesse elle avala courageusement la totalité de ce verre. Et comme la veille, il lui en tendit instantanément un second, qu'elle avala plus difficilement, mais en prenant son temps elle le termina jusqu'à la dernière goutte. En le rendant à Livio, elle se risqua à poser une question :

- Qu'est-ce que c'est ? Je ne voudrais pas être impolie, mais ce n'est pas très bon et même l'odeur est étrange et guère alléchante.

Elle sourit en s'entendant parler. D'où venaient ces mots qu'hier encore elle ne connaissait pas ? Et ce timbre si mélodieux ! Le couple se regarda brièvement puis, Livio sorti de la chambre, ce qui la surprit et la froissa, il ne jugeait pas utile de lui répondre et pourtant elle se souvenait très bien sa promesse de la veille de répondre à toutes ces questions. Elle devait être trop idiote… la déception se lisait sur son visage, Domenica pressa sa main et tira sur ses bras pour l'aider à se lever. Puis elle l'entraîna dans le couloir et les escaliers en expliquant que Livio les attendait au salon où ils seraient mieux pour discuter. Tout était magnifique autour d'elle, elle ne savait où donner de la tête. Livio était debout, majestueux devant un feu de cheminée qui sentait merveilleusement bon. Un couple était déjà installé et se leva promptement à son arrivée, la serrant dans leurs bras et l'embrassant chaleureusement en se présentant.

Franck, l'homme n'était pas très grand avec la chevelure d'un blond vénitien, une peau pâle et un peu d'embonpoint. Carol, la femme, était plus petite que Franck, avec des cheveux roux, couleur comme jamais Générosa en avait vu auparavant, elle avait elle aussi le teint pâle, mais avec quelques taches de rousseur sur le visage. Tout comme son compagnon, elle était quelque peu rondelette.

Ils lui souhaitèrent la bienvenue dans leur famille. Elle n'eut pas le temps de s'appesantir sur leurs paroles Livio ayant pris la parole.

- Approche-toi et prend place ma fille. Nous avons un tas de choses à voir ensemble ce soir.

Elle s'assit dans le premier divan venu. Elle frôla de sa main un tissu comme elle n'en avait jamais connu. Elle n'osait s'appuyer sur le dossier craignant de l'abimer. Domenica lui sourit, s'installa près d'elle, l'encourageant à se mettre à l'aise. Une fois qu'elle vit Générosa au fond du divan et bien appuyée sur le dossier, quoi qu'un peu raide, elle prît du tissu dans une malle et commença à coudre.

- Avant de répondre à ta question, je vais t'en poser une à mon tour, commença Livio. As-tu entendu parler des Sanguisugas ?
- Non.
- Des Vampires ?
- La légende des gens tuant les humains pour se nourrir, c'est cela ? Ils ont de grandes dents aiguisées pour mordre les humains et se nourrir de leur sang. Ils sont immortels et ne se montrent pas le jour.
- Presque ! Les Sanguisugas sont différents. Les humains nous confondent souvent ! Pour ce qui est de se nourrir, tu es dans le vrai, pour le reste tu décris les Vampires. Mais les humains nous confondent souvent tant nous sommes semblables ! Et nous n'avons ni eux ni nous de grandes dents, dit-il l'air amusé. Maintenant si je te dis que ce n'est pas une légende et que seul le sang des humains les intéresse lorsqu'ils les tuent ?

Alors qu'il disait cela, elle se rappela le père, la mère et les frères étendus sur le sol pendant qu'eux quatre les faisaient passer de vie à trépas. Elle se souvint de Franck et Carol penchés sur des corps… ils se nourrissaient ? Elle écarquilla les yeux de surprise, horrifiée par ce qu'elle venait de comprendre, elle se mit à bégayer :

- Non, cela n'est pas possible ! C'est une légende, pas une réalité, j'ai toujours pris ces histoires pour des inventions sortants d'esprits quelque peu dérangés… Dites-moi que j'ai raison, s'il vous plaît... J'ai entendu à l'église des gens dire que ce n'était pas vrai, que c'était juste un conte pour faire peur aux enfants qui ne sont pas sages.

Elle se tourna vers la femme près d'elle, silencieuse et pourtant tendue au vu de ses doigts crispés sur l'aiguille de son ouvrage. Elle dut sentir le regard de Générosa, car elle leva la tête et son visage triste fit comprendre à Générosa la dure réalité de l'instant. Elle était chez des Vampires... Ah non des Sanguisugas... comme si cela changeait quelque chose ! Elle secoua la tête... Non impossible ! Elle regarda Carol et Franck qui souriant gentiment hochèrent la tête et ne firent ainsi que confirmer ses craintes... ses réflexions intérieures ne s'arrêtant pas là, elles l'amenèrent à constater que ce fameux soir tous étaient morts et pas elle :

- Ils sont tous morts n'est-ce pas ? Mais moi je suis ici avec vous, vous dites que je suis de votre famille maintenant, mais qui suis-je ? Ou devrais-je dire, quE suis-je devenue ? Vous me procurez ces verres légers et opaques avec un contenu étrange à boire, pour quelle raison ? Pourquoi ne puis-je avoir un potage ou un morceau de pugliese[2] avec du fromage ou encore trempé dans du lait ? Ce met est si peu ragoûtant et...

Elle voulait s'étourdir de paroles, ne plus écouter cette voix intérieure.

- Tu seras l'une des nôtres dans très peu de temps, ma chérie, dit Domenica, tu es en pleine mutation de ta condition d'humaine vers celle d'une Sanguisuga. Tu seras une novice, mais bel et bien une Sanguisuga, l'une des nôtres et notre fille aux yeux du monde ! Je ne dirais pas si tu veux de nous, car nous avons fait le choix pour toi, mais j'espère de tout mon cœur que tu approuveras notre décision !

---

[2] Pain : boule farinée avec une croûte fine et claire et une mie assez dense, de l'huile d'olive est incorporée à sa pâte. Spécialité du sud de l'Italie.

Elle comprit ou plutôt son esprit accepta la réalité… le fait que ce liquide déplaisant, elle secoua la tête, ce liquide était du sang ! Cela l'horrifia.

Un monstre, voilà ce qu'elle était devenue, elle buvait du sang, des gens allaient mourir pour qu'elle puisse se nourrir, non c'était inacceptable…

- Je ne peux pas boire du… de ça ! Sa voix était devenue stridente sous l'emprise de l'angoisse et de la colère mêlées.
- Ma chérie c'est nécessaire pour ta survie, tes forces. La nourriture humaine ne te sera d'aucun secours elle ne te maintiendra pas en vie. Même si la saveur peut te procurer du plaisir, tu as besoin de te nourrir comme une Sanguisuga en buvant du …

Générosa l'interrompit toute à sa colère :

- Non ! Non ! Non ! Je refuse, c'est tout simplement répugnant ! Il doit exister d'autres solutions que celle qui consiste à tuer des humains pour leur sang ! On peut boire le sang des animaux ! Du sang reste du sang, non ? Dit-elle, heureuse de sa trouvaille. Boire du sang humain… non… je… Dieu n'approuve pas, j'en suis sûre…

Désespérée elle prit son visage entre les mains, les larmes roulaient sur ses joues, entre ses doigts.

- Elle pleure ! S'exclama Franck surpris. Comme toi, Domenica, des larmes vertes !

Un regard de Carol lui fit comprendre que ce n'était pas le moment d'en parler, elle enchaina rapidement, pour éviter les questions que Générosa ne manquerait pas de poser à cette remarque :

- François, notre jeune frère, nous a rapporté qu'au cours de ses voyages il a entendu raconter qu'en Inde, certains d'entre nous se nourrissent d'animaux…

- Ce ne sont que des on-dit, rien ne prouve que ce soit réel ou même viable, soupira Livio voyant Générosa relever la tête pleine d'espoir.

- Il faut essayer, les animaux se mangent contrairement aux humains…

Livio regarda Domenica en gémissant.

- Je te l'avais bien dit mon amour ! Après un court silence, il reprit. S'il te plait, Générosa, François ne devrait plus tarder à venir, attendons son arrivée et prenons une décision suite à ce qu'il nous dira, tu veux bien, mon ange ?

Générosa lui fit un sourire hésitant et timide, mais accepta d'un signe de tête tandis que Domenica lui prenait la main en lui souriant tendrement. Jamais la mère ne lui avait souri ainsi, elle devrait avoir peur après ces quelques révélations, mais il n'en était rien, elle se sentait en confiance avec eux… Elle sait, elle sent qu'ils ne veulent que son bien…

- Nous partirons bientôt pour Venise, annonça Domenica pour détendre l'atmosphère quelque peu lourde après ces échanges. Tous les quatre, nous t'aiderons à devenir une jeune fille et une Sanguisuga cultivée. Nous t'enseignerons tout ce que nous connaissons et tu deviendras la meilleure d'entre nous et notre fierté ! Nous espérons que ce projet te fait plaisir, ma chérie.

- Un voyage et un déménagement… Je n'imaginais pas qu'un jour ce genre de chose ferait partie de ma vie ! Mais puis-je vous demander pourquoi Venise ?

- Livio en est originaire. C'est d'ailleurs là que je l'ai connu. Nous n'y sommes pas retournés depuis près de cinquante ans. Nous ne vieillissons ni ne mourons, restant à l'âge où nous avons été transformés. Nous devons donc régulièrement changer d'endroit afin de ne pas éveiller les soupçons, ne restant jamais plus de dix à quinze ans au même endroit. Ici à Syracuse nous y sommes depuis onze ans, mais Venise nous manque à tous les quatre et nous avions prévu d'y retourner lors de notre prochaine migration. Celle-ci a juste lieu un peu plus tôt que prévu.

On sentait dans sa voix que cela lui tardait et qu'elle était enchantée de la précipitation de ce voyage tout comme elle était impatiente de faire ses malles. En regardant les autres, elle vit qu'ils étaient tout aussi contents que cette femme, qui prétendait être devenue sa mère…

- Mais il y a un risque que l'on vous reconnaisse ! Vos connaissances ou leurs enfants ne doivent pas être morts ! N'est-ce pas dangereux ? Cela risque de vous compromettre ?
- Ne sois pas soucieuse, mon ange. Nous nous ferons passer pour nos héritiers, gloussa-t-elle comme si elle préparait une bonne blague, et tu sais ceux qui ne sont pas morts sont tellement âgés, que d'eux-mêmes ils penseront voir notre descendance. De plus, aucun d'entre eux ne te connait !

Elle méditait silencieusement ces paroles tandis que Domenica reprenait posément sa couture. Celle-ci cousait à une vitesse folle, une robe prenait forme sous ces doigts agiles, c'était fascinant. Soudain, une odeur agréable lui chatouilla les narines, elle leva les yeux vers Livio. Il caressait un verre transparent, un léger fil d'or en faisait le tour. Un liquide de couleur dorée y dansait, ce n'était donc pas du sang et elle se risqua donc à lui poser une question, priant qu'il n'en soit pas offusqué :

- Vous buvez d'autres choses que du... sang ? Le mot eut du mal à sortir de sa bouche, vous venez de dire que les aliments humains ne peuvent rien sur la nature Sanguisuga.

Elle était toujours aussi surprise par sa façon de parler et d'utiliser ce mot Sanguisuga, aussi naturellement. Livio se mit à rire :

- Effectivement, mais comme nous te l'avons dit, ils n'influent pas sur notre survie, nous en apprécions la saveur et de plus cela nous permet une bonne intégration chez les humains. Ce que je bois là, est un vice qui me reste de ma vie d'humain, je n'ai jamais su résister à un verre de brandy même si je n'en apprécie plus la saveur de la même façon que par le passé. Nos sens sont exacerbés et tout est différent après notre mutation en Sanguisuga, tu t'en rendras compte par toi-même. Le plaisir en devient donc lui aussi très différent, cela surprend, mais j'avoue qu'avec le temps on ne se souvient même plus du goût d'origine. Franck aime tout autant que moi le brandy d'ailleurs ! Dit-il, en regardant son beau-frère. Domenica est devenue adepte de la liqueur de griottes, sans doute la couleur rouge qui l'a inspiré au départ, ajouta-t-il en la regardant avec un sourire espiègle, Carol, quant à elle, a jeté son dévolu sur de la liqueur de cardamome[3], que nous avons découverte lors de notre voyage en Inde... une jolie couleur verte rappelant les larmes de ta mère et les tiennes...

---

[3] *Macération de graines de Cardamome verte (Elletaria Cardamomum). Proche cousine du gingembre, elle pousse en buisson surtout en Inde. Sa saveur piquante et poivrée rappelle le citron, le poivre et l'eucalyptus. Les soldats d'Alexandre Le Grand l'introduisirent en Europe lorsqu'ils revinrent d'Inde ; les Égyptiens en mâchaient pour se blanchir les dents et rafraîchir l'haleine ; les Grecs et les Romains l'utilisaient dans leur cuisine ainsi que pour la composition de parfums.*

Voyant qu'elle allait intervenir, il s'empressa de continuer rapidement.

- Lorsque ta transformation sera totalement terminée, nous pourrons te faire goûter si cela te dit. Et tant que je suis dans les confessions, tu découvriras que je suis aussi un fumeur de Nicotiana Tabacum, j'ai appris à le fumer en France alors que j'y étais ambassadeur pour Venise. Comme tu peux le voir, on en met un peu dans cet objet en terre, qui m'a été offert par un ami hollandais, et qu'on appelle une pipe. On fait donc comme cela, on met les brins dans la tête, lui montra-t-il en ouvrant l'objet qu'il avait sorti ayant la forme d'un tube et équipée sur la tête d'un couvercle percé de trois trous, et l'on y met le feu, c'est enivrant ! Mais, c'est un plaisir que je garde pour le privé, l'Italie, la Vénétie et Venise ne sont, hélas, pas prêt à accepter cette pratique, même aujourd'hui alors que pourtant, le temps est passé depuis son apparition dans nos pays… J'espère que l'odeur et la fumée ne te dérangeront pas. Je vais en allumer une pour que tu me dises si cela t'indispose ou si...
- Quelle excuse, mon amour, utiliser notre fille pour assouvir ton vice, tu abuses et tu devrais avoir honte ! L'interrompit Domenica.

Dans sa voix, on sentait une indulgence aimante… qu'il devait être beau d'aimer et de se sentir aimer comme eux deux… Livio amusé par la remarque de sa moitié, prit une chandelle qu'il pencha légèrement sur l'objet et y mit le feu, il referma le couvercle et aspirant sur le tube fit de la fumée avec son nez ce qui fit rire Générosa. Une odeur douce parvint à ses narines et elle la trouva très agréable. Cela se vit sur son visage, car Livio soupira de contentement et lui chuchota un « merci » en regardant de biais sa compagne. Générosa quant à elle se sentit heureuse que la tension dont elle avait été responsable un peu

31

plus tôt se soit dissipée si vite. Mais les remarques faites par Franck et Livio lui firent reprendre la parole.

- Pourquoi avais-tu l'air surpris que je pleure, Franck ? Pourquoi dites-vous que mes larmes sont comme celles de… elle ne savait comment nommer Domenica, elle la regarda puis détournant on regard se fixa sur Franck et reprit rapidement, enfin pourquoi parlez-vous de teinte verte ?
- Oh ! Et bien…

Il regarda sa sœur qui sans lever la tête de sa couture fit un léger signe de la main l'autorisant à parler…

- Domenica était, jusqu'à ce jour, la seule Sanguisuga que nous connaissions sachant pleurer… mais attention, ce ne sont pas de vraies larmes faites d'eau et de sel, mais du venin pur de Sanguisuga. Ce venin habituellement ne se situe que dans notre dent, une dent qui ressemble à un aiguillon et qui pousse entre nos incisives. Lorsque nous mordons, il anesthésie les humains et nous permet de nous nourrir sans les faire souffrir… François a beaucoup voyagé et pour lui Domenica est unique en son genre, il n'a jamais entendu parler d'autres cas ni n'en a vu par lui-même d'ailleurs… Et aujourd'hui, toi, sa fille, tu as cette même particularité, c'est…
- Du venin ? Notre dent ? Dit-elle surprise.
- Du venin inoffensif pour nous autres, répondit Livio en fusillant son ami du regard, ne t'inquiète pas ma puce. Comme te le dit Franck, il a un pouvoir anesthésiant sur les humains et il s'injecte lorsque nous mordons avec notre dent. Tu ne t'en es pas encore aperçue, mais tu as une dent supplémentaire qui sortira lorsque tu… lorsque tu te nourriras sur les humains et se rétractera quand tu auras assouvi ta faim. En ce qui concerne les larmes, tu es comme ta mère une exception, vous pleurez du

venin en tout point identique et avec les mêmes propriétés que celui que nous sécrétons dans nos morsures.

Livio fixait sa fille, tendu et angoissé par la réaction que ses paroles pouvaient engendrer. Générosa resta songeuse assimilant les informations que Livio et Franck venaient de lui fournir. Observant les doigts agiles et rapides de Domenica sur le tissu prenant forme de robe, son regard dévia sur Carol qui elle aussi cousait. Ni l'une ni l'autre ne dirent quoi que ce soit ni n'osèrent la regarder. Elle se leva, fit le tour de la pièce prenant un objet, le reposant. Soudain sans réfléchir elle demanda :

- Il y a longtemps que vous êtes Sanguisuga tous les quatre ? Combien de frères et sœurs avez-vous ? Vous…

Elle s'interrompit, réalisant en posant toutes ces questions combien elles étaient indiscrètes. Elle se laissa tomber dans le fauteuil qui se trouvait près d'elle cherchant comment se reprendre, s'excuser. Elle fut surprise et soulagée d'entendre Domenica répondre.

Posant son ouvrage, elle regarda sa fille et commença :

- Nous aurions dût te donner ces informations, excuse-nous. En ce qui concerne notre fratrie tu nous connais tous, ne manque que François notre jeune frère, un Duc français. Pour nos histoires… eh bien je vais commencer, les prérogatives de la mère !

Livio secoua la tête en levant les yeux au ciel pendant que Carol et Franck riaient aux éclats.

- Je suis née au Portugal. Mariée très jeune à un homme répugnant beaucoup plus âgé que moi et qui eut le bon goût de mourir d'une vilaine fièvre quelques mois plus tard. Il n'avait pas eu le temps de me faire un enfant ce qui sauva ma misérable existence d'un second mariage. Les hommes convaincus de mon infécondité et trouvant étrange que mon mari trépasse si vite après notre union craignaient que je sois maudite, une femme avec le mauvais œil. J'ai donc eu droit à la paix et à une maison en retrait du village, suffisamment près pour me surveiller, mais assez loin pour éviter la malédiction possible à mon contact. J'étais pour eux un véritable virus, une maladie contagieuse ambulante. Je ne m'en suis jamais plainte, cet état de choses me convenant très bien. Vers 1497, je devais avoir dans les trente-cinq ans, un âge avancé pour cette époque, ce qui entretenait l'idée d'une malédiction m'entourant, donc cette année-là, un Sanguisuga portugais comme moi, Paolo Dias da Silva della Julienus, vint se nourrir dans mon village. Il les tua tous avec une vitesse vertigineuse. Entendant les hurlements, j'étais sortie et j'ai assisté à toute la scène. Il poursuivait ceux qui tentaient de s'enfuir et ne s'arrêta que quand ils furent tous morts. Il me vit et me rejoignit. Arrivé près de ma maison, il sonda mon esprit, ayant ce pouvoir effrayant de lire les esprits des humains. Visualisant ma vie il décida de m'épargner en me faisant cadeau de la transformation pour devenir Sanguisuga.

- Nous avons visité le Portugal pour connaître le pays de notre père. Nous avons fait un détour par le village de ta mère. On y raconte que ce village fut dévasté par un loup qui ne laissa aucune âme vivante. C'est un village maudit que toute population évite encore à ce jour, dit Franck, s'excusant d'un sourire d'avoir interrompu Domenica

Ne lui en voulant pas du tout, elle reprit :

- Mon père avait près de cent vingt années d'existence, il m'apprit tout ce qu'il savait, me présenta des Sanguisugas encore plus anciens que lui qui m'éduquèrent à leur tour. Il m'offrit son nom et je pris pour nom Domenica della Julienus. Je devins une jeune femme accomplie dans de nombreux domaines, puis un jour j'ai pris mon envol et me mis à parcourir le monde, à apprendre tout ce que je pouvais en voyageant dans divers pays et à me divertir. Tout était nouveau pour moi, je n'avais jamais imaginé tout ce que je voyais et vivais. Pour la première fois de ma vie, j'étais heureuse. Alors que je visitais l'Angleterre ayant rejoint mon père en séjour dans ce pays, il me présenta, lors d'une soirée à Londres, Franck et Carol Philips ici présents, dit-elle en désignant son frère et sa sœur. Ils étaient de tout jeunes Sanguisugas et sont mon frère et ma sœur par la morsure, comme l'on-dit. Ils s'aimaient follement en tant qu'humains, mais Carol faillit mourir d'une terrible maladie. Franck avait fait la connaissance de mon père qui, touché par leur amour si pur, si vrai et si rare, se dévoila et leur proposa à tous deux une seconde vie en tant que Sanguisuga.

- Et nous lui en sommes infiniment reconnaissants, il a immortalisé notre amour.

Réalisant qu'elle avait interrompu Domenica, Carol ajouta avec un sourire contrit :

- Mais continue ! Excuse-moi, j'ai de plus en plus de mauvaises manières, je deviens comme Franck, il déteint de plus en plus sur moi, c'est affreux…

Elle soupira d'un air comique.

- Il n'y a pas de soucis, répondit sa sœur se retenant de rire à cette réflexion de sa sœur. Donc je fis connaissance avec ces deux Anglais et depuis nous sommes une famille unie et inséparable. Parfois, nous rencontrons notre père au détour d'un voyage, d'un pays. Depuis Franck et Carol, il n'a adopté qu'une dernière personne, notre jeune frère François, ne jugeant personne d'autre digne de ce qui pour lui est un cadeau fait avec amour… Comme nous pour toi… J'adore mon jeune frère et je suis certaine qu'il va venir très vite faire ta connaissance. Je pense aussi que dès que père apprendra ta naissance il voudra te rencontrer ! Mais le connaissant, il attendra un peu que tu sois une Sanguisuga déjà accomplie, afin de ne pas interférer dans notre éducation. Tu verras, c'est un être impressionnant, mais ce n'est qu'une façade. Voilà en résumé ma vie et ma transformation. Livio, veux-tu prendre le relais, mon amour, et narrer ta propre histoire ?

Elle reprit son ouvrage et encouragea son époux d'un sourire aimant.

- Bien sûr. Je suis né à Venise en 1516, d'une famille d'aristocrates vénitiens, mon père le Marquis Giuseppe Baldi était conseiller du Doge. À sa mort, j'avais 25 ans, je repris ce rôle ou je devins l'un des meilleurs. Je fus ambassadeur quelques années en France étant un très bon diplomate ayant la confiance du Doge, mais j'ai demandé à revenir à Venise qui me manquait trop, même si j'ai beaucoup appris et aimé vivre en France. Mes capacités sont restées en moi lors de ma transformation et j'ai en plus la capacité de savoir, sentir quand quelqu'un me ment et de manipuler les humains pour obtenir la réponse que je veux, ce qu'ils appellent de la diplomatie… Je t'assure que c'est très utile, bien moins impressionnant que les talents d'autres Sanguisugas, mais pratique ! Lorsque j'étais humain, j'excellais dans ce métier, car je n'avais rien d'autre pour remplir ma vie. Toutes les femmes m'entourant me paraissaient futiles, intéressées par ma position sociale, mon titre et mon argent. Je n'imaginais pas prendre femme sans amour, mes parents se sont mariés par amour et je voulais le même bonheur qu'eux. Je pris donc la décision de me consacrer à mon service près du Doge, au grand désespoir de ma mère étant fils unique. Il regarda Domenica en souriant avant de poursuivre. En 1554, une femme loua un palais à Venise. Cette créature que je trouvais extraordinaire ne ressemblait en rien aux femmes que j'avais eu l'occasion de rencontrer. Elle était accompagnée de deux individus qu'elle présenta comme sa sœur et son époux… Son visage s'illumina quand il enchaina en ajoutant : Domenica della Julienus entrait dans ma vie et dans mon cœur. Moi qui dénigrais les femmes, les ignorais et m'étais fait à l'idée de ne jamais me marier, dès le premier regard échangé avec cette femme, avant même qu'elle ne m'adresse la parole je succombais à son charme. Je la voulais pour moi seul et souhaitais l'épouser. Plus je la connaissais, plus je l'aimais et plus cela me confortait dans mon désir d'en faire ma femme. J'étais amoureux, comme jamais je n'avais osé le rêver ! Quand je m'en ouvris à ma mère, elle en fut si surprise et si heureuse pour moi qu'elle mourut sur le coup… Sa voix devint triste, le choc l'a tué ! J'aimais énormément ma mère, à la mort de mon père nous étions devenus très proche. Sa mort m'abattit, j'étais accablé de tristesse. Je fis donc taire ma flamme me sentant coupable de son décès et me disant que cela ne présageait rien de bon sur la réponse de mon aimée si je m'ouvrais de mes sentiments à elle.

Sa voix se brisa sur ces mots. On sentait combien il avait souffert de la perte de sa mère et que ce moment restait encore douloureux malgré les années écoulées. Domenica posa sa couture, se leva et entraîna son époux vers le canapé près d'elle. Elle ne lui lâcha pas la main, la caressant doucement et avec un sourire empli de tendresse l'encouragea à poursuivre.

- J'ai… Il raffermit sa voix, j'ai oublié de te dire que Domenica ne savait rien de ce feu en moi et que j'ignorais si elle pouvait répondre favorablement à ma demande… Elle n'avait jamais laissé paraître si je l'intéressais ou pas. Une femme énigmatique ce qui ajoutait à son charme. Je sombrais tout seul et me replongeais de plus belle dans mon travail au palais. Je ne la voyais plus que rarement, ne fréquentant les soirées que quand ma charge m'y obligeait, le deuil que je portais facilitait les refus pour les autres soirées, même celles qu'elle donna à trois reprises. Puis, sur l'insistance du Doge, mon deuil fut déclaré terminé ! Il m'invita, pour ne pas dire m'ordonna, à organiser une grande fête pour mes quarante ans. Toute la noblesse de Venise devait absolument être invité et nécessitant près de six mois de préparatifs. Je glissais une invitation à mon aimée espérant l'apercevoir même si je passais mon temps à l'éviter... Je ne pouvais l'oublier et même si j'avais pris la décision de ne rien lui dire, la voir suffirait à mon bonheur. Mais, à peine reçut-elle l'invitation qu'elle vint en mon Palazzo me demander une audience particulière ! Imagine ma surprise... je dus avoir un air très ridicule ! Je ne sais pourquoi, elle ne s'est pas enfuie devant mon air ahuri !

- Mais non mon ange, tu avais juste l'air perdu et cela me facilita la tâche... j'ai eu toutes les peines du monde à ne pas te prendre dans mes bras, sourit tendrement Domenica, mais pardonne moi de t'avoir coupé la parole, une habitude familiale, dit-elle avec humour.

- Ce n'est rien mon amour ! Donc elle me demanda audience et je la lui accordais. Elle était chez moi sous mon toit et voulait me parler. Je n'aurais pas imaginé une seule seconde la faire jeter dehors ou l'ignorer. Nous nous enfermâmes dans mon bureau. Et là... je ne sais si je dois te raconter ce qui s'est passé, tu es si jeune et notre fille... Il hésita un instant et reprit encouragé par Domenica, oh ! Et puis quelle importance ce n'est pas un secret, un jour ou l'autre je me trahirais par une réflexion ou l'un d'entre nous fera une plaisanterie qui te mettra sur la voie. Donc arrivés dans mon bureau, elle attendit que la porte soit refermée et elle me plaqua contre le mur... il vivait son souvenir, elle m'embrassa d'une manière si forte que je restais sans aucune réaction pendant un moment, mais quand elle tenta de s'écarter de moi je la serrais et l'embrassais à mon tour… enfin, ce moment attendu depuis des mois était là… quand nous eûmes fini ce baiser, elle avait les yeux mi-clos et souriait. Elle me demanda de m'asseoir un moment ayant d'après elle des confidences à me faire. Elle me demanda si je ressentais quelque chose pour elle, car elle était pour sa part, et je cite, irrévocablement amoureuse de moi n'imaginant pas poursuivre sa vie sans moi… Domenica acquiesçait de la tête. Je devins une vraie caillette[4] ! Imagine mon émoi et la délivrance que cela était pour moi, racontant ma vie vide d'amour, mon irrévocable inclination pour elle depuis sa venue à Venise, la mort de ma mère et tous ces longs mois à tenter de l'éviter. J'ajoutais que connaissant désormais ses sentiments, je n'imaginais pas continuer à vivre ainsi sans elle. Elle me demanda donc de me taire…

Domenica éclata de rire.

- Non, ne ment pas mon amour, je ne te l'ai pas demandé, je te l'ai ordonné sans succès n'ayant pas usé de La Voix. J'ai dû te faire taire, tu parlais reprenant à peine ton souffle. Tu craignais que je ne te laisse pas aller au bout de tes révélations. Alors, t'embrasser était le seul moyen d'y arriver…
- C'est vrai, donc ta mère me fit taire pour la laisser aller jusqu'au bout de ses divulgations. Elle me raconta tout ce qu'elle vient de te dire, m'expliqua ce qu'était un Sanguisuga. Elle conclut en me demandant si j'acceptais de devenir l'un d'entre eux afin que nous puissions rester éternellement unis. Ayant bien compris le délai de la mutation, je lui demandais si nous pouvions annoncer notre mariage pour le jour ou le lendemain de mon anniversaire et de procéder à cette transformation à la fin des festivités. Elle m'accorda ces six mois sans aucun problème. Depuis, tu m'as avoué mon cœur que tu avais craint un refus voir un rejet de ma

---

[4] *Femme bavarde*

part et ma demande en mariage un bon point de départ après nos baisers bien entendu, la taquina-t-il.

- Oh oui ! Et devenir ta femme un tel rêve que je n'aurais jamais pu imaginer être aussi heureuse un jour. Et puis tu oublies de préciser que je tenais à ce que mon père soit présent à notre mariage et à ta transformation, il me fallait donc le temps pour le prévenir et qu'il arrive au bon moment… j'avais si peur de mal m'y prendre, de ne pas y arriver, de te tuer… j'étais tout simplement terrifiée et la présence de père m'était une garantie supplémentaire pour ta sécurité…

- C'est vrai, chérie. Donc nous annonçâmes nos fiançailles et notre projet de mariage pour le lendemain de mon quarantième anniversaire. Cela surprit tout le monde. J'en profitais aussi pour dire au Doge que je souhaitais m'absenter pour quelques semaines afin d'emmener mon épouse en voyage de noces ce qu'il m'accorda sans hésiter. Nous eûmes un grand et beau mariage avec la bénédiction du Doge et ma nuit de noces se résuma à une transformation douloureuse, mais hélas indispensable. Quelque temps plus tard l'annonce de notre mort lors de ce voyage arriva à Venise ce qui me libéra de mes obligations et explications difficiles à donner. Et depuis le 24 mai 1556, nous ne nous sommes plus jamais quittés et sommes extraordinairement heureux. Il ne nous manquait que toi pour parfaire ce bonheur ! Pour compléter l'histoire de notre nom, qui est désormais le tien, Baldi della Julienus, tout simplement le nom de ta mère accolé au mien.

Tandis que Livio embrassait les mains de sa femme puis se levait pour se servir une boisson, sa fille restait silencieuse, mais le léger sourire flottant sur ses lèvres les rassurait tous. Générosa Baldi della Julienus, son nom ! Voilà à quoi elle pensait en souriant. Elle réfléchit à ces incroyables histoires racontées par ceux qui se présentaient comme ses parents. L'amour est déjà rare de là où elle venait, mais leur histoire digne d'un roman la laissait songeuse. Des Sanguisugas avec des pouvoirs magiques et du venin comme les serpents. Domenica et elle qui pleurent de ce même venin. Alors qu'elle allait demander plus de détails sur ces étrangetés et sur le genre de pouvoir qu'ont les Sanguisugas, elle eut une sensation de vertige, un terrible bruit se produisit et en baissant les yeux elle réalisa qu'elle avait totalement broyé les bras du fauteuil dans lequel elle était installée ! Elle n'eut guère le temps d'y réfléchir ou de comprendre ce qui se passait, Domenica s'était précipitée vers elle. Franck l'avait levé et serré contre lui. Totalement immobilisée, Domenica lui caressait tendrement la tête tandis que Livio l'obligeait à ingurgiter une fois de plus deux grands verres de sang, toujours dans l'un de ces verres rendus opaques par les décorations, mais elles étaient si belles que cela détourna son attention du contenu pendant quelques instants. Elle se sentait épuisée, Livio l'enleva des bras de Franck et l'emmena dans sa chambre, Domenica les suivant de près. Il la déposa sur le lit en soupirant.

- Ta transformation est très rapide, beaucoup plus que dans mon souvenir, tu seras une Sanguisuga dans très peu de temps ! Il faut te reposer maintenant, c'était une longue soirée pour toi ce soir, nous aurions dût nous méfier. Quels idiots !

Livio semblait irrité.

- Je suis désolée pour le fauteuil, je ne voulais pas vous mettre en colère... Qu'est-ce qui se passe ? Et l'histoire de Carol et Franck... Et...

Elle bégayait et ce qu'elle disait était décousu.

- Non, ne dis rien ! Repose-toi, ma chérie. Nous parlerons de ce qui vient de se passer, demain, promis, nous t'expliquerons. Et surtout, ne t'inquiète pas pour ce fauteuil. Je ne suis pas en colère, juste contrarié que nous n'ayons pas pris nos précautions pour te protéger correctement. Nous commençons bien en tant que parents..., dit-il d'un ton amer, voilà ce qui me rend furieux... mais je ne suis absolument pas fâché contre toi. Maintenant, ferme tes yeux et dort mon ange.

Elle obéit et épuisée trouva le sommeil rapidement. Ils l'embrassèrent et la laissèrent seule. Lorsqu'elle se réveilla dans sa chambre, la douleur dans ses entrailles était très forte. Elle savait maintenant que cela signifiait sa faim ou sa soif, elle ne savait pas trop comment nommer cette sensation. Elle se leva et se décida à s'aventurer hors de la pièce afin de découvrir à quoi ressemblait la maison, elle n'en avait eu qu'un bref aperçu la veille, et trouver où se trouvaient les autres personnes composant la maisonnée, sa nouvelle famille... Elle ouvrit la porte et appela... Personne ne répondit. Sortant sur le palier de sa chambre, elle entendit plusieurs voix à l'étage inférieur, ils n'étaient pas seuls, l'une des voix lui était inconnue. Elle descendit discrètement les escaliers pour les rejoindre, mais elle dut faire un bruit d'enfer, car les voix cessèrent et Domenica vint l'accueillir en la serrant contre elle et en embrassant ses cheveux.

- Livio est parti te chercher de quoi boire. Viens que je te présente. François, permet moi te présenter notre fille, Générosa.

Elle comprit qu'il s'agissait là du frère dont ils avaient discuté la veille. Elle ne sut que dire ni quelle attitude adoptée, cet homme était impressionnant et divinement beau : une peau hâlée, un regard bleu pénétrant et rieur, des cheveux légèrement bouclés châtain clair rassemblés sur sa nuque et tenus par un ruban du même bleu que ces yeux... tout à sa contemplation de l'individu, elle ne vit pas que Domenica l'avait lâchée, remplacée par Livio qui la tenant par la taille lui tendit des verres. Elle but sans rechigner les deux premiers qu'il lui tendait et elle déployait le bras vers un troisième quand elle entendit rire. Elle vit que c'était l'homme qui riait et cela la sortie de sa léthargie. Elle chercha du regard un moyen de s'enfuir, ce goujat se moquait ouvertement d'elle ! Elle se ressaisit et remerciant Livio, avala fièrement son troisième verre, mais ne put réprimer cette fois une grimace. Elle était bien revenue sur terre. Évitant de regarder à nouveau l'homme elle se dirigea vers le fauteuil près de Domenica, Livio la tenant toujours par la taille et déclarant :

- Nous expliquions à François ta répugnance à te nourrir de sang humain et de l'idée de se nourrir d'animaux. Et nous lui demandions ce qu'il avait appris sur les nôtres se nourrissant ainsi. Il nous expliquait que... mais François voudrais-tu reprendre ton explication du début si cela ne t'ennuie pas.
- Aucun problème mon cher beau-frère. Tout d'abord, je suis charmé de vous compter parmi les nôtres, jeune Générosa, voir mes amis, ma famille si heureuse me remplit de joie et je peux constater par moi-même qu'ils n'ont pas menti sur votre beauté et votre étonnante ressemblance avec Domenica. Je tiens aussi à vous présenter mes plus plates excuses si mon rire vous a froissé, mais votre mère venait juste de me dire votre réticence à boire du sang humain. Imaginez ma surprise de vous voir engloutir deux verres de suite et voir la tête de vos parents m'a fait rire, leurs airs stupéfaits étaient tellement comiques, je n'ai pas pu résister. Pardonné ? Allez, s'il te plaît Générosa, nous sommes de la même famille et tu ne pourras pas m'en vouloir éternellement, c'est long tu sais, ajouta-t-il en plaisantant et ayant pris le tutoiement de façon naturelle sur la fin de son plaidoyer.

Les excuses avaient été si bien tournées, avec gentillesse et humour, qu'elle ne pouvait pas continuer à faire la tête et elle lui pardonna de bon cœur. Mais ne réussissant pas à l'exprimer à voix haute ne se sentant pas la voix assez sure pour parler, elle lui fit comprendre à travers un sourire et un léger hochement de la tête. Elle restait intriguée par un point cependant, comment avait-il su que son rire l'avait vexé ? Elle serra ses mains l'une contre l'autre et se concentra sur elles, il n'était pas temps de laisser vagabonder son esprit.

- Merci ! Je savais que la fille de ma sœur ne pouvait être qu'une jeune femme intelligente et magnanime. Je me présente Duc François de Cortenève, Français, et Sanguisuga depuis une cinquantaine d'années, dit-il en faisant une révérence. J'ai trente-deux ans depuis ce jour. Je suis le frère de ta mère et le dernier Sanguisuga ayant pour père Paolo. Je passe mon temps à voyager et ayant senti que ta mère vivait quelque chose d'important je suis venu aux nouvelles ! Il dit tout cela, un sourire ravageur plaqué sur ses lèvres.

Surprise par ses paroles, elle leva la tête brusquement et regarda tout le monde ne comprenant pas ce que François voulait expliquer. N'avait-il pas reçu un courrier pour l'avertir de sa présence ? Tout le monde l'attendait, cela paraissait donc logique !

- Pardon de t'interrompre, François, intervint Livio en s'approchant de Générosa, ma chérie, pour expliquer ce que François vient de dire, sache que toutes personnes liées par le même géniteur ne font plus qu'un. Quand l'un est en difficulté, heureux ou autres choses faisant appel à l'émotif, tous le savent, le même sang courant dans leurs veines. Toi et moi sommes liés de cette même façon puisque je suis ton père... lui dit-il tendrement en lui caressant les cheveux. Ce lien existe aussi pour les âmes sœurs comme ta mère et moi ou Carol et Franck, cette fois ce n'est pas une question de sang, mais de sentiments. Si un jour tu rencontres ton compagnon, tu auras ce même lien... Je te rends la parole François, ajouta-t-il se retournant vers lui.

- Je vous en remercie, mon cher beau-frère. Donc, je suis ici et tes parents me racontaient tes réticences à te nourrir sur les humains. Tu ne peux l'éviter, Générosa, le sang des animaux n'est pas assez nourrissant pour ce que nous sommes. Ceux qui en ont fait l'expérience, ont dût retourner se nourrir de sang humain, étant en train de mourir de faim... le sang animal ne ressemble en rien à celui des humains et donc ne peut pas le remplacer... Tout comme toi ou moi, tuer les répugne. Ils ont trop de respect pour la vie humaine... Avec cet échec du sang animal j'ai perdu, je l'avoue tout espoir. J'ai même pensé ne plus me nourrir du tout, mais j'ai pensé à ma famille et à la douleur que ma mort leur occasionnerait. Et finalement, ma route a croisé une famille en Écosse m'ayant appris une façon de procédé qui va t'intéresser, j'en suis sûr ! Je venais de les quitter et de reprendre mes voyages quand j'ai ressenti le nouveau bonheur de ma famille et que mes pas m'ont amené ici.

Générosa surprise par ce discours fit une moue dubitative... Il prétendait que lui et d'autres encore respectaient les humains et ne voulaient pas les tuer, trouvant dégradant de se nourrir d'humains ! Son visage s'éclaira ! Elle n'était donc pas si étrange que cela ! Cela lui rendait espoir. François faisant comme s'il n'avait rien remarqué poursuivit en détachant distinctement chaque mot :

- Tu peux si tu le veux, si tu en as le courage, la force d'apprendre consciencieusement à ne pas tuer les humains, à leur voler un peu de sang et cela, sans même, qu'ils s'en souviennent. Mais il va falloir être très prudent dans cet apprentissage ! Il faut apprendre à leur faire oublier ce moment, à ne pas en faire ses enfants, à savoir s'arrêter avant que le cœur ne s'arrête et pour finir à les mordre à un endroit discret. Un apprentissage qui peut paraître long et fastidieux si l'on n'a pas de vraie motivation... mais je suis sure que tu seras poussée par la perspective de ne pas tuer. Toute la famille étant intéressée par cette méthode vous progresserez plus vite ensemble que seule dans ton coin. Qu'en penses-tu ?

- Je… Effectivement, cela serait… tolérable… répondit-elle en bégayant, surprise par son offre.

Elle se risqua à regarder Livio et Domenica pour étudier leurs réactions. Les voir enchantés, tout comme Carol et Franck, la rassura et la poitrine allégée d'un lourd fardeau se sentit beaucoup mieux.

- Cela n'en changera pas le goût, mais vu ta façon de boire un peu plus tôt, je suis sure que tu sauras t'y faire, ajouta Domenica en riant, et l'on pouvait voir dans son regard quelque chose comme du soulagement.

- Quand tu dis que ça n'en changera pas le goût je ne suis pas d'accord avec toi, mon aimée, les humains ont différents arômes et… mais tu découvriras tout cela très vite Générosa… François, combien faut-il de temps pour assimiler ces pratiques ? S'enquit Livio.

- Seul, c'est assez long. J'ai mis près de six mois avant d'y arriver parfaitement, mais comme je le disais j'étais seul en apprentissage… vous êtes cinq et les erreurs des uns aideront les autres… je dirais un bon mois et je pourrais retourner par-delà les mers sans crainte. Mais, son regard se fit dur et son ton intransigeant, il faudra absolument faire tout ce que je dirais.

Chacun opina de la tête. Générosa étouffant un bâillement se dit que c'était insensé ce qu'elle pouvait dormir ! Elle avait la sensation d'avoir dormi plus ces derniers jours que les dix-neuf années précédentes ! Livio lui conseilla de remonter se coucher, mais la pria de boire un énième verre avant, ce qu'elle fit sans plus de manière, satisfaite de la tournure des choses. Elle n'aurait pas d'humains à tuer, même si certains ne méritaient pas de vivre, songea-t-elle amèrement en repensant à sa pseudo famille. Quel plaisir elle aurait eu... non décidément malgré leur attitude elle ne se sentait pas capable de passer à ce genre d'actes. Souhaitant un bon repos à tout le monde elle monta s'allonger.

- Elle est jeune, ne t'inquiète pas tant Domenica, sa transformation n'est pas terminée, il est donc normal qu'elle dorme autant ! C'est épuisant ce qu'elle traverse en ce moment.
- Je sais que tu as raison François, Livio, me dit la même chose. Mais... il n'y a pas que le fait qu'elle dorme beaucoup, j'ai... j'ai si... elle prit une grande bouffée d'air et reprit sa phrase d'un air implorant, j'ai si peur de la perdre ! Je ne te remercierais jamais assez pour ce que tu as dit ce soir, as-tu vu comme son regard s'est illuminé à la perspective de ne pas tuer ?
- Ce que j'ai vu et ressenti moi, c'est la façon dont tu la regardais et elle... elle te dévorait des yeux à peine entrée dans la pièce... Elle est encore jeune, François ! Ce n'est qu'un bébé ! Accusa Livio en colère. Ne touche pas à ma fille ! N'oublie pas que c'est ta nièce !
- Mon charme français ! Que veux-tu que je te réponde à cela ? Peu de femmes y résistent hors mes sœurs et celles ayant déjà leurs âmes sœurs ! Mais je t'assure que je ne fais rien pour le provoquer... tenta de se défendre François sur un ton détendu afin de calmer son beau-frère.

Il échangea un regard étrange avec sa sœur que fort heureusement Livio ne surprit pas. Voyant cela et fuyant cette ambiance électrique Franck et Carol s'éclipsèrent dans le jardin.

- Je sais excuses-moi... Mon rôle de père me fait déjà voir rouge dès qu'un homme s'approche d'elle et tu es mon beau-frère... je crains le pire avec des étrangers, dit-il en regardant Domenica, et pourtant... Elle n'est pas encore une Sanguisuga à part entière et je n'ai donc pas une union encore parfaite avec elle... Je ne peux donc pas en juger de suite, mais... gare à toi, ajouta-t-il en pointant un doigt menaçant sur François.

Domenica le regarda en riant disant qu'elle serait sans nul doute aussi intransigeante que lui s'il s'agissait d'un autre que son frère ! Tout en parlant, elle regardait son frère avec un air sérieux de mise en garde.

Après un bref silence, ils se décidèrent à aller se nourrir. D'ici un jour ou deux au plus ils pourraient commencer l'apprentissage de la chasse avec Générosa, sa transformation en Sanguisuga serait achevée et son instinct de chasse éveillé. Il leur faudrait tous être prêts à apprendre et à maitriser Générosa si nécessaire et pour cela il valait mieux le faire s'ils n'étaient pas affamés. Ils sortirent chercher Carol et Franck dans le jardin et quittèrent la demeure pour chasser. Ils rentrèrent tous les cinq quelques heures plus tard, les deux couples satisfaits et confiants en l'avenir après avoir vu François chasser. Ils firent un bref passage dans la chambre de Générosa afin de l'embrasser et lui faire un peu de lecture puis ils allèrent tous se coucher.

Finalement, la maison retrouva son silence ou presque, venant de la chambre de François on pouvait entendre un rire... Ce rituel d'instruction dans le sommeil, quelle bizarrerie, même pour des Sanguisugas ! Il n'avait jamais rien vu de tels lors de ses voyages aux quatre coins du monde et des fantaisies il en avait pourtant croisé de nombreuses sortes. Ne pouvait-on la laisser se reposer en paix ? Il s'allongea en repensant à cette étrange soirée, à cette fille dans la chambre non loin de la sienne qui était... Livio l'avait senti... ce ne pouvait être possible, ça ne pouvait pas arriver, pas maintenant, pas aujourd'hui et surtout pas elle ! Il finit par sombrer dans un sommeil agité tandis que l'on pouvait entendre au loin des jappements de chiens pendant que les humains se levaient pour entretenir la propriété et ses dépendances.

Dans les autres chambres, on peut voir Domenica soupirer d'aise et se lover contre son aimé, Carol faisant de même contre Franck ! Tous sont heureux, Générosa leur a apporté de la joie et du bonheur… Satisfaits de la nuit passée et anticipant la nuit suivante ils s'endormirent le sourire aux lèvres. Seul Livio reste quelque peu inquiet par cet avenir et surtout par ce qu'il a pressenti… Se faisant morigéner par sa femme il finit par se laisser prendre par le sommeil.

Deux nuits plus tard, Générosa se réveilla affamée et impatiente de découvrir ce que la soirée réservait. Elle avait la sensation que cette nuit serait unique et lui réservait de nouvelles surprises. Les deux nuits précédentes avaient été calmes, dormant beaucoup elle n'avait guère été réceptive à ce qui se passait à la maison, hormis la tension entre son père et François qu'elle ne comprenait pas et quand elle s'en était ouverte à Domenica, elle avait ri en répondant qu'ils avaient eu une divergence d'opinions politiques, l'un et l'autre très têtu n'ayant pas voulus céder un pouce de terrain et refusant d'écouter ce que l'autre avait à dire. Elle avait fait semblant d'y croire, sentant qu'il y avait beaucoup plus que cela. Domenica et Carol tentaient de lui apprendre des rudiments de couture et tricot, mais elle n'était guère patiente ni douée pour ce genre de travaux. Toutefois, elle s'appliquait tandis que les hommes parlaient politique, discours incompréhensible pour elle et pourtant fascinant, elle en écoutait chaque mot…

La nuit passée, François avait pris un livre *« le Roman Comique »*[5], et lut en français ce livre de Paul Scarron[6], il lui avait expliqué

---

[5] Roman inachevé narrant les aventures rocambolesques d'une troupe de comédiens au Mans et environs. Composé d'une série d'histoires mêlées, pour la plupart des nouvelles Espagnoles traduites et adaptées. Scarron mourut alors qu'il rédigeait la troisième partie. Première partie publiée en 1651 et la seconde en 1657

avoir connu l'auteur et apprit sa mort récente. Il lui raconta aussi que cet ouvrage n'était pas terminé, mais était en l'état l'un de ses préférés. Elle n'avait pas compris grand-chose au texte, mais la voix chaude et envoûtante de François la faisait frémir jusqu'au plus profond d'elle-même... Comment avait-il connu cet écrivain ? Comment était-il devenu un Sanguisuga ? Qui était-il ? Autant de questions qui lui brûlaient les lèvres, mais qu'elle n'osait poser... Elle devinait que ce n'était pas le moment. Se reprenant, elle secoua la tête et ses longs cheveux voletèrent. Elle se leva et prit son temps pour faire sa toilette... un savon de lavande, elle n'aurait jamais rêvé en avoir un, ce parfum délicat parfumait sa peau et ses cheveux, elle avait l'impression d'être en plein champ de lavande un jour d'été... Elle alternait avec ce savon à la violette, tous deux cadeaux de Domenica.

Se décidant à quitter ses rêveries, elle finit ses ablutions et découvrit sur une chaise une robe magnifique... Elle ne l'avait pas vu avant, plongée dans ses pensées. En la mettant devant elle et en se mirant dans le miroir en pied qui était dans un coin de son boudoir, elle reconnut le tissu et la robe sur lequel travaillait Domenica quelques nuits plus tôt... ainsi elle cousait pour elle, elle se sentit flattée qu'elle l'ait jugé digne de porter une robe neuve et ait pris la peine de la coudre elle-même. Elle vit un ruban de la même couleur que la robe pour attacher les cheveux et un châle pour mettre sur ses épaules. Elle reconnut cette fois les couleurs que Carol tissait... tant de générosité et d'amour lui firent monter les larmes aux yeux...

Elle sortit de la chambre, mais voulut se donner le temps de se reprendre et d'assécher ses larmes. Elle eut alors une envie irrépressible de voir le ciel et surtout sentir l'air caresser sa peau. Elle n'avait pas mis les pieds dehors ni même ouvert ses volets

---

pour respirer l'air extérieur depuis cette fameuse nuit. Rentrant à nouveau dans sa chambre elle se rendit directement vers la fenêtre et se risqua à ouvrir les volets. L'air sentait le froid de l'hiver, une odeur très subtile et agréable qui ravissait ses sens. Humaine, elle n'avait jamais perçu l'odeur particulière de l'hiver. Elle se mit à rire sans raison particulière, heureuse de tout… Qu'arriverait-il si elle laissait ses volets ouverts le jour ? Pourquoi vivait-il la nuit ? Sûrement pour la chasse, qu'il fallait discrète, elle ne voyait pas d'autres raisons… Pourquoi toujours vivre dans le noir ? Quand l'occasion se présenterait, il faudrait qu'elle pose ces questions… en attendant les réponses, elle referma soigneusement ses volets et se dépêcha.

Elle descendit rapidement le grand escalier pour rejoindre ses parents et le reste de sa famille. Cette réflexion la fit trébucher et elle faillit tomber. N'ayant que le temps de s'accrocher à la rampe… SES parents, SA famille… Quelles expressions étranges pour elle, qualifier ainsi ces gens qu'elle ne connaissait que depuis peu de temps. Mais quel bonheur, quelle chose agréable que d'en avoir de si aimants, quelle chance elle avait… à son insu, elle s'était mise à les aimer et au fil des jours à se considérer comme leur fille. Elle sut qu'elle n'aurait plus jamais crainte de les considérer comme tels, ni de le dire ! Elle avait la sensation d'être dans cette famille depuis toujours comme si l'une de ses rêveries était devenue réelle…

S'étant stoppé au milieu des escaliers, elle continua son introspection et se rendit compte que son vocabulaire en quelques nuits de discussion en leur compagnie avait évolué, s'était enrichi et que son phrasé s'améliorait… Elle prit alors la décision de tout faire pour qu'ils soient fiers d'elle et ne regrettent jamais de l'avoir intégré à leur famille, même si cela signifiait boire de ce sang qui lui déplaisait toujours autant. Elle reprit sa descente impatiente de les rejoindre.

Arrivée au salon, son père l'accueillit à la porte et lui donna un verre qu'elle but sans discuter et réussit même à se retenir de grimacer trop violemment. Puis il l'embrassa sur la joue en lui chuchotant à l'oreille, d'un ton taquin :

- Tu es une petite fille très courageuse et vraiment magnifique dans tes nouveaux atours.

Elle ne put retenir un geste d'affection, le tout premier depuis son arrivée parmi eux. Elle le prit par le cou et l'embrassa sur la joue. Elle le sentit troublé. Se séparant de lui elle alla embrasser aussi sa mère, pour la toute première fois. Domenica émue se leva et la serra contre elle. Générosa la prenant à son tour par la taille, la remercia pour la robe et appuya ses remerciements par une bise sur la joue. Encore plus émue, Domenica prit la main de Livio et s'y accrocha pendant que Générosa se dirigeait vers Carol et l'embrassait.

- Merci, merci, merci ! Quel châle magnifique ! Je n'aurais jamais imaginé, rêvé d'en avoir un aussi beau, tout neuf et pour moi toute seule !
- Et moi que veux-tu que je fasse ? Je peux te coiffer ? Ou autre chose… dit moi vite ! Tout ce que tu veux… Je ferais tout pour des remerciements aussi chaleureux… je suis très jaloux ! Je veux un baiser ! Se prit à rire Franck en la prenant à son tour dans ses bras et en lui faisant faire deux pas de danse et tourner sur elle-même.

Générosa se joignit à son rire, l'embrassa et se tournant vers François le vit qui attendait sagement son tour, mais avait la main tendue. Elle lui tendit la sienne naturellement, il l'effleura de son souffle. Cette sensation, son sourire éclatant et son attitude lui chavirèrent le cœur, comme toujours. Elle se morigéna intérieurement, reprit sa main, espérant avoir réussi à ne pas se trahir. Prenant place près de sa mère, resserra son châle sur sa poitrine et attendit la suite de la soirée. François prit la parole :

- Bien, la transformation de Générosa paraissant achevée, nous sommes tout à fait prêts à vivre l'initiation à la chasse sans décès de mortel, comme souhaité par notre jeune amie ici présente. Voyant le sourire moqueur de Franck et Livio à ces paroles il se justifia, je sais la formulation paraît pompeuse, mais je dois bien avouer que je ne sais pas trop comment nommer cet apprentissage. Donc nous commencerons par quelques consignes et ferons un peu de théorie si vous le voulez bien afin d'éviter trop d'accidents qui pourraient choquer Générosa.

Il se tourna vers elle, fit une révérence avec un sourire malicieux aux lèvres. Elle répondit à sa moquerie en lui tirant la langue, elle n'avait pu y résister et en resta surprise elle-même. Souriant de plus belle, il continua avec une voix très sérieuse :

- Première règle, ne jamais oublier d'effacer leur mémoire après la morsure, nous reviendrons sur ce point et sa méthode d'application. Ils ne doivent absolument avoir aucun souvenir des instants passés en notre compagnie voir même de nous tout simplement. Seconde règle, ne jamais attaquer d'enfants. Vous avez toutes les chances de détruire tous ses souvenirs et donc son futur équilibre d'adulte. Troisième et dernière règle, principalement pour toi que je vais la préciser Générosa. Si la morsure ou l'effacement de mémoire sont mal faits, n'hésitons pas à le dire raté, il ne faut en aucun cas laisser de témoin ou faire de nouveaux Sanguisugas. Il faudra, c'est impératif, achever sa proie. Oui, je sais que cela te déplaît Générosa..., soupira François sans la regarder.
- Excuse-moi, il me faut un peu de temps pour assimiler ma nouvelle nature, murmura-t-elle surprise de sa capacité à sentir ses réactions alors qu'il lui tournait le dos, et qu'il lui avait semblé

être discrète.

Elle n'avait pu réprimer un mouvement de recul à l'idée d'une telle fatalité quoique sachant au fond d'elle qu'il avait raison, des témoins seraient pour la survie de l'espèce, trop dangereux. Ayant compris cela elle se détendit. François esquissa un sourire en se tournant à demi vers elle et observa les siens l'un après l'autre. Une fois convaincu que tout le monde avait assimilé ces règles, il poursuivit :

- La morsure ! Ce sera plus simple pour toi, Générosa ! N'ayant encore jamais mordu tu n'as pas de mauvaises habitudes comme nous autres. Donc, il faut mordre juste ici.

Il se dirigea vers elle et lui penchant la tête montra un endroit précis de son cou à l'aide de deux doigts. Puis pour qu'elle puisse voir à son tour refait sa démonstration sur Domenica.

- Cet endroit permet une marque pratiquement invisible si l'on vise bien. Mais ce n'est que de la théorie, rien ne vaudra la pratique. Avant de nous y mettre, étudions le point important : l'amnésie. Il n'y a rien de plus simple que d'effacer la mémoire des mortels, il faut donc être très prudent et l'utiliser sans exagération. Après la morsure, il faut donc soit serrer la victime contre soi, soit prendre son visage entre les deux mains. Avoir un contact rapproché, intime pour expliquer plus simplement. Dans le premier cas, la serrer très fort contre soi et murmurer tout contre son oreille, dans le second cas, fixer son regard et toujours murmurer. Il n'y a pas de phrases miraculeuses. Utiliser les moments vus pendant que vous avez chassé votre proie, avec qui elle se trouvait, ce qu'elle faisait, etc. Simplement lui faire remonter le temps ou faire une suggestion sur ce qui vient de se passer si vous pensez avoir à rencontrer à nouveau la personne. Très utile dans le monde lors de soirées où la faim pourrait se faire ressentir. Mais, toujours en murmurant, j'insiste sur ce point, il est primordial. Par exemple, la personne se promenait en chantant, vous pouvez lui murmurer *« Chantonne et continue ton chemin, tu te sens heureux »*. Vous pouvez aussi dans la suggestion lui laisser le choix entre deux choses. Si par exemple vous avez vu un homme revenir de voir des femmes de petites vertus, vous pouvez lui dire *« Tu hésites, revoir cette femme ou rentrer chez toi »*. Si vous le voyez faire exactement ce que vous avez énoncé, c'est réussi, dans le cas contraire... finissez votre festin. Avec un minimum de pratique, tout comme la morsure, vous verrez à quel point c'est ridiculement facile d'hypnotiser et que la phrase adéquate viendra tout aussi naturellement à vos lèvres selon la situation. Des questions ?

Chacun se regarda. Puis tous comme un seul regardèrent Générosa, afin de voir sa réaction. Voyant qu'elle ne paraissait pas trop inquiète, mais attentive, ils se détendirent.

- À quand notre première leçon ? S'enquit Livio, on le sentait impatient de se mettre en défi lui-même.
- Nous pouvons tenter ce soir un premier essai. Plus vite vous serez au point, plus vite vous pourrez partir vous installer à Venise et moi, repartir de mon côté. Tout le monde est prêt ?

Générosa sentit un vent de panique l'envahir, cela se précipitait, elle allait devoir mordre un être humain au risque de le tuer si elle ne s'appliquait pas à suivre les règles édictées par François. Non ! Elle ne pouvait pas, non… une main rassurante se posa sur son épaule.

- Ne t'inquiète pas mon ange, je serais près de toi. Pour ce soir nous allons en priorité t'apprendre à gérer tes pouvoirs de marche, course et peut-être même le vol, pour ce qui est de se nourrir, peut-être qu'être spectatrice ce soir serait déjà un bon début… lui dit son père.

- Je pensais m'occuper de Générosa, commença François.

- Hors de question ! C'est à Domenica et moi de nous en charger, coupa Livio d'un ton peu amène.

- Je n'y peux rien Livio, je… commença à se défendre François, se reprenant il continua : très bien en route, allons prendre votre première leçon. Et pour information Générosa, je suis d'accord avec ton père un bon départ serait pour toi être spectatrice. Plus tu verras les autres avant de passer à l'action et moins tu auras de chance de commettre des erreurs.

François avait paru ébranlé par le ton de Livio, sa tentative d'explication incompréhensible, mais il s'était très vite repris. Domenica lui prit la main et elles sortirent dans la cour, de là il fut décidé de se rendre en ville dans les quartiers pauvres, ou les morts étaient monnaie courante et donc s'il y avait des ratés aux essais, invisibles aux yeux des mortels. Générosa finit par prendre conscience qu'elle courait à une vitesse folle en voyant le paysage autour d'elle défiler à une vitesse vertigineuse. Elle faillit choir, mais sa mère lui tenait solidement la main et la redressa. Tout fut si rapide que cela aurait pu passer inaperçu si elle n'avait entendu un rire moqueur derrière elles venant de François. Elle se sentit vexée, mais grisée par la vitesse reporta son attention à la route.

Arrivée à l'endroit prévu, elle se sentit exaltée, par ce moment vécu, et angoissée, par le futur proche. Elle a pleinement conscience que François l'observe de son beau regard pétillant de malice. Elle redresse bravement la tête et se retient de le regarder. Son père pose sur son épaule une main protectrice. Décidément, elle ne comprenait pas du tout les relations entre eux deux, serait-ce sa faute si les deux hommes étaient aussi tendus en présence l'un de l'autre ? Avant ils s'entendaient à merveille, sa mère le lui avait dit. Elle n'eut pas le temps de s'appesantir sur cet état de fait que François prit la parole :

- Je vais vous faire une démonstration, les actes valant mieux que les grands discours ! Cela résumera les différents points que nous avons abordés tout à l'heure.

Sur ce, il regarda autour de lui choisissant sa victime attentivement. L'ayant trouvée il s'élança vers une femme invitant d'un geste de la main à le suivre discrètement.

Générosa suivait son père et sa mère comme leur ombre et resta à l'abri derrière eux. François s'approcha de la fille et commença à lui conter fleurette. Cela mit mal à l'aise, et assez en colère, Générosa, comment pouvait-on tromper une femme de cette manière, c'était tout simplement odieux et malsain !

La femme lui souriait et éclata même de rire. Son ouïe de Sanguisuga n'était pas encore très développée, sa mère lui avait expliqué qu'elle allait devoir apprendre à gérer tous ces sens, elle ne saisit pas ce qui avait pu mettre la fille en joie, mais elle fut interloquée et surprise de voir la femme attirer François contre elle et lui embrasser la bouche d'une manière qu'elle qualifia d'obscène. Elle l'avait vu faire tant de fois par les filles des tavernes.

Il colla étroitement son corps contre elle et fit un signe discret aux autres d'approcher davantage. Il lui pencha la tête et la mordit là où il l'avait indiqué plus tôt dans la soirée. Chose surprenante, elle continuait à glousser cette idiote !

François redressa la tête légèrement, continuant à se nourrir, mais fixant Générosa. Ses yeux brillaient et une aura rouge entourait ses prunelles, comme si des flammes avaient pris possession de ses yeux.

Générosa eut l'étrange sensation qu'il tentait de la réconforter, de lui dire que ce qui s'était passé avec cette femme ne comptait pas et elle se sentit toute bizarre. Il lui sourit et continuant à coller la fille contre lui il l'enjoignit à continuer sa route et de l'oublier tout à fait. Ils virent tous la fille partir sans se retourner en frottant doucement le cou et chantonnant.

François les rejoignit, se rapprochant de Générosa il lui caressa délicatement la joue, mais elle se recula vivement comme sous le coup d'une brûlure. Il parut décontenancé et même chagriné.

- Tout le monde a compris la façon de pratiquer ? Des questions, des compléments d'information à demander ?

Sa voix paraissait manquer d'assurance, comme s'il n'était plus tellement sûr lui-même de ce qu'il faisait ici.

- Pourquoi la fille s'est-elle frotté le cou juste à l'endroit où tu l'as mordu, sans que cela l'inquiète ou l'intrigue ? S'enquit Franck.
- C'est un geste machinal qui permet de faire disparaître tout à fait la morsure. Au pire, il ne restera qu'une marque laissant penser à une piqure de moustique, expliqua-t-il. Qui veut tenter ?

Franck se porta volontaire. Il jeta son dévolu sur un homme aviné se dirigeant vers le groupe en chantant une chanson paillarde. Il réussit du premier coup sa morsure et l'oubli. Fier de lui il encouragea Carol qui ayant choisi un vieil homme, manqua sa morsure malgré un envoutement réussi sans difficulté, et dût achever sa proie.

Il avait eu le malheur de croiser leur route, pensa Générosa, qui eut quelque chose de ressemblant à une nausée et sentant ses genoux lâcher. François qui était resté en retrait, lui enserra aussitôt la taille pour la soutenir et la serrer contre lui son visage noyé dans sa chevelure. Mais il fut vite écarté par Livio qui le remplaça en prenant sa fille par les épaules et lui murmurant des paroles de réconforts.

- Je suis désolée ma chérie, s'excusa Carol en déposant un léger baiser sur sa joue.

Elle se sentit tant aimée, et pourtant si indigne de cet amour, qu'elle se sentit sotte de réagir ainsi. Il était temps pour elle d'accepter celle qu'elle était devenue, c'était la moindre des choses pour remercier toutes ces personnes si gentilles et aimantes avec elle.

- Rentrons, ordonna Livio. Nous reprendrons les leçons demain !

Et prenant d'un côté la main de Générosa et de l'autre celle de sa femme, il les entraina à sa suite vers le manoir. Le chemin du retour fut rapide, toute la difficulté pour Générosa étant de réussir à suivre la course, son père ne lui lâchant pas la main. Elle eut même l'impression que par moment ses pieds ne touchaient pas le sol !

PREMIERS PAS

Que s'était-il passé ? À peine furent ils rentrés que Générosa avait été envoyée au lit comme un enfant qui aurait commis une grosse bêtise… Elle n'avait pas compris… Allongée sur son lit elle repensait aux derniers évènements. Son haut de cœur avait eu des répercussions catastrophiques, elle se sentit ridicule et indigne d'eux tous… Elle envisagea de descendre s'excuser, mais sentit que ce n'était pas le moment et pas forcément ce qui était attendu d'elle… Son ouïe, imparfaite pour le moment, lui permettait d'entendre des bruits de discussion au rez-de-chaussée, mais pas les détails de cette discussion. Il fallait qu'elle dorme, Livio avait dit que ce serait leur tour à Domenica et lui de tenter la prochaine nuit, mais elle escomptait bien tenter elle aussi… il fallait qu'elle se nourrisse seule et le plus tôt serait le mieux. Un léger coup à la porte la fit sursauter. Elle demanda qui était là et la porte s'entrebâilla sur Carol.

- Puis-je entrer te parler un instant, ma chérie ?
- Bien sûr ! Tu es toujours la bienvenue Tante Carol, répondit-elle chaleureusement en tapotant le lit pour l'inviter à la rejoindre. Mais elle resta sur le pas de la porte, elle semblait mal à l'aise.
- Tu vas bien ma chérie ? Si tu savais comme je suis navrée… Tout est ma faute, je n'aurais pas dût écouter Franck et laisser Livio passer avant moi…. Je n'étais pas prête ! Et…

Sautant du lit, Générosa se précipita dans les bras de Carol, l'interrompant. Elle lui embrassa les joues et l'attira près d'elle sur la courtepointe sans lui lâcher les mains.

- C'est moi qui suis désolée, j'ai réagi bêtement. François nous avait prévenus. Je suis encore trop humaine, je ne maîtrise pas mes émotions et mes réactions… Je… Tu crois que je vais y arriver et que, sa voix se brisa, que papa et maman n'aurons plus honte de moi ? Ses yeux se remplirent de larmes.

- Il n'a jamais été question de honte mon ange ! Carol la prit dans ses bras et la berça pour la consoler. Ton père a réagi de manière aussi brusque parce qu'il ressent tes émotions plus fort que nous tous. Il a voulu t'épargner, mais je te promets et te répète qu'il n'est absolument pas question de honte. J'ajouterais qu'il sera fâché de se rendre compte que c'est ce que tu crois. Elle leva le visage de Générosa avec un doigt. Je t'assure qu'ils sont au contraire fiers de toi, et au cas où cela aurait de l'importance pour toi, Franck et moi le sommes aussi énormément.

- Oh ! Carol c'est si gentil de t'entendre me dire cela, toi et Franck êtes aussi importants que papa et maman. Vous êtes ma famille ! C'est étrange pour moi d'utiliser ces mots. Cette sensation et ce bonheur de vous avoir dans ma vie, tellement nouveaux pour une fille comme moi. Tout ce que vous pouvez penser de moi est primordial.

- Tu es un peu comme notre fille, ma chérie. C'est l'avantage des Sanguisugas, nos liens familiaux sont très forts. Et nous sommes tous très heureux que très bientôt, grâce à toi et François, nous n'ayons plus à nous inquiéter des morts que nous pourrions laisser sur notre sillage…

- Je n'y suis pour rien. Tout cela est le fruit des recherches et de la persévérance de François à trouver une solution, et finalement à nous transmettre son savoir. Je lui suis très reconnaissante de nous avoir offert cette opportunité et aussi, que vous soyez tous prêts à changer de comportement de chasse pour évoluer vers ce nouveau procédé.

- Si tu savais… laisse-moi te dire que nous n'avons jamais été heureux de tuer, aucun d'entre nous. Mais notre nature étant ce qu'elle est nous l'assumions. Nous nous disions que nous avions déjà beaucoup de cadeaux, la vie et l'amour éternels en étant les principaux. Mais François a toujours été un révolté et, à ton exemple, refusé d'être à l'origine de tant de morts pour se nourrir. Comme tu l'as souligné et qu'il te l'a expliqué, il a cherché des solutions à travers le monde, solution qu'il nous apporte aujourd'hui sur un plateau et que nous accueillons à bras ouverts. Mais il est vrai aussi que sans toi et ton opiniâtreté, il n'est pas sûr que nous ayons fait l'effort de suivre son exemple. Il est tellement facile de se laisser aller à la facilité et aux habitudes acquises au cours des ans. Et comme nous l'avons vu ce soir, cela va être un dur et épuisant travail, mais nous l'acceptons grâce à toi ! François seul n'aurait pas suffi à nous convaincre de changer nos habitudes.

- Vous êtes tous riches ? Des gens de haute naissance, des nobles comme on dit, n'est-ce pas ?

- François et ton père oui. Franck et moi n'étions ni riches, ni nobles. Quant à ta mère, elle t'a raconté son histoire. Mais pourquoi cette question ? demanda Carol intriguée.

- Et bien, je sais que cela ne se dit pas, mais… elle prit une grande inspiration et se lança sans oser regarder Carol. J'ai vu tous ces gens riches, dits bien nés, dans les églises et je sais que ma vie leur importait peu, il y a même un homme qui une fois a tenté de me tuer parce que j'avais osé être sur son chemin. Si le prêtre ne s'était pas interposé, je ne serais plus vivante… enfin je… je ne serais pas là aujourd'hui et je n'aurais manqué à personne. Une autre fois, j'ai trébuché et fait tomber mon panier. J'ai vu une grande dame sortir de l'église et écraser sous son pied la nourriture que j'avais réussie à obtenir au marché… elle n'a pas eu un regard pour moi juste pour ses chaussures salies… Quand elle a daigné me regarder, ce fut pour m'insulter et me menacer de sa canne. Je n'ai eu que le temps de me sauver. Je me disais donc que… enfin, je pensais…

Elle prit une goulée d'air frais comme le font les humains quand ils ont quelque chose de difficile à dire, et dit d'une traite :

- J'en ai conclu que tuer, quand on est riche, est d'une normalité effrayante, quelque chose de logique et indiscutable… donc encore plus pour les Sanguisugas quand il s'agit de se nourrir. Je suis désolée d'avoir sauté si vite aux conclusions.

- Ma puce, François est un véritable aristocrate, que ce soit tant par le sang que par son attitude. Il avait une fortune personnelle à faire pâlir d'envie beaucoup de la cour de France lorsqu'il était encore humain. Il a toujours été au supplice de tuer, même en sachant que sa survie était à ce prix. Il a toujours culpabilisé et se nourrissait le moins souvent possible. Je dois avouer que ton père, ta mère, Franck et moi n'avons jamais eu ce genre de scrupules. Aujourd'hui, nous voyons les choses de façons tout à fait différentes. Je n'ai pas réussi ce soir, mais je sais que j'y arriverais parce que je le veux au plus profond de moi… comme dit François, la motivation est le moteur principal pour réussir. C'est pour cela que je voulais te voir avant que tu t'endormes pour que tu me pardonnes…

- Oh Carol, il n'y a rien à pardonner. Merci de m'avoir dit tout cela ! Je n'aurais jamais dût vous amalgamer à ces personnes de Palerme… Tu me raconteras votre histoire à Franck et toi ?

- Bien sûr mon ange. Mais pas ce soir, tu dois te reposer, la prochaine nuit va être longue à nouveau, François va surement refaire le point sur ce qui s'est passé ce soir. J'espère que notre conversation t'aura apaisée.

- Oui sans aucun doute. Merci beaucoup Carol et rassure papa en descendant s'il te plaît. Je n'ai pas l'habitude d'avoir une famille qui prend soin de moi…

- Cesse de t'inquiéter, nous le savons, chérie. Bon repos !

Carol embrassa Générosa, l'aida à s'allonger, la borda et ferma la porte derrière elle. Franck l'attendait patiemment sur le palier. Il lui prit amoureusement la main.

- Va rassurer Livio de vive voix, même s'il le sait déjà l'entendre

64

de toi ne pourra que lui faire plaisir !

- Tu as raison et après au dodo, j'ai besoin de réconfort, cette nuit a été une des pires de ma vie... tu vas devoir être très gentil avec ta femme, ajouta-t-elle d'un ton suggestif.

Il éclata de rire et l'entraîna dans son sillage en courant. Arrivée en bas une dispute semblait se dérouler entre François et Livio, mais aucun son... hors eux deux, personne dans la pièce ne pouvait entendre le sujet de la controverse ! Un pouvoir particulièrement utile appartenant à François : permettre de s'enfermer dans une bulle avec une ou plusieurs personnes choisies par lui. Carol regarda Domenica qui haussa les épaules en réponse à sa question muette. Elle se fit la réflexion que quel que soit le sujet de leur querelle, ils n'avaient pu surveiller ni l'un ni l'autre sa conversation avec Générosa et qu'elle allait devoir en faire un rapport minutieux. Elle lâcha la main de Franck et s'avança plus avant dans la pièce.

- Elle se sent mieux, mais... commença Carol, mais s'interrompant demanda, peut-on savoir pourquoi vous vous disputez encore tous les deux ?
- Ce n'est pas une dispute, nous avons juste une discussion un peu vive, un léger désaccord, rien de grave... François va y remédier d'ailleurs, n'est-ce pas ? Dit Livio d'un air menaçant en se tournant vers François.
- Je ne régente rien ! Je ne peux donc remédier à rien, répondit François furieux en sortant de la pièce vivement.
- François, Livio ! dit Domenica en utilisant La Voix.

Ils ne purent que lui obéir, mais on pouvait lire sur leurs visages que cela leur coûtait.

- Vous avez autant horreur que je l'utilise que je n'ai à l'utiliser ! Leur dit-elle en voyant leurs visages mécontents. Nous aimons tous Générosa, nous ne voulons que son bien-être, son bonheur. Égoïstement parlant notre félicité en dépend aussi. Même si elle n'entend pas vos disputes grâce à ton pouvoir François et au fait que ses sens ne soient pas encore suffisamment aiguisés, elle perçoit la tension entre vous deux et vous devez être conscient qu'elle n'a pas besoin de cela ! Domenica maîtrisait mal sa colère. Elle doit canaliser toute son énergie pour apprendre à chasser et à devenir une Sanguisuga telle qu'elle l'entend, tel qu'elle le veut ! Ce n'est pas une poupée avec laquelle on joue et que l'on façonne selon nos idées ou nos envies... nous devons soutenir ses décisions et l'aider à être la Sanguisuga qu'elle désire devenir... Il n'y a qu'ainsi qu'elle sera heureuse et que nous le serons aussi ! Je me suis bien fait comprendre ?

Tous deux acquiescèrent en silence. Domenica s'emportait très rarement, mais quand cela se produisait il valait mieux écouter ce qu'elle avait à dire. Et ils durent convenir tous les deux qu'elle avait raison.

- Très bien ! Donc, François essaie de ne pas énerver Livio.
- Mais je... Tenta de se défendre François.
- Je sais, laisse-moi terminer ! Toi, meu amor amado[7], s'il te plaît soit indulgent, François te l'a dit et répété, il ne maitrise rien ! Tu es bien placé pour le savoir, non ?
- Il mio amore[8], c'est notre fille et c'est notre devoir de la défendre. Mais je me soumets à tes volontés. Je tenterais de maîtriser ma colère et même si, comme tu le dis, je comprends, je ne peux l'accepter, pas lui et surtout pas déjà !
- Je comprends tes raisons et honnêtement je ne suis pas loin de penser comme toi. Mais nous ne pouvons rien contre notre nature profonde de Sanguisuga. François et Générosa ne sont

---

[7] *Mon amour adoré, en portugais*
[8] *Mon amour, en italien*

donc pas différents de nous ! Les sentiments Sanguisuga sont si…

- L'amour est une chose compliquée chez les Sanguisugas, intervint Franck. Carol et moi étions pourtant déjà mariés et très amoureux quand père a fait de nous des Sanguisugas. Pourtant cela a changé de façon phénoménale ce que nous ressentions. Tellement plus fort et surtout la confirmation de ce que nous n'avions fait que soupçonner en tant qu'humain, nous étions l'un à l'autre depuis toujours et pour toujours et rien ni personne ne pourrait se mettre entre nous. Je ne défends pas ce qui se passe, ce n'est pas mon rôle, je voulais juste expliquer ce que nous avions vécus Carol et moi si cela peut aider Livio à… mais je ne suis qu'un idiot, tu le sais tout ça !

Il se tourna vers François, tandis que Carol s'accrochait tendrement à son bras.

- Je comprends que tu te sentes submergé par tes sentiments et que tu ne saches comment agir, mais tu n'y peux rien ! Tu ne pourras jamais changer cela... En tant qu'oncle de la jeune demoiselle, je suis d'accord avec Livio. Tu dois la laisser grandir, devenir la femme qu'elle désire, comprendre seule ce qu'elle ressent et qu'elle tente d'étouffer parce que cela la dépasse pour le moment. Voilà j'ai dit ce que je voulais et je me sens mieux de l'avoir fait, même si pour vous cela n'a aucun sens, conclut-il en souriant.

- Merci Franck. Carol, comment se sent-elle ? Qu'a-t-elle dit ? Demanda Domenica d'un ton anxieux en se tournant vers sa sœur. On devinait que cette question lui brûlait les lèvres depuis qu'elle l'avait vu entrer dans la pièce.

- François enferme nous tous s'il te plaît. Je veux qu'elle puisse dormir en paix le brouhaha incompréhensible que nous émettons tous ne peux que la déranger.

- Fait ! Dit-il après un léger silence.

On avait pu le voir se concentrer en fixant chacune des personnes de la pièce. Son front plissé en disait long sur les efforts que cela lui demandait. Carol reprit la parole.

- Comme tu l'avais soupçonné Domenica, elle s'en veut énormément. Il faut dire que la subtilité avec ta fille n'est pas ton fort Livio. Toi un si grand diplomate ! L'envoyer au lit comme si elle avait fait une bêtise était loin d'être intelligent ! dit-elle sarcastiquement. Laisse-moi finir ! dit-elle cette fois d'un ton cassant lisant en lui qu'il allait se défendre, mais elle refusait de se laisser interrompre. Je ne veux pas entendre un mot avant que j'aie fini de vous dire ce qui s'est passé là-haut dans sa chambre. Je sais tu es son père ! Je ne suis que sa tante, mais permet-moi de te dire tout de même une petite chose, cher beau-frère. Ta fille est une adulte, pas une enfant capricieuse. C'est une femme Sanguisuga qui a besoin de trouver ses repères ! Si Père avait agi ainsi avec Domenica et moi, je ne sais quel genre de femme de notre espèce nous serions devenues... Mais, Carol furieuse s'emportait, te rends-tu seulement compte qu'elle se sent coupable ? Elle est convaincue que vous avez honte d'elle et de ses travers humains qu'elle considère comme des défauts, des imperfections, des tares !
- Oh non, gémit Domenica, tandis que François et Livio serraient les poings. C'est nous qui devrions avoir honte... Imaginer que nous puissions avoir honte d'elle alors qu'elle a été si courageuse ! Elle n'avait jamais assisté à ce qu'elle a vu ce soir et elle n'a rien dit, alors que cela la révulse !

Domenica avait les larmes au bord des yeux.

- C'est exactement ce que je lui ai dit et je l'ai, j'espère, ainsi rassurée... J'ai lu en elle, elle... En résumé, elle veut vous impressionner et dès demain vous montrer qu'elle est une fille digne de vous en se proposant de chasser son premier humain !

- Mais elle n'est pas prête ! François il faudra l'empêcher, tu dois la convaincre, elle ne supportera pas l'échec ! dit Livio suppliant son jeune beau-frère.

- Non ! Je n'empêcherais rien. Si elle le veut, je la laisserais faire, elle a son libre arbitre, une des rares choses que nous tenons de notre précédente humanité. Si c'est son choix, je l'encouragerais et l'aiderais de mon mieux ! Vous pourrez ainsi partir plus vite à Venise et moi reprendre mes voyages à travers le monde, m'éloigner d'elle et vous laisser tous en paix. Sur ce, je suis épuisé et monte me reposer, la nuit prochaine va être très difficile et surtout fatigante je le sens, ajouta-t-il en fusillant son beau-frère du regard.

Il embrassa le front de ses sœurs et après un bref mouvement de tête pour saluer Franck et Livio monta rapidement à l'étage. Il se sentait abattu, amer, misérable et triste. Il ne put résister à une impulsion en passant devant la chambre de Générosa. Il entrouvrit la porte et se sentit un peu mieux en constatant par lui-même qu'elle dormait profondément ayant même un sourire flottant sur ses lèvres. Il aurait cédé sans hésiter sa fortune en intégralité pour lire en elle comme le faisait Carol. Il n'avait jamais jalousé les talents de sa famille ou d'un quelconque Sanguisuga, c'était donc une première pour lui que d'envier sa sœur... Il referma délicatement la porte et se rendit dans sa propre chambre. Il repensa à sa dispute avec Livio et se jura de partir dès que possible. Il fallait qu'il mette de la distance entre cette diablesse aux cheveux noirs et lui. Il entendit ses sœurs et leurs maris aller se coucher et c'est en pensant à Générosa qu'il parvint à se détendre et s'endormit.

Le jour n'avait pas encore fini sa descente quand Livio s'éveilla. Il prit sa compagne entre ses bras, l'embrassa et s'excusa encore de ce qui s'était passé la nuit précédente. Elle lui sourit et l'embrassa pour lui faire comprendre qu'elle lui pardonnait. Puis, sans avoir à se parler, ils se levèrent, firent leurs ablutions et allèrent rejoindre leur fille. Ils étaient toujours ravis de la voir surprise de comprendre la plupart de ce qui se disait ou de ce qui était lu à haute voix en différentes langues. Leurs cours pendant son sommeil n'étaient pas inutiles. Son sicilien était devenu presque parfait et bientôt elle parlerait couramment français, portugais et anglais.

Deux heures plus tard, ils entendirent le reste de la famille descendre. Générosa était toujours aussi profondément endormie. Livio décida de rester près d'elle et continua à lui lire un livre en langue anglaise, *The Tragical History of Doctor Faustus*[9] de Christopher Marlowe[10], tandis que Domenica rejoignait les autres. Quand une heure plus tard il vit sa fille sur le point de s'éveiller, il posa le livre sur une table près de lui et la laissa seule. Il rejoignit tout le monde au salon. François compulsait un livre dans un coin, Carol et Domenica cousaient et Franck était en train de jouer de la Spinetta[11]. Il salua rapidement tout le monde et s'assit à son bureau. Il prit un document au hasard et tenta de se plonger dans la lecture attendant que sa fille les rejoigne. Mais il était trop soucieux pour réussir à se concentrer sur le document. Que réservait cette nuit ? Sa fille était si jeune et si fragile… Comment surmonterait-elle une perte humaine si elle échouait lors de l'initiation ? Que pouvait-il faire pour l'aider ? Il jeta un bref coup d'œil à François et se rendit vite compte que lui non plus n'arrivait pas à se concentrer sur sa lecture. Il jetait régulièrement de brefs regards vers la porte. Il reposa

---

[9] *La Tragique Histoire du Docteur Faust. Pièce de Théâtre écrite vers 1590, mais éditée en 1604,* l'auteur étant mort. L'histoire d'un homme avide de savoir, désirant devenir un magicien tout-puissant capable d'envoûter l'empereur d'Allemagne ou défaire les papes, qui vend son âme au diable pour obtenir comme serviteur Méphistophélès, démon aux ordres de Lucifer, et ce pour 24 ans.

[10] Dramaturge, poète et tragédien élisabéthain, né à Canterbury en 1564 et mort assassiné à Deptford Strand en banlieue de Londres le 30 mai 1593.

[11] Mot italien pour l'espinette : Instrument de musique de la famille des clavecins, à cordes pincées avec une plume et à clavier.

brusquement le document sur le bureau en entendant sa fille dans l'escalier.

Elle apparut souriante, sentit l'ambiance tendue, mais l'ignora et fit le tour de la pièce pour embrasser chacun d'entre eux, hésita brièvement en s'arrêtant devant François, mais déposa un rapide baiser sur sa joue sans prendre le temps de vérifier sa réaction… Livio, aux aguets, avait bien vu les mains de son jeune beau-frère se crisper sur son livre. Mais comme promis à Domenica il resta calme et ne fit aucune remarque désobligeante.

- Bien quand partons-nous ? S'enquit Générosa sans autres préambules. J'ai une faim de loup !

Sa réflexion fut tellement surprenante que chacun d'entre eux se mit à rire et que l'atmosphère s'en trouva allégée comme par magie. Son père apparut près d'elle avec l'un de ses verres préférés, il représentait un dragon rouge et or crachant du feu, elle ne savait pourquoi, mais ce verre la fascinait. Elle le refusa cependant poliment.

- Non merci, il faut que j'apprenne à me nourrir par moi-même, allons-y !
- Chérie, bois déjà cela…
- Non, je suis sérieuse ! Je dois apprendre et le plus vite possible !
- Je sais que mon avis ne t'intéresse pas forcément, mais si j'étais toi je boirais ce verre ! Tu ne voudrais pas trébucher, voir tomber avant notre arrivée sur le lieu de chasse, non ? Intervint François ironiquement, je n'ai pas oublié qu'hier sans ta mère tu te serais affalée dans l'herbe, fit-il en riant moqueur.

Vexée elle prit le verre et le toisant l'avala d'une traite, mais ne put retenir une grimace, ce qui le fit rire de plus belle, Franck se joignant à son rire. Décidant de l'ignorer elle tourna sa colère vers Franck, l'assassinant du regard. Elle surprit le regard que Carol jeta à son père, un regard signifiant : « *je te l'avais bien dit* » et cela ne la calma pas bien au contraire…

- Vous comptez me nourrir comme un bébé encore longtemps ? Je veux apprendre ou… ou je le ferais toute seule, il y aura des tas de morts et ce sera de votre faute ! et… et… et je quitterais la maison ! Ajouta-t-elle d'un air bravache.
- Non ! Ce cri déchirant venait de sa mère. Livio, empêche-la ! Ma chérie, je t'en prie… s'il te plaît… je ne supporterais pas de te perdre ! Nous avons mis tant de temps à te trouver… ne fais pas ça… on va trouver une solution, il y a toujours des solutions… implora Domenica

Elle avait le visage baigné de larmes, ce qui fit tomber la colère de Générosa et l'emplit de remords. Elle se précipita dans les bras de sa mère pour se faire pardonner, s'il y avait une personne qu'elle refusait de faire souffrir c'était bien sa mère.

- Pardon, maman je ne voulais pas vous faire de peine, je vous sais gré de tout ce que vous faites pour moi. Je ne voulais pas paraître ingrate, mais me couver ne me permettra pas d'avancer. Je veux que vous soyez fiers de moi, que votre amour pour moi ne se démente jamais. Je veux devenir une femme Sanguisuga comme Carol et vous l'êtes, belle, talentueuse, cultivée, indépendante et faisant votre fierté ! Je veux des réponses à toutes ces questions qui sont nombreuses et que je n'ai pu vous poser jusqu'ici. Je dors tant ! Et quand je me lève, vous me nourrissez… La nuit dernière, j'ai été sotte ! Pour excuse, je dirais que ce fut un mouvement involontaire. Moi aussi je tuerais alors que je m'y refuse, mais sans le vouloir en apprenant à me nourrir je ferais des victimes innocentes. Je n'ai pas le choix ! Ce n'est pas en restant en retrait que je pourrais apprendre…
- Ce n'est pas que cela chérie. Nous craignons pour ton cœur et

ton esprit, pas pour la vie des humains… Nous savons à quel point la mort de ces individus peut te faire de la peine et nous voulons t'épargner ! Mon cœur, s'il te plaît, pour ce soir accepte de rester en retrait, de nous laisser tenter la méthode de François et que de nos erreurs ou de nos réussites tu puisses apprendre. Acceptes-tu ? S'il te plaît…

- Bien, je vous promets de vous obéir, de vous suivre et, elle glissa un regard vers François, de faire mon maximum pour maîtriser les mouvements de répulsion que je pourrais avoir, s'il y a un mort ! Je tiens d'ailleurs à répéter ce que j'ai dit à Carol, je ne voulais pas perturber la soirée ! Promettez-moi que ce soir chacun d'entre vous tentera plusieurs fois, afin que, comme vous le dites si bien, je puisse apprendre de vos réussites et de vos erreurs… promettez maman… papa…

Domenica, aux anges, laissa alors parler son cœur.

- Maman ! Cela fait deux fois que tu m'appelles ainsi comment pourrais-je résister, mon ange ! Je ne veux que ton bonheur, tu dois le savoir et je ferais tout pour que ta vie de Sanguisuga commence le mieux possible. Maman… Livio elle m'a appelé maman…

Domenica avait séché ses larmes et un sourire éclatant avait remplacé les larmes et illuminait son visage.

- Nous te le promettons, ma chérie, et surtout… Livio lui caressa tendrement la tête, surtout use et abuse de l'utilisation de ces mots papa et maman. Je me doutais que cela m'aurait rendu heureux, mais je n'aurais jamais imaginé que cette joie soit aussi intense. Il lui leva le visage et ajouta avec un sourire comblé, surtout ne te gênes pas pour user aussi de ce tutoiement qui t'échappe par moment et qui nous fait nous sentir si proche de toi !

Un grand silence dans la pièce s'était fait tout le temps de cette scène. François avait cessé de lire, s'était levé et tournait le dos écoutant attentivement en regardant le feu dans la cheminée, tout ce qu'il entendait lui allait droit au cœur. Il avait résisté à l'envie de courir vers Générosa et la secouer comme un prunier lorsqu'elle avait parlé de quitter la maison. Cela avait été très dur pour lui de se retenir. Carol et Franck, quant à eux, s'étaient rapproché l'un de l'autre très ému. François fut le premier à se reprendre et se retournant doucement, se racla la gorge.

- Il va falloir que tu prennes des forces, Générosa. Tu es pleine de bonne volonté, je suis le premier à le reconnaître et tu rends Livio et Domenica tellement heureux qu'il faut que l'on mette toutes les chances de notre côté pour que tu apprennes vite et correctement, comme tu le dis toi-même. Et si tu as faim tu risques de ne pas être suffisamment attentive voir de te précipiter. Ce sont des choses qui peuvent arriver pour les jeunes Sanguisugas comme toi. Quand la faim te tenaille, tu ne réfléchis pas, tu te jettes vers le premier humain pour te nourrir sans réfléchir aux conséquences, ajouta-t-il en voyant sa mine surprise.
- Très bien, j'ai promis d'obéir donc je tiendrais ma promesse. Je vais boire ce que papa m'a apporté.
- Hum ! Cela va me plaire que tu obéisses, commença-t-il interrompu par un grognement de mécontentement venant de Livio et une Générosa furieuse, ce qu'il ressentit très vivement, comme une douleur physique.
- C'est à Papa et Maman que j'ai dit que j'allais obéir. Pas à toi ! se défendit Générosa.

Livio et Générosa furent très contents de la voir se défendre ainsi. Générosa furieuse résista de toutes ses forces à l'envie de frapper ce visage souriant et moqueur. En sa présence, elle avait toujours l'impression d'être une enfant capricieuse.

- Je ne ferais que respecter tes consignes au maximum et arrête de sourire aussi bêtement…

Elle se détourna des larmes de rage au bord des yeux. Après dormir, pleurer était l'une de ses principales activités. Elle se fit la réflexion qu'elle devait verser toutes les larmes que les Sanguisugas ne pouvaient répandre.

- Excuse-moi de t'avoir froissée, s'il te plaît pardonne moi je suis souvent… Il s'arrêta soudainement, mais tu pleures ? Il regarda sa sœur, tu ne m'en avais pas parlé !
- Laisse là tranquille François, intervint férocement Livio en prenant sa fille dans ses bras.

Machinalement, il essuya les larmes de sa fille et recula vivement sa main la frottant sur son pourpoint. Il releva la tête de Générosa pour lui examiner les yeux et regarda ses doigts.

- Que se passe-t-il Livio ? s'inquiéta Domenica.
- Pardon mon ange, dit-il à Générosa et se tournant vers sa femme, regarde ses larmes. Elles ne sont pas translucides comme l'autre fois ou comme toi habituellement. Non, le vert est pratiquement noir et brûlant quand on y touche… regarde ma main, dit-il en la montrant à sa femme.

Tout le monde s'approcha, Domenica prit la main de Livio et caressa une légère brûlure qu'il avait sur le dessus des doigts. Générosa bouleversée s'essuya le visage et regarda ses propres mains indemnes. Elle s'en voulait terriblement. Elle avait fait pleurer sa mère et fait mal à son père. La soirée débutait assez mal.

- Je suis désolée, papa, je ne comprends pas, moi je n'ai rien…
- Ce sont tes larmes, il est normal que tu sois immunisée. Il semblerait que lorsque tu es furieuse tes larmes se transforment

en une arme très dangereuse. Il ajouta en regardant François, une arme contre les Sanguisugas trop entreprenants, irrespectueux, moqueurs ou méchants envers toi ! Puis, reprenant Générosa contre lui, mais surtout ne t'en veux pas mon ange nous découvrons ta personnalité et cela en fait partie. Nombreux d'entre nous n'ont aucun talent particulier, mais toi et tes larmes… tu es déjà en quelques semaines une femme Sanguisuga extraordinaire ! Et tu es notre fille, notre fierté ! Chaque jour qui passe montre à quel point tu es différente et que nous avons eu raison de t'adopter. Les Anciens seront ravis de te compter parmi nous !

- Livio a raison mon cœur et puis regarde, ses doigts guérissent déjà. La brûlure n'était que superficielle. Nous, les Sanguisugas, avons une capacité à nous régénérer qui est très rapide. Alors sèche tes larmes ma chérie, bois et rendons nous à l'entraînement.

- Mais, pourquoi seulement maintenant ces larmes étranges ? S'inquiéta-t-elle en buvant rapidement les deux verres que son père lui tendit à la suite, elle trouva le temps de remarquer qu'il prenait soin désormais de lui tendre ses verres préférés, ceux avec les chats ou les dragons, elle finirait par croire qu'ils lui étaient réservés.

- Certainement, comme ton père te l'a dit, parce qu'avant tu n'avais jamais été aussi furieuse. Ne t'inquiète plus mon ange et allons-y, d'accord ?

- En route, dit Franck sans laisser Générosa répondre. Permets moi de te dire Générosa que nous sommes fiers que tu sois l'une des nôtres et surtout que tu sois de notre famille, notre nièce ! Comme me le disait Carol il y a quelques instants, Père va raffoler de toi. Quel orgueil cela va être pour lui d'avoir une petite-fille telle que toi !

- J'espère qu'il ne sera pas déçu ! murmura Générosa sceptique, peu convaincue par les allégations de Franck.

- Aucun risque, lui dit très sérieusement Franck l'ayant entendu. Bien, maintenant où allons-nous ? François, que penses-tu de Palerme ?

- Palerme me paraît une bonne idée, commença par dire François d'une voix vacillante. Puis raffermissant celle-ci, cela nous permettra de nous défouler les jambes et l'esprit en courant. Nous referons un point arrivé là-bas.

- Juste une chose avant de partir, s'il vous plaît, intervint Générosa. Promettez moi que très bientôt, vous m'en direz plus sur ces pouvoirs qu'on les Sanguisugas, sur ceux que vous avez vous-même et comment maîtriser ces choses. Je suis perdue dans tout ce que vous me dites et j'ai aussi des tas de questions sur notre condition de Sanguisuga. Je comprends qu'apprendre à me nourrir sans avoir à tuer est une priorité, puisque je suis la première à l'exiger, mais je dois aussi savoir qui je suis ! Les pressa Générosa, d'une voix encore chargée de larmes.

- Excellente suggestion ! N'est-ce pas, mon chéri, dit Domenica en regardant Livio, la nuit prochaine nous resterons à discuter et répondrons au mieux à tes questions. Ce soir, nous chassons... C'est ainsi que l'on dit ma chérie, désolée de t'avoir choquée, dit-elle en voyant le sursaut de surprise de Générosa à l'utilisation du verbe chasser. Donc ce soir nous... elle hésita sur le mot à utiliser, ce soir nous suivons François et nous entraînons à ses méthodes, et demain nous faisons soirée tranquille ici. Une bonne soirée de discussions, conclut-elle fière de la tournure de sa phrase.

- Ces dispositions conviennent à tous ? S'enquit Livio.

Tous opinèrent de la tête.

- Bien, puisque nous sommes tous d'accord ne perdons pas plus de temps et partons, fit François en désignant la porte de la main comme une invite à le précéder

Livio et Domenica entourèrent Générosa, lui prirent chacun une main et l'embrassèrent sur la joue. Puis sortant de la maison, précédé par Franck et Carol, ils se mirent à courir, prenant de la vitesse jusqu'à atteindre une vitesse irréelle. Générosa sentit, comme la nuit précédente, une joie intense l'envahir. Ses idées s'éclaircirent, sa colère et sa tristesse disparurent tout à fait. Elle regarda le paysage attentivement, réalisant qu'il lui paraissait très net et clair malgré leur vitesse. Elle profita surtout de la sensation des mains de ses parents l'entourant. Elle était heureuse.

Elle sentait la présence de François derrière elle, mais refusait d'arrêter ses pensées sur lui. Mais malgré elle, ses idées la ramenèrent vers lui. Il avait le don de la mettre hors d'elle trop facilement. Désormais, elle se le promit, elle lutterait contre ses émotions, contre lui ! Ce qui s'était passé ce soir ne devrait plus arriver, elle ne lui laisserait plus cette joie de la mener hors de ses limites, elle serait prudente, sur ses gardes. Il ne pourrait plus l'atteindre, elle se renfermerait du mieux qu'elle pourrait ! Elle prendrait aussi toutes ses précautions pour ne plus faire souffrir ses parents comme aujourd'hui. Elle avait été méchante dans ses menaces et sa mère avait souffert. Elle avait pleuré et fait souffrir son père physiquement. Non ! Cela ne devrait plus jamais survenir.

Elle sentit que la pression sur ses mains se faisait plus importante de part et d'autre. Ses parents avaient senti sa tension et la rassuraient. Elle leur rendit leur pression et se dit que décidément elle avait une fabuleuse chance de les avoir dans sa vie, sa vie si misérable en tant qu'humaine était devenue magnifique depuis sa mutation. Elle reporta son attention sur le paysage. Oui, elle était heureuse et même en cet instant alors qu'ils couraient tous pour se nourrir au risque de tuer des humains, elle ne pouvait nier son bonheur… Était-ce le fait d'être un Sanguisuga qui la faisait se sentir aussi radieuse ? Ou celui de faire partie intégrante d'une famille ? Même si certains membres l'agaçaient au plus haut point ! Il faudrait qu'elle demande… Et demain, tant de questions allaient enfin trouver réponse. Bien, il fallait qu'elle se concentre sur ce soir, pas de frissons de répugnance ou autres choses qui pourraient une fois de plus rendre cette sortie désastreuse… elle ferait honneur à sa famille, observerait, apprendrait d'eux tous…

Elle laissa là ses pensées en reconnaissant son ancien quartier, elle le voyait avec ses nouveaux yeux et absorbée ne s'aperçut pas de suite que chacun la regardait attendant une réaction de sa part. Elle tournait la tête de tous côtés, c'était bien son quartier, mais tout lui semblait tellement plus sale que dans son souvenir, tellement puant. Elle n'arrivait pas à se repositionner dans ce quartier et pourtant c'était bien ici qu'elle avait grandi. Là ce vieil ivrogne en train de mendier qui ne quittait jamais son poste, là-bas la prostituée appuyée à la taverne, la même taverne que… elle était anéantie comment tout pouvait être si semblable et si différent. Reconnaitre tout et pourtant ne rien reconnaître du tout.

Un accès de rage la submergea et elle serra les poings se souvenant qui elle était désormais et cela la conforta dans sa volonté d'aller de l'avant ! Elle était une Sanguisuga, elle avait été cette femme, mais c'était avant, elle avait changé et était maintenant… c'est alors qu'elle les vit tous les cinq attentifs, sur le qui-vive. Qu'avait-elle fait ? Elle les regarda interrogative.

- Tu as eu une réaction violente et agressive. Tu ne t'es pas rendu compte que tu courais vers cette taverne ? Mais tu t'es arrêtée aussi vite et par toi-même, nous n'avons pas eu à intervenir, lui expliqua son père avec bienveillance.
- Des souvenirs, je suis désolée. Cet endroit me fait horreur et je me disais que c'était étrange à quel point tout cela m'est familier

et pourtant si nouveau... Puis se tournant vers François, tu ne pouvais choisir meilleur lieu pour notre initiation. Les habitants de ce quartier me font horreur et même si je ne souhaite pas leur mort, celle-ci ne me fera ni chaud, ni froid ! Merci d'avoir compris cela et de prendre en compte mes sentiments, finit-elle dans un chuchotement.

- À votre service, ma douce amie, dit-il tout bas, s'en suivit un grondement venant de Livio qui fort heureusement était retenu par la manche par Domenica.

- Il ne manque qu'un ou deux de ces humains se croyant supérieurs aux autres et se rendant à l'église et je serais alors totalement comblée ! Reprit Générosa qui, toute à ses considérations, n'avait rien vu de la scène.

Puis se rendant compte de ce qu'elle venait de dire, elle s'interrompit brusquement et regarda sa famille. Ils la regardaient tous avec un large sourire.

- J'y penserais pour une prochaine fois ! dit François avec des accents d'humour, mais un regard affectueux. Il enchaîna sur un ton plus énergique :

- Je répète les deux règles importantes pour réussir. Il faut bien fasciner l'individu et viser ici, il remontra à tous sur le cou de Générosa et laissa sa main reposer sur sa nuque. Hier tu as visé un tout petit peu trop bas Carol et c'est la raison pour laquelle tu as manqué ta morsure. Mais ce n'est pas grave, il sentit le hoquet de surprise de Générosa et sans rien dire lui caressa tendrement la nuque pour se faire pardonner ces mots, tout en continuant son laïus :

- C'est en répétant que nous y réussissons, j'ai mis de longs mois à ne plus faire du tout de victime, donc ne culpabilisez surtout pas ! Veux-tu réessayer Carol ?

- Oui bien sûr, il faut que je réussisse et donc que j'apprenne. Mais je ne tenterais pas la première ce soir, je préfère observer un peu avant de me lancer. Livio et Domenica n'ont pas encore eu l'occasion d'essayer, il serait normal qu'ils passent les premiers, dit-elle toute souriante.
- Très bien, je vais tenter le premier ! Je te prie de m'excuser par avance si je ne réussis pas, ma chérie, dit Livio à sa fille, en se dirigeant vers la taverne.

Un couple venait d'en sortir et de se séparer en se disputant violemment. Livio n'eut aucun mal, à l'instar de François, à jouer de son charme pour attirer la créature dans ses filets. Il réussit son hypnose, mais manqua sa morsure. Il acheva sa victime, un peu déçu de ne pas y être arrivé.

- Ce n'est pas grave mon chéri, François l'a répété il y a beaucoup d'échecs au début. Franck a eu beaucoup de chance j'en ai aucun doute, précisa-t-elle en regardant le susnommé qui adhéra à ces paroles d'un hochement de tête.
- Je dois bien avouer que je ne suis pas du tout sûr de moi pour le prochain essai. Je me rends compte à quel point est fragile la vie humaine et combien est compliquée la tâche que nous nous sommes donnée, dit Franck et l'on voyait que ce n'était pas des paroles de réconfort, mais qu'il était tout à fait sincère.
- À mon tour, cet individu me parait tout indiqué !

Domenica désigna du doigt un homme totalement ivre se dirigeant vers eux d'un pas chancelant.

La nuit se passa avec quelques réussites, mais au grand désespoir de Générosa de nombreux déboires. Cela lui fit comprendre combien Franck avait raison, l'entraînement pour arriver à ne plus tuer sera long et laissera une trainée de morts derrière eux. François resta près d'elle tout le temps, la main posée sur sa taille afin de l'apaiser, la réconforter et elle lui en fut reconnaissante. Il avait senti qu'elle aurait besoin de sa gentillesse et de ce soutien. La conscience de sa main sur elle la troublait, mais elle n'aurait pas pu supporter ce qu'elle voyait lors de la soirée sans cette pression à la taille. Son père fit un signe à François et échangea quelques mots avec lui, mais elle n'entendit rien de leur conversation ce qui l'étonna, elle ne prit pas le temps de s'en inquiéter davantage et retourna à son observation des autres. La main de François toujours bien posée sur sa hanche.

Au milieu de la nuit, ils changèrent de quartier. Lorsqu'elle demanda à faire un essai, ils refusèrent tous, formel dans leur décision. Ils ne voulaient pas la laisser expérimenter cette façon de se nourrir pour le moment, arguant qu'il valait mieux pour elle regarder et s'instruire. Quoiqu'un peu déçue, elle comprit leurs bonnes intentions et elle éprouvait de la gratitude pour cette façon qu'ils avaient d'exprimer l'amour qu'ils ressentaient pour elle. Épuisés par les efforts de concentration que ce mode de chasse demandait, ils rentrèrent à Syracuse satisfait et persuadé d'avoir fait de grands progrès. Ils n'auraient jamais imaginé pouvoir réussir ce genre d'exploit il y a quelques nuits à peine.

Générosa éreintée monta immédiatement se coucher sans manquer de leur faire réitérer la promesse de se soumettre à ses questions la nuit suivante. C'est en pensant à cette nuit et à sa famille qu'elle fit sa toilette et mit ses vêtements de nuit. Qu'il était doux de pouvoir utiliser cette expression : SA FAMILLE ! Elle avait envie de le hurler et la tête sur l'oreiller s'endormit rapidement en souriant.

Pendant ce temps, sa famille se réunit dans la salle principale pour faire le bilan de la soirée. François les conforta tous dans leurs progrès.

- À ce rythme, vous serez même prêts beaucoup plus tôt que je ne l'entrevoyais et cela est très positif. Je pense qu'il serait bien lors de la prochaine sortie que nous laissions s'exécuter Générosa, vous ne pourrez pas la protéger éternellement. L'ayant eu à mes côtés toute la soirée je l'ai senti se détendre malgré les pertes, comme si elle avait fini par se résigner à tout cela...

En disant cela, on sentait de l'admiration dans sa voix. Il poursuivit sur le même ton :

- Je suis comme vous tous satisfait qu'elle se soit si vite considérée comme l'une des nôtres avec ses bons et ses mauvais côtés. Et ses réflexes ce soir m'ont, je dois l'avouer, abasourdi ! Je la sentais prête à vider la Taverne de tout être vivant et pourtant elle ne l'a pas fait ! Où a-t-elle trouvé la force de ne pas passer à l'action, je l'ignore, mais je respecte encore plus votre choix d'en avoir fait votre fille et nièce. Elle est née pour être Sanguisuga. Cependant, continua-t-il ironiquement, la partie n'est pas gagnée ! Attendons-nous à beaucoup de questions difficiles demain soir, elle n'a pas fini de nous surprendre et de nous poser des questions dérangeantes... J'en suis convaincu ! Elle est entêtée comme sa mère et tu as du lui transmettre une partie de ton pouvoir en la mordant Livio, car comme toi elle obtient ce qu'elle veut quand elle le veut… sur ces quelques mots, je vous souhaite un bon repos. J'ai du courrier à terminer. À demain.

Il monta dans sa chambre, s'arrêta devant la chambre de Générosa et écouta. Entendant qu'elle dormait profondément, il ouvrit doucement la porte et alla rapidement effleurer ses lèvres. Toute la soirée, il l'avait senti près de lui, l'avait touché et l'envie de l'embrasser était devenue de plus en plus forte. Il remarqua qu'elle s'était mise à sourire. Il ne s'attarda pas plus ne voulant pas avoir à donner d'explications sur sa présence dans cette chambre. Il l'embrassa à nouveau, luttant contre son envie de la prendre dans ses bras et s'éclipsa rapidement en direction de sa chambre.

Il n'avait pas menti, il avait bel et bien du courrier à achever. Une lettre commencée la veille pour un ami à qui il n'avait pas écrit depuis longtemps. Il voulait lui parler de ses améliorations dans sa méthode de se nourrir, des changements dans sa famille avec l'arrivée de Générosa et tant de choses à lui demander. Arrivé à son bureau, il écrivit longuement à cet ami qui était, en dehors de sa famille, la personne la plus proche de lui. Sanguisuga d'origine française comme lui. Sa fortune avait une provenance obscure et n'avait absolument aucune origine aristocratique. Il avait aussi une centaine d'années de plus que lui. Samson Rohart était devenu un Sanguisuga vers ses vingt-cinq ans et avait pour père Teobaldo, l'un des Anciens. Il avait élu domicile aux Amériques, un pays neuf où tout était à faire. La dernière fois qu'il l'avait vu, il tentait d'entrer en contact avec les Iroquois, des êtres qu'il définissait comme fascinants. La différence de classe sociale ne les avait jamais dérangés, leur amitié était née malgré eux de façon naturelle comme une évidence.

Une fois son courrier terminé il cacheta la lettre et la posa sur l'angle de son bureau. Il écouta les bruits de la maison et entendit ses sœurs et leurs maris dans la chambre de Générosa, en train de discuter en anglais tandis qu'elle ronflait très légèrement. Il sourit en imaginant la scène. Après avoir fait rapidement ses ablutions, il se coucha en pensant encore et toujours à cette démone qui l'avait envoûté, conquis, terrassé...

Lorsque François avait quitté la pièce, sa famille continua à parler de choses et d'autres, puis ils montèrent ensemble voir Générosa afin de discuter en anglais, en murmurant pour ne pas l'éveiller. Fatigués, ils finirent par tous se séparer sur le palier et à rejoindre leurs chambres respectives.

- François a vu juste, Livio, nous avons une fille extraordinaire. Je suis si fière d'elle ! Et son instinct de Sanguisuga est si fort, as-tu vu ? mais oui, suis-je sotte, poursuivit-elle sans le laisser répondre, tu étais présent. Notre fille est resplendissante de beauté, remarquable dans ses instincts ! Elle n'en a pas pleinement conscience encore, et je me fais peut-être des idées, mais hors ces larmes je sens une aura de magie autour d'elle, pas toi ?

- Oui ! Je dois avouer que cela me fait un peu peur, quel pouvoir a-t-elle d'enfoui au fond d'elle ? Comment va-t-il se manifester ? C'est tellement étrange ! C'est un peu comme voir éclore une fleur et découvrir quelle est sa beauté, quelles sont ses couleurs, ses nuances… Je suis content que ce soit toi qui abordes le sujet, car je… J'en ai discuté avec François, ce soir pendant la chasse. Je sais, dit-il voyant la surprise de sa femme, mais que je sois content ou pas ne changera rien à ce qui se passe et surtout j'avais besoin de son avis. Donc nous avons discuté de la magie que je soupçonnais en Générosa, je voulais savoir s'il avait ressenti lui aussi quelque chose d'indéfinissable en elle.

- Indéfinissable ?

- Magique si tu préfères, mais je n'étais pas sûr de la façon de le nommer à ce moment-là. Et, oh surprise ! dit-il ironiquement, François aussi l'a perçu. Il ne savait pas comment s'en ouvrir à moi, il est convaincu que notre Générosa nous réserve d'autres surprises et d'après lui nous aurons intérêt à être prêts. Elle est intelligente, forte et curieuse de tout, ce qui est surprenant pour quelqu'un qui est une aussi jeune Sanguisuga. Les leçons que nous lui donnons alors qu'elle repose ont fait d'elle une femme déjà très cultivée, son cerveau retient tout ce que nous pouvons dire ou lui apprendre. J'envisage d'écrire à cet enchanteur écossais ami de ton père, Kenneth MacIndulf. François m'a dit qu'il l'avait croisé à Londres en nous rejoignant ici. Il pourrait peut-être, lorsque nous serons établis à Venise, nous rendre visite histoire de voir Générosa. Ton père dit qu'il est capable de discerner quels sont les talents magiques d'une personne et cela même chez les Sanguisugas. Je crois me souvenir que ton père disait qu'il avait travaillé à une époque en collaboration avec les Anciens. Son talent permettant ainsi aux Anciens d'être sûrs des talents découverts ou non de chaque Sanguisuga. Je ne me trompe pas ?

- Oui, c'est vrai, c'est totalement cela, enfin quand on dit travailler c'est un grand terme. Il appréciait de côtoyer les nôtres, de faire la connaissance de tant de personnes distinctes et venant de tant de pays différents, avec des cultures distinctes, le fait qu'elles soient talentueuses ou non était pour lui secondaire. Il aime le contact, c'est un personnage très sociable. Puis le nombre de Sanguisugas s'étant stabilisé, il s'est lassé de ces journées vides ne lui permettant plus de rencontrer de nouveaux individus et d'en apprendre sur les pays du monde qu'il n'avait jamais eu l'occasion de visiter. Il a alors quitté Venise pour voyager et voir le monde par lui-même. Mais crois-tu que lui écrire soit raisonnable ? Je sais que Père l'adore et le respecte autant en tant qu'ami qu'en tant qu'enchanteur, mais il est si… fantasque. Même si les Anciens le tiennent en très haute estime, cela me fait peur ! Mais, je suis ridicule, tu as raison, écrit lui ! se reprit-elle en l'embrassant. Il vaut mieux que l'on sache à quoi s'en tenir avec elle, puisque François et toi êtes convaincus que des pouvoirs plus puissants sont enfouis en elle, nous devrons effectivement être prêts. Si Kenneth peut les sentir et l'aider à les éveiller, ce sera moins dangereux pour elle, car elle saura à quoi s'en tenir et aura l'aide nécessaire. Oui, mon amour, écrit-lui explique lui tout et dit lui que nous serons dans quelques mois à Venise. Ce sera plus facile pour lui de nous rendre visite et de travailler avec elle là-bas. Mais, pour ce qui est de maintenant, dormons, comme l'a dit François, demain notre fille ne nous épargnera pas et nous devons être prêts à tout lui dire, aussi pénible que puissent être ses questions.

Elle l'attira vers le lit et se lova contre lui.

- François toujours François, j'en ai assez de lui ! Pourquoi Générosa ? Des filles il y en a des tas il n'aurait pas pu en rencontrer une faite juste pour lui lors d'un de ses voyages !

- Chéri tu t'énerves inutilement, tu sais bien que ce n'est pas son choix et je trouve qu'il gère la situation plutôt bien.

- Ah tu trouves toi, reprit-il énervé. À votre service, ma douce amie, dit-il en imitant la voix de François, non, mais a-t-on entendu pareille mièvrerie !

- À sa décharge, admet qu'il a bien visé en nous emmenant sur un terrain de chasse idéal... et de toute façon tu auras beau t'énerver tu ne changeras rien à la situation, tu viens de le dire toi-même ! Et notre fille n'est pas encore à l'écoute de ces instincts-là. Elle a beaucoup à gérer déjà et en aura davantage encore à t'en croire. Tu sais que tu peux compter sur François, il ne fera rien et la laissera venir à lui quand elle sera prête et le décidera !

- Et bien, j'espère que ce ne sera jamais et qu'elle aura toujours mieux à faire, dit-il en caressant la joue sa femme. Je me sens d'humeur badine, mon ange, il faut que tu détournes mon esprit de ton frère... acheva-t-il en prenant ses lèvres avec voracité tout en plaquant son corps contre lui.

Elle se laissa aller, trop heureuse de se donner à l'homme qu'elle aimait de chaque fibre de son corps.

Au réveil, Générosa ne flâna pas au lit comme elle aimait le faire habituellement. Elle se leva précipitamment, pressée d'en finir avec sa toilette et son habillement. Elle découvrit sur une chaise une nouvelle tenue, d'un bleu sombre magnifique en lainage très doux. Encore un présent fabriqué par sa mère et sa tante. Une fois de plus, une bouffée d'amour l'envahit. Elle se dépêcha et dégringola vivement les marches pour les rejoindre dans le petit salon. Elle sentait d'instinct qu'ils choisiraient cette pièce intime pour la soirée.

Une fois dans la pièce, elle vit que seuls son père et sa mère étaient présents. Elle en profita pour embrasser son père qui installé au bureau de la pièce était en train d'écrire. Elle se fit la réflexion que pratiquement chaque pièce avait un bureau, elle en avait un elle-même dans sa chambre. Elle se pencha vers sa mère plongée dans un livre et l'embrassa tendrement en la remerciant pour sa robe. Elle mit dans ses baisers tout cet amour qu'elle avait au fond du cœur. Livio ravi s'était replongé dans son courrier pour masquer son émotion. Elle tourna sur elle-même pour montrer à quel point cette robe la mettait en valeur. Cela fit beaucoup rire sa mère et son père releva la tête pour l'admirer et l'applaudir. C'est à cet instant qu'elle vit François appuyé au chambranle de la porte. Embarrassée, elle rejoignit sa mère et s'assit.

François avait marqué un temps d'arrêt en voyant la scène. Ne voulant pas interrompre ce moment d'intense émotion il avait patienté, troublé, en admirant Générosa. Finalement, l'ayant vu elle s'était arrêtée et il avait senti son saisissement à sa vue, son émoi et ce désordre intérieur. Elle s'était reprise et avait rejoint sa mère. Il se dirigea donc vers sa sœur l'embrassa sur le front, fit de même avec Générosa stupéfaite puis d'un signe de tête salua son beau-frère qui lui répondit de même. Il se donna une contenance en allant tisonner le feu puis s'installa confortablement dans un fauteuil.

À peine était-il assis que Franck et Carol apparurent à leur tour. Une fois les embrassades faites, ils s'installèrent et attendirent que Livio prenne la parole. Tous tournés vers celui qui représentait pour eux, depuis sa transformation en Sanguisuga, le chef de cette famille. Celui qui gérait les problèmes d'intendance où qu'ils soient, qui organisait les entretiens de leurs propriétés lors de leurs longues absences, qui était le conseiller financier les aidant à gérer et faire fructifier leurs fortunes, qui était le lien avec les avoués et banquiers locaux. Même Père se fiait à lui. Un chef de famille prenant son rôle très au sérieux. Il était donc naturel qu'en cette soirée, dont l'instigatrice était sa fille, ce soit à lui de prendre la parole en premier.

Se raclant la gorge, il donna un verre à boire à sa fille et souhaitant reculer l'échéance proposa à chacun sa boisson préférée. Liqueur de Griottes pour Domenica, Liqueur de Cardamome pour Carol, Cognac pour François et Brandy pour Franck et lui.

- Bien ma chérie, tu as sollicité cette soirée pour que nous répondions aux questions que tu te poses, nous te devons du temps et des réponses. Nous te renseignerons du mieux que nous pourrons et…
- pas du mieux que vous pourrez papa, l'interrompit-elle.

Elle marqua un bref temps d'arrêt et reprit en les regardant tous un par un.

- S'il vous plaît, je vous demande d'être honnête ! Je vous adjure de ne pas m'épargner, me mentir ou me ménager ! C'est inutile et ne m'aidera en rien aujourd'hui ou pour mon avenir, je le sais je le sens au plus profond de moi ! De plus, souvenez-vous qu'un jour ou l'autre j'aurais les réponses que je veux par d'autres que vous si nécessaire et si je découvre que vous m'avez menti volontairement ou par omission, je risquerai d'être particulièrement en colère, et tout le monde sait ce que signifie ma colère, souligna-t-elle avec un sourire espiègle.
- Nous sommes terrifiés, dit François avec humour en faisant semblant de trembler.

- Oh, mais je suis très sérieuse, tu ne devrais pas en douter Monsieur le Duc !
- Crois bien que je suis tout à fait conscient de ton sérieux ! lui dit-il avec un geste d'excuse. Qui suis-je pour refuser de répondre à tes questions ! Tu peux compter sur moi ch... Générosa.

Sa brève hésitation ne fut pas remarquée par Générosa tout entière à ses préoccupations et n'ayant entendu que la promesse de réponses à ses interrogations.

- Tu peux compter sur nous mon ange, intervint Carol, Franck et moi répondrons à tout ce que tu demanderas, nous savons que ce ne sera peut-être pas facile à exprimer tout comme à toi de l'entendre, mais nous nous engageons à être honnêtes, n'est-ce pas chéri ?

Le chéri en question acquiesça avec un large sourire.

- Ton père et moi te le promettons aussi.
- Merci à tous. Alors pour commencer...
- Tu vas boire ceci !
- Papa !
- Excuse-moi ! marmonna-t-il pendant que les autres éclataient de rire.

Livio souhaitait reculer l'échéance au maximum, mais sa fille ne comptait pas se laisser faire.

- Donc première question ! Je suis en permanence euphorique, heureuse, je ne sais quel est le mot juste... enfin, je souhaiterais savoir si cet état est lié à mon état de Sanguisuga, ou au fait que j'appartienne à une famille que je qualifierais de formidable ? Aux deux cumulés ? Ou bien y a-t-il d'autres raisons ? Ou encore est-ce une question sans réponse, un mystère ! Conclut-elle en souriant.

- Et bien, je dirais qu'un amalgame famille formidable et Sanguisuga est une réponse qui m'arrange bien et que je trouve très satisfaisante, répondit son père.

- Pour être honnête, dit François, il faut t'avouer qu'il y a des Sanguisugas qui n'ont pas la chance de ressentir ces émotions qui t'étreignent. Ils sont malheureux parce qu'ils n'ont pas leurs âmes sœurs ou qu'ils ne se sentent pas bien dans leur éternité en ayant vu mourir tous ceux auxquels ils tenaient en tant qu'humains. Il peut y avoir d'autres raisons, mais ceux qui éprouvent cela sont une minorité de Sanguisugas. J'en ai rencontré très peu lors de mes différents voyages.

- Nous avons quant à nous, la chance d'avoir une famille unie et aimante et comptons bien que cela continue ainsi, reprit Livio, même si parfois, il hésita en regardant François et poursuivit choisissant ses mots, même si parfois il y a des dissensions, nous savons que nous pouvons compter les uns sur les autres et cela ne changera jamais. Quels que soient les querelles ou sujets de discordes, ceux-ci ne nous sépareront jamais ! Nous continuerons quoiqu'ils puissent advenir à nous aimer et à être heureux tous ensemble comme cela devrait être dans toutes les familles ! Tu as été contaminé par la joie de chacun d'entre nous d'appartenir à cette famille, au bonheur qui est le nôtre depuis ton arrivée dans celle-ci et par cet amour que nous te portons, conclut-il d'un ton enjoué.

- Cela me convient très bien, répondit Générosa avec un sourire qui illuminait son visage, merci d'avoir confirmé ce que je soupçonnais et qui je le concède me comble de joie. C'est tellement à l'opposé de ce que j'ai vécu jusqu'ici en tant qu'humaine. Me dire que cette allégresse que j'ai au fond de moi a toutes les chances de ne jamais s'éteindre m'impressionne et me laisse sans voix.

- Toi, silencieuse ? Il faut marquer cette date d'une pierre blanche

91

pour ne jamais l'oublier ! Nous ne savons pas quand cela se reproduira, ironisa Franck affectueusement, ce qui les amusa tous beaucoup.

- Pff, quand vous aurez fini de vous moquer nous pourrons poursuivre ! fit Générosa en haussant les épaules.

- Et voilà ! Comme prévu, ce fut de courte durée, reprit Franck.

Il évita de justesse le coussin que venait de lui lancer au visage Générosa, qui contaminée se mit à rire aussi. Reprenant son sérieux, elle reprit :

- Seconde question. Vous me parlez de pouvoirs, talents ou je ne sais quelles autres façons vous avez de les nommer. À part papa qui m'a expliqué son don à détecter les mensonges et maman qui pleure des larmes de venin, je ne sais rien de plus. Est-ce les seules aptitudes dont vous disposez ? Papa ? Maman ?

- Je n'ai que celui-ci mon ange ! C'est déjà bien plus que la plupart des Sanguisugas. Dis-toi que la majorité d'entre nous n'a absolument aucune faculté sortant de l'ordinaire. Nous sommes des Sanguisugas privilégiés, la renseigna Livio

- Tu devrais dire une famille extraordinaire, chéri ! En ce qui me concerne, j'ai un second talent qui a tendance à énerver tout le monde. On se rend compte quand je l'utilise et franchement je comprends que cela puisse agacer. J'ai ce que les Anciens ont appelé La Voix. Je peux imposer à quelqu'un de faire quelque chose contre sa volonté. Répondre à mes questions par exemple, acheva-t-elle en riant.

- C'est singulier et prodigieux ! Je me souviens que tu en avais parlé comme quoi tu ne t'en étais pas servi sur papa lorsqu'il était humain, que tu voulais être aimé pour toi. Je n'avais pas à ce moment-là assimilé l'information. J'avais eu ce jour-là mon compte d'émotion, votre vie paraissant sortie d'un de ces romans que vous m'avez lus. Pour en revenir à ta voix…

- La Voix, chérie et non ma voix. Ma voix ordinaire n'a aucun pouvoir particulier, lui précisa sa mère.

- La Voix, très bien. Donc, je trouve dommage que les personnes soient conscientes que tu l'utilises. Il n'y a pas moyen de l'améliorer pour le rendre indétectable ? Pour notre apprentissage, cela te serait grandement utile. Tu n'aurais jamais d'échec !

- Tu as raison ! Je n'ai jamais cherché à savoir si je pouvais l'améliorer. Je ne voulais pas cacher à quiconque ce que je faisais… il m'arrive de l'utiliser sur ton père ou un membre de notre famille quand ils me cachent quelque chose et que je veux leur faire avouer, mais je n'imaginais pas le faire à leur insu. Par contre maintenant, je me dis que si les humains ou les Sanguisugas qui ne me sont rien et dont je veux tirer quelque chose ne se rende compte de rien cela pourrait nous rendre de grands services. Elle prit un air songeur, peut-être qu'inconsciemment je me sers de La Voix et que c'est pour cela que j'ai moins d'échecs que vous autres. Et vu qu'on nettoie leurs mémoires quelle importance que je m'en serve de toute façon. Ce serait une explication raisonnable non ? interrogea Générosa en regardant sa famille et plus particulièrement François.

- C'est une interprétation extrêmement cohérente, répondit François.

- Cela me remonte le moral d'un seul coup, merci Générosa, dit Carol, je me sentais minable, mais en fait Domenica triche, termine-t-elle en riant.

- Crois-tu François que je puisse comme le suggère Générosa améliorer mon talent et le rendre indécelable ? Peut-être est-il à son état brut et qu'il peut être amélioré !

- Je m'attendais à une soirée spéciale, mais là c'est incroyable ! Dit François caressant du regard Générosa. Tu poses des questions, tu trouves des réponses et tu suggères des choses tout à fait sensées ! C'est incroyable et je dois bien avouer très troublant d'être le témoin de tout cela et de te voir toi aussi intelligente et futée, il paraissait troublé et détourna son regard de Générosa. Pour te répondre, ma chère sœur, dit-il en se tournant vers sa sœur, je pense que ta fille a soulevé une question intéressante. Nous devrions en parler à Kenneth quand nous le verrons, voir lui poser la question par écrit afin de savoir s'il est possible de te faire progresser et si oui la manière de s'y prendre, comment nous pourrions t'aider, nous ta famille !

- Excellente idée, je m'en occupe au plus vite, dit Livio. Pardon, ma chérie, tu as posé une simple question et nous avons dévié.

- Pas du tout ! Votre échange était très instructif. Et toi Carol tu as une faculté particulière ?

- Oui, je peux, elle hésita craignant les conséquences de ce qu'elle allait dire, mais se rappelant sa promesse se lança, je peux lire dans l'esprit d'une personne en la fixant et me concentrant sur elle.

- Oh ! Tu… tu as déjà fait cela avec moi ?

- Oui, tu n'étais alors qu'une humaine. Juste avant ta transformation… mais c'était dans un but louable, je voulais savoir si tu étais la fille qu'il fallait pour Livio et Domenica ou…

- Ne t'inquiètes pas Carol, l'interrompit Générosa, je ne te juge pas je suis certaine que si tu le fais c'est que tu as de bonnes raisons. Je ne fais que poser des questions, et… comme vous avez promis de répondre à toutes celles que je me pose, j'en profite ! Mais peut-on se protéger de ton don ? Si l'on a un secret qu'on ne veut pas révéler et qu'il ne faut pas que tu découvres par inadvertance, que faire pour le cacher, même de toi ?

- Encore une question intéressante, intervint François, nous n'avons pas de réponses immédiates, mais je te promets que nous allons nous y intéresser, n'est-ce pas Livio ?

Assis à son bureau, il griffonnait sur une feuille de papier.

- Tout à fait, répondit-il. Je note les interrogations de Générosa pour en faire une liste complète auprès de Kenneth, je subodore que ce n'est pas fini.

Il dit cela d'un air entendu en regardant son épouse. Dans ses yeux, on pouvait déceler une étincelle de pure joie et dans sa voix de l'exaltation.

- Elle est unique, ensorcelante, fascinante, intelligente et elle est à… se murmurait François à lui-même d'un ton surpris, mais admiratif tout en couvant Générosa d'un regard tendre.

Il s'interrompit en comprenant, voyant le regard peu amène de Livio, qu'il s'était exprimé à haute voix ! Il s'aperçut soulagé que Générosa concentrée et évaluant ce qui venait de se dire n'avait pas entendu, ce qui le tranquillisa.

- Tu es incroyable ! Surprenante ! Ma chérie. Tu analyses les situations avec une logique ahurissante. Tu poses des questions évidentes et décisives pour notre vie, notre avenir de Sanguisuga. Et pourtant elles ne nous ont jamais effleuré l'esprit, dit Carol.

On aurait pu croire qu'elle s'était fait cette réflexion pour elle-même, mais l'on sentait dans sa voix un respect et une admiration des plus sincères, pour sa nièce.

- Si tu pouvais juste une seconde imaginer ce que nous ressentons tous et la hâte que nous avons de te faire rencontrer Père ! Ajouta Domenica les yeux brillants d'une fierté toute maternelle.

Troublée Générosa ne savait pas quoi dire. Elle opta pour une décontraction qui ne trompa personne et se tourna vers Franck, qui lui, la regardait stupéfait. Elle prit son courage à deux mains, celle qui de son vivant recevait si peu d'attention ne savait comment gérer cette admiration et ces compliments non feint de sa famille. Tout cela la mettait mal à l'aise. Elle demanda alors à

Franck :

- Et toi, Franck, quel est ton talent ?
- Je vais te décevoir ! Je suis de ceux que ton père a qualifiés de Sanguisugas ordinaires, je n'ai absolument aucun talent. J'ai suffisamment à faire ! Comme aimer ma femme comme un fou, dit-il en regardant Carol avec amour. En étant quelqu'un sur qui ma famille peut compter. Je trouve cela très gratifiant et honnêtement je ne me sens pas amputé de quelque chose parce que je n'ai pas de don. J'ai une famille formidable, comme dit au début de la soirée, cela me suffit amplement ! Je dois déjà me battre pour que ma femme ne lise pas dans ma tête, ajouta-t-il en riant.
- Oh le menteur ! Je n'ai jamais rien fait de tel et, elle semblait outrée, je lui ai toujours promis que je l'éviterais dans la mesure du possible. Parfois sans m'en rendre compte, par désœuvrement, je lis autour de moi, c'est une seconde nature. Mais jamais je ne le ferais volontairement contre lui sans le prévenir !
- Je sais mon amour j'avais juste envie de voir si tu réagirais. Je suis satisfait, un véritable succès ! Tu es toujours aussi sanguine, ma douce chérie. Lui dit-il riant, mais avec un regard empreint d'amour.
- C'était déjà un de ses défauts majeurs lors de son humanité. À l'époque une femme devait le respect à son maître de mari et pour une Anglaise de surcroit cela tenait de la maladie disait Père, expliqua-t-il à Générosa qui le regardait avec un air interrogateur. Toutes les femmes de cette famille sont ainsi ta mère, ta tante et tu ne fais pas exception à la règle...

Carol haussa les épaules, leva les yeux au ciel et dit :

- Il va être temps que l'on quitte ce pays misogyne tu deviens pire qu'eux ! Voyant son mari cesser de rire avec un air ahuri, elle se mit à son tour à rire de bon cœur.

- Tu vois Générosa, le calvaire que je vis tous les jours ! fit Frank en geignant avec un air de martyr ce qui fit s'esclaffer tout le monde.

Générosa n'avait pas oublié ce qu'avait pu dire Franck juste avant cet échange et elle ressentit le besoin irrépressible de dire d'un ton enjoué, mais empreint de respect :

- Vous dites être tous heureux que je sois des vôtres, mais je suis moi enchantée et honorée de vous avoir comme famille…

Elle hésita choisissant ses mots, tout le monde attentif à ce qu'elle allait dire. Abandonnant sa place près de sa mère, elle s'approcha de Franck très lentement. Puis se penchant vers son fauteuil en entourant son cou de ses bras, elle reprit d'une voix rendue rauque par l'émotion :

- Je suis tout particulièrement heureuse de t'avoir pour oncle, Franck ! Je te trouve extraordinaire, formidable ! Tant d'humains sont incapables de simplement s'aimer, tu peux me croire c'est un sujet que je connais bien ! Et toi tu aimes ta femme depuis si longtemps et à vous voir ensemble on pourrait croire que vous n'êtes tombé amoureux qu'hier ! Ton père, toute ta famille, tu les aimes tous d'une façon tellement inconditionnelle et… on pouvait voir des larmes au bord de ses cils trahissant son trouble intérieur, tu m'as accueillie et aimé alors que tu ne me connaissais pas ! Crois-moi, je considère cette qualité, la capacité d'aimer, bien supérieure à tous les pouvoirs pouvant exister dans ce monde. Je… je t'aime beaucoup Oncle Franck !

Elle conclut par un baiser sonore sur sa joue. Franck bouleversé n'osait dire quoi que ce soit, retint ses bras qu'elle allait enlever de son cou, pour les serrer un peu plus fort contre lui. Il baisa chacune de ses mains et la relâcha. Il jeta un regard vers Carol qui, comme le reste de la famille, n'avait pas manqué un seul geste ni une seule parole de la scène qui venait de se dérouler devant leurs yeux.

- Alors là je m'insurge et je le dis haut et fort ! Nous qui avons des pouvoirs n'avons même pas droit à un tout petit peu de félicitations et Franck lui... ah les femmes ! intervint Livio avec humour, mettant ainsi un terme à l'intensité de l'instant.
- Mais regardez-moi ce jaloux ! Allons ma chérie, ne t'occupes pas de ce que ton père peut dire. For where Love reigns, disturbing Jealousy, Doth call himself Affection's sentinel[12], recite Domenica se moquant de Livio.

Pour réponse, il se mit à rire accompagné par le reste de la famille.

- Tu es le meilleur des pères, mon petit papa chéri, et je t'aime énormément, tout comme j'aime passionnément maman et Carol et que j'aime éperdument François ! Dit-elle sans réfléchir.

Elle se rapprocha de lui, toujours assis à son bureau et s'inclina pour l'embrasser. Elle le sentit se raidir un bref instant puis se détendre, elle crut avoir rêvé, mais n'eut pas le temps de s'y attarder. Elle n'avait même pas conscience de ce qu'elle venait de dire.

- Hum très bien, cela sent la flatterie à plein nez, mais je serais un père sans cœur si je restais de marbre après à une telle déclaration ! dit-il rieur en l'embrassant en retour.
- Il ne reste plus que toi François, fit Générosa en le regardant attentivement tout en restant près de son père la main sur son

---

[12] *Où règne l'Amour, là une jalouse inquiétude s'établit comme sentinelle. Citation de William Shakespeare extrait de Vénus et Adonis (1593).*

98

épaule.

- Moi, oui moi… et bien je peux… comment t'expliquer….

Il avait du mal à se recentrer. L'avoir entendu dire qu'elle l'aimait éperdument le laissait pantois et en extase ! Et même si cela n'avait pas encore la connotation qu'il souhaitait c'était déjà une déclaration d'amour qu'il recevait en plein cœur comme un cri venant de son cœur à elle, puisqu'elle n'avait même pas réalisé ce qu'elle avait osé dire. D'ailleurs, Livio ne s'y était pas trompé et François admirait sa maîtrise de soi. Il se reprit et dit :

- Laisse-moi te montrer !

Il se concentra et quelques secondes plus tard, Générosa le vit parler et Franck répondre, mais aucun son ne sortaient de leurs bouches, seules leurs lèvres remuaient.

- Que font-ils ? Se moquent-ils de moi ? Demanda-t-elle vexée. Je ne trouve pas cela drôle, c'est son talent se rire des gens ? Je trouve cela…
- Non mon cœur, nous ne nous moquions pas ! Je ne pourrais jamais me jouer de toi d'une manière aussi méchante, mon ange !

Toujours sur son nuage, il ne réalisa avoir dit ces mots en utilisant un ton plein de tendresse qu'en sentant sa sœur se raidir. Un bref coup d'œil à son beau-frère lui confirma son moment d'égarement, mais Générosa ne le remarqua pas ce qui le rassura. Il enchaîna donc :

- Franck et moi étions enfermés dans… comment te dire… une bulle invisible, nous permettant de discuter entre nous sans que personne ne nous entende. Par contre, nous entendions tout ce qui se passait à l'extérieur de cette bulle. C'est très utile au milieu d'une foule quand tu as quelque chose à dire sans que des oreilles curieuses trainent, quand tu es en galante compagnie et que tu veux être tranquille, il sentit qu'il l'avait contrarié, sentant sourdre la colère en elle.

Il se maudit d'avoir utilisé cet exemple, d'autant plus quand il vit la joie faite à Livio qui avait lui aussi ressenti cette colère en sa fille. Il tenta de se rattraper en ajoutant :

- Ou encore quand tu veilles tard et que certaines personnes dorment déjà…
- Notre ouïe étant sensible nous pouvons empêcher quelqu'un de dormir même si nous chuchotons, cela tu le découvriras au fil des mois lorsque tes sens seront totalement développés. Ils sont pour le moment en mutation et tu as dû te rendre compte que loin de nous tu perçois un brouhaha, mais rien de très clair. Même si tu tentes d'écouter ce qui se dit dans ton dos tu ne reçois qu'une bouillie sonore, ajouta son père narquois.

Il était heureux ! Il ignora les regards de reproches de sa femme, trop content que François par son exemple se soit mis en difficulté tout seul vis-à-vis de Générosa.

Décidant d'ignorer sa perfide remarque, elle lui fit une légère tape de la main sur l'épaule. Voulant des réponses aux questions que son talent soulevait, elle fit taire cette colère qu'elle l'avait senti monter en elle quand il avait parlé de s'isoler avec des filles. Être blessée par ces mots la mettait encore plus en rage. Elle refusait que cela lui fasse quelque chose ! Elle lui demanda d'un ton qui ne laissait rien transparaître de ses troubles, elle en retira une certaine fierté :

- Comme Carol, tu ne peux mettre ta bulle en place avec une seule personne ?
- Non je peux intégrer plusieurs individus, mais cela me demande énormément d'énergie. Et pour répondre à ta question suivante,

dit-il avec un sourire, toujours aussi furieux après lui-même et en même temps terriblement fier du combat que menait Générosa contre elle-même, je peux aussi intégrer la ou les personnes avec qui je veux converser même si, par exemple, elles se trouvent à l'autre bout d'une pièce bondée de monde ou encore, éparpillées aux quatre coins de la pièce. Mais bien entendu, cela me demande une concentration assez élevée, même si je travaille beaucoup dessus pour que cela me demande de moins en moins d'énergie...

- Oh, donc travailler sur son don est quelque chose de tout à fait possible !

- Oui et c'est pour cela que je trouve que tes suggestions sont probablement réalisables. Mais j'ai eu de l'aide pour apprendre à gérer mon don, à l'étendre et je travaille toujours dessus comme je viens de te le dire. C'est à la personne qui m'a aidé et qui est un très vieil ami de notre père que Livio envisage de poser tes questions !

- Votre père a-t-il un pouvoir lui aussi ? Je me demandais si le fait que vous en ayez pratiquement tous viendrait d'un trait plus ou moins héréditaire.

- Père n'a pas de talent autre que celui dont je t'ai parlé lors de la narration de ma vie pré-Sanguisuga. Il peut lire dans les esprits des humains uniquement, à son grand regret d'ailleurs. Il a tenté d'étudier diverses manières de le faire évoluer en quelque chose de semblable au don de Carol, mais pour le moment sans succès. Tout ce qui n'est pas humain résiste à son don.

- Et pourtant il est très motivé, et très têtu ! Il me rappelle quelqu'un… mais oui je suis idiot ! Sa petite-fille ! Ajouta narquoisement Franck.

- Je retire tout ce que j'ai pu dire sur toi Oncle Franck ! Mais son sourire et ses yeux brillants de malices démentaient son ton sérieux.

- Et voilà Franck, tu n'as que ce que tu mérites ! Dit avec humour

Domenica. Mais tu amènes à point nommé le sujet de l'hérédité et j'intercèderais auprès de ma fille pour ta réhabilitation ! Se tournant vers sa fille, ta question ma chérie est une fois de plus à approfondir. Père, lit dans les esprits humains, Carol dans ceux de tout être vivant. C'est ton père qui t'a faite et pourtant, heureux hasard, tu as une partie de mes dons, mes larmes, quoiqu'améliorées. Si héritage il y a, le don transmis est amélioré ! Les talents divers des Sanguisugas n'étaient à notre avis que pur hasard, souvent des vestiges de leurs vies d'humains, mais je pense que…

Voyant Livio écrire, elle éclata de rire,

- Ton père a eu la même idée que moi, il demandera si notre ami a une explication à ces phénomènes et donc une réponse à cette question-ci aussi… Satisfaite, ma puce ? Demanda Domenica.
- Je reste, je dois bien l'avouer perplexe par ces choses, mais j'aurais bien le temps de m'inquiéter de ces bizarreries dans l'avenir.

Elle marqua une courte hésitation et souriante enchaîna :

- Question suivante : pourquoi vivons-nous la nuit ? Hors la chasse, qu'il faut très discrète ce qui est logique et nécessaire, je ne comprends pas pourquoi cela exige que nous vivions dans le noir en permanence, même si nous y voyons clairement d'ailleurs. Les légendes que j'ai entendues parlent de combustion spontanée en plein jour, est-ce vrai ?
- Les légendes portent bien leurs noms ce ne sont pour la plupart du temps que des on-dit de bonne femme qui sont, en ce qui concerne les Sanguisugas, très souvent suggérées par nous-mêmes, afin de nous protéger des humains. Il n'y a nulle autocombustion, juste le vieillissement physique qui reprend son cours à l'instar d'un être humain normal ! Enfin, ce n'est pas tout

à fait vrai, il est légèrement accéléré. La lumière du jour ne provoque que peu de dégât. Le soleil quant à lui, plus il est brillant et chaud, plus la peau se parchemine rapidement, répondit Franck.

- Oh ! Donc si l'on veut paraître plus vieux il nous suffit de vivre au grand jour ? Vous m'aviez dit que nous restions à l'âge de notre mort et que c'est pour cela que vous déménagiez si souvent, je ne comprends pas tout.

- Nous pouvons vieillir c'est vrai, mais comme tu le dis toi-même allier chasse et vie au grand jour n'est pas compatible et l'on s'habitue à vivre la nuit. Un complément de réponse que je peux te donner et que même si nous vieillissons plus ou moins vite que la normale, comme vient de le dire Franck, tu peux retrouver l'âge de ta transformation. Mais il te faudra de très nombreuses journées de sommeil. Père a vécu au grand jour en Afrique, contrée ensoleillée, et ce pendant une dizaine d'années. Il lui a fallu près de quarante ans pour retrouver son âge d'origine, ajouta Carol.

- C'est ce qui nous permet aussi d'avoir un semblant de vie normale. Notre personnel imagine que nous sommes des gens préférant vivre la nuit parce que nous faisons la fête constamment. Ils voient bien les chandeliers allumés la nuit et nos fréquentes sorties. C'est encore plus facile lorsque nous vivons dans des villes de grande envergure. Londres, Paris, Rome ou Venise par exemple sont des villes où vivre la nuit est pour la plupart des humains fortunés une seconde nature. Ce qui permet de justifier aisément notre humanité, ajouta François.

- Mais donc ce n'est pas dangereux et ce n'est pas irréversible ! C'est une nouvelle très agréable à entendre, dit Générosa, le soleil et la lumière du jour m'aurait vraiment trop manqué. Voyant la réaction de sa mère, elle lui sourit, j'ai bien compris maman qu'il ne faudra pas en abuser. J'ai saisi que vous avez tous pour votre part choisi de rester à votre âge sans exagérer avec la lumière du jour.

- Pour devancer certaines de tes questions, reprit François, dans les légendes que tu as pu entendre, il y a le fait de vivre toujours seul et être des nomades. Certains d'entre nous le sont et certains aiment la solitude. Tu constates par toi-même que nous aimons vivre en couple ou même en famille, et comme notre famille nous aimons aussi rester dans un même endroit pendant de longues années tout en appréciant les voyages permettant d'améliorer notre connaissance du monde et des différentes cultures. Père lui est un nomade solitaire, mais ils ne sont pas très nombreux à lui ressembler. Certains sont des nomades voyageant en groupe, autant de diversités que chez les humains. La seule véritable différence avec les humains c'est que peu d'entre nous souffrent de la pauvreté. Ceux qui la vivent en ont fait le choix et sont des nomades estimant les biens terrestres comme des fardeaux les empêchant d'avancer. Ils ont fait le choix de se servir quand ils ont besoin de quelque chose. Ils sont très peu appréciés des autres Sanguisugas ayant une mauvaise réputation et mettent souvent en péril notre équilibre dans le monde des humains.

- Nous ne sommes pas nés pour tuer, ni ne sommes des monstres sans conscience, ajouta son père, la preuve en est l'entraînement que nous avons mis en route ensemble avec l'aide de François. Tu auras entendu beaucoup de choses ma puce, mais très rares sont celles qui s'avèrent véridiques comme tu viens de le constater par toi-même.

Absorbée par ses pensées, suite à ce que François et son père venaient de dire, elle parut satisfaite par ces révélations, ce qui soulagea l'assemblée.

- Attention ! Feu nourri d'ici quelques secondes, trois, deux, un, à toi ma nièce chérie, railla Franck.

Elle haussa les épaules, secouant la tête en riant.

- Moque-toi ! Tu profites de ma condition de faible femme, dit-elle avec humour. Tu as raison de le faire aujourd'hui. Un jour, mon tour viendra de te mettre sur des charbons ardents ! Je n'ai pas l'intention de me laisser faire aussi facilement quand je serai une Sanguisuga à part entière et que j'aurai quelques années de plus ! Je ne serais alors plus une faible femme…

À ces paroles, François éclata de rire et dit :

- J'ai hâte de voir cela ! Quoi que… je me dis qu'avec deux femmes nous avions déjà des difficultés, alors trois dans la famille cela va devenir ingérable. Nous allons devoir compter avec elles toutes désormais. J'ai le sentiment qu'elles n'hésiteront pas à se liguer contre nous si besoin est !
- En attendant, ma dernière question pour ce soir, je vous le promets. Avons-nous la peau froide comme un cadavre ? Sommes-nous tous aussi rapides à la course ? Sommes-nous tous forts comme papa ? Je t'ai vu la nuit dernière porter trois humains d'une seule main et en courant, pour les plonger dans l'océan.

- Cela fait trois questions ! Ironisa François.

Voyant son visage il enchaîna rapidement :

- Non, je n'ai nulle envie que tu jettes tes foudres sur moi à l'avenir, réserve cela à Franck ! Fait comme si je n'avais rien dit, s'esclaffa-t-il.
- Ne crois pas t'en tirer aussi facilement ! Bien donc mes trois dernières questions puisque Monsieur le Duc sait mieux compter que moi.

Elle se surprit à le fixer et à lui tirer la langue et se fit la réflexion que c'était la seconde fois qu'elle le faisait à l'encontre de François. Ce n'était pourtant pas dans ses habitudes ce genre d'attitude provocatrice. Elle se reprit vivement et dit :

- Qui, pour me répondre sur notre peau froide ? Pour précision, si je le demande c'est pour savoir si les humains peuvent se méfier de nous lorsque nous les touchons lors des soirées mondaines, lors de toutes relations avec les humains ou même lors de nos entraînements. Et donc savoir si s'équiper de gants faciliterait les choses. S'enquit-elle en les regardant.

Son père lui répondit :

- Nous avons pour les humains une peau qui n'est pas glaciale, mais elle n'est pas aussi chaude que la leur. Porter des gants est utile lorsque nous sommes au milieu d'eux lors de soirées. Leurs peaux chauffent au milieu de la foule, alors que la nôtre ne baisse ni ne monte en température. Ce n'est pas une règle, juste une recommandation. Tu verras par toi-même ce qui est le mieux lorsque nous serons à Venise. Pour ce qui est de nous nourrir et de nous entraîner, qu'en penses-tu François ? Nos mains pourraient-elles briser notre hypnotisme et être responsables de certains de nos échecs ?
- Je ne pense pas, je n'en ai jamais utilisé lors de mes parties de chasse et de mon apprentissage. Cela ne coûte rien de vous en équiper si vous vous sentez plus confiants avec. Peut-être qu'effectivement cela influe dans les hypnotismes manqués et que si j'en avais utilisé lors de mon apprentissage j'aurais eu moins d'insuccès.
- Pour ce qui est de la course et de la force, tes deux dernières questions, enchaîna Livio, nous sommes tous plus ou moins lestes. Tous beaucoup plus rapide que le commun des mortels, mais homme ou femme, entraîné ou pas, tout comme les humains, nous ne sommes pas des copies conformes l'un de

106

l'autre. Pour ce qui concerne la force, elle évolue avec notre âge. Plus nous vieillissons en âge et plus nous sommes forts et puissants. À la base, nous sommes beaucoup plus vigoureux qu'un simple humain. Nous te ferons tester demain par toi-même, si tu le désires.

- Tu es contente de nos réponses ou te faut-il quelques informations complémentaires que nous aurions oubliées ? Lui demanda d'une voix très douce sa mère.

- Je suis satisfaite de vos réponses et je vous en remercie tous les cinq beaucoup. Je dois avouer que j'ai même eu plus d'informations que je ne pensais, mais j'espère avoir les réponses qui me manquent tôt ou tard…

- Ton père et François y veilleront, il ne faut avoir aucune crainte, ma chérie. Maintenant, tu bois le verre que ton père te propose et tu vas t'entraîner au chant et à la Spinetta avec Franck ! lui dit sa mère d'un ton ne souffrant aucune contradiction, mais avec un sourire plein de tendresse.

Elle prit et but le verre tendu par son père. Sous l'égide de Franck, elle resta, près de deux heures, concentrée à tenter de déchiffrer les notes, jouer et chanter un morceau de musique religieuse composée par Gregorio Allegri[13]. Elle se souvenait avoir entendu chanter à Palerme dans les églises ce qu'elle tentait de reproduire avec l'aide de Franck. Mais, la ressemblance avec ce dont elle se souvenait était bien plus évidente lorsque c'était interprété par Franck.

De nombreuses fausses notes les firent sourire et autorisèrent sa famille à quelques gentilles boutades. Elle en rit de bon cœur, mais finit par crier grâce, ses doigts n'en pouvant plus. Franck était ravi et le lui dit, pour lui elle était une excellente élève et serait d'ici peu une musicienne accomplie, il ne manquerait qu'à

---

[13] *Religieux et compositeur italien né et décédé à Rome 1582 - 17 février 1652*

Carol de lui faire travailler sa voix pour s'accompagner lorsqu'elle jouait. Tout cela la fit pouffer, persuadée que Franck exagérait ses talents, pourtant elle était enchantée voyant dans le regard de ses parents et même de François une pointe de fierté ce qui lui fit chaud au cœur.

Aux anges, elle leur souhaita de bien se reposer et les remercia à nouveau pour cette soirée, en les embrassant tous chaleureusement ! François eut un mouvement de recul tout en jetant un regard rapide en direction de Livio, mais elle haussa les épaules et monta se coucher sans se préoccuper d'un détail insignifiant à ses yeux. À peine dans sa chambre la fatigue la submergea et elle s'endormit très rapidement.

- Tu vois bien que ce n'est pas lui, Livio ! Alors, ne te fâche pas s'il te plait, nous allons à nouveau partir dans des conversations stériles. Voyons plutôt le bon côté de la soirée, Générosa a eu une partie des réponses qu'elle attendait et... Domenica cherchait ses mots, nous pouvons être fiers de notre fille ! Moi en tous cas je le suis au-delà des mots. Elle voit systématiquement le bon côté des choses ! Elle a le cœur si pur...
- C'est vrai ! Enchaîna François. Nous avons la peau froide ? Quelle importance les gants existent ! Nous vieillissons au soleil ? Que diantre cela nous rend humain aux yeux de tous ! Il faut du temps pour revenir à notre âge d'origine ? Quelle importance, puisque nous pouvons le regagner !
- C'est vrai, reprit Domenica. Je suis ébahie par notre fille. Elle pose des questions à bon escient et je peux dire sans détour qu'elle n'est pas du tout écervelée. Tu as raison Franck de dire qu'elle a un potentiel énorme en musique et chants. Je rajouterais en tant que mère qu'elle a une capacité énorme en toutes choses. Hors la couture et le tricot, là je dois bien avouer qu'elle n'est pas particulièrement douée, mais c'est parce que cela ne l'intéresse guère actuellement, elle préfère s'instruire... Lorsque sa soif de

connaissance sera un peu plus étanchée, peut-être que…

Elle regarda Carol et complices éclatèrent de rire toutes les deux.

- Non, ma sœur, même là elle ne sera jamais une couturière émérite… se désola en riant Carol. Elle s'intéresse à tant de choses, elle réfléchit et analyse tout… La fille de son père ! Elle sera à son tour une très bonne diplomate. Elle saura analyser les gens et les situations et il faudra prendre en compte son avis lorsqu'elle le donnera, je n'ai aucun doute à ce sujet.
- Entièrement d'accord et au risque de me répéter, je tire un légitime orgueil au fait qu'elle soit ma fille, nous n'aurions pu en trouver une autre qui soit le plus digne de l'être. Je ne me lasserais jamais de le crier haut et fort à la face du monde, acheva Domenica souriante.

Elle ajouta :

- Regardez ce qu'elle est même capable de faire ! Je n'ai jamais tant parlé. Mais elle mérite tant et tant de louanges.

Puis regardant François et Livio elle ajouta :

- Et je tenais absolument à dire ces choses au moins une fois moi-même.

Cette réflexion les fit tous rire. Franck prit la parole :

- Tu as raison ma chère sœur je ne t'ai jamais entendue tant parler et c'est très agréable. Cela nous prouve à tous que Générosa a sa place pleine et entière parmi nous, et que nos craintes n'avaient nulle raison d'être. Votre instinct et la lecture de Carol nous l'avaient laissé entrevoir, nous en avons désormais la certitude et c'est un réel soulagement.
- Oui, un soulagement dit François d'une voix amère, je n'aurais

juste jamais dû venir et le bonheur familial serait complet !

- Es-tu fou ? se fâcha Livio, ce n'est pas parce que tu... que vous... cela ne change rien entre nous et notre unité familiale. Tu es de cette famille de façon pleine et entière. Qui serais-je d'ailleurs pour m'opposer à tous et te rejeter loin de nous ? De plus crois-tu que Générosa en serait là aujourd'hui si tu ne t'étais pas engagé à nous apprendre à chasser sans tuer ? Cela c'est à toi et à toi seul qu'elle le doit et que nous le devons tous. Rien que pour cela, je te dois toute ma gratitude. Sans ton intervention, ta sœur et moi étions vivement inquiets quant à son avenir de Sanguisuga. Alors même si nous devons nous disputer, même si je suis grincheux...

À ces paroles, Domenica ne put retenir un gloussement de rire. Tout en s'excusant d'un regard d'avoir osé l'interrompre ainsi, elle se permit de le taquiner :

- Toi grincheux ? Mais non mon amour, cela est impossible !

Ce qui fit rire tout le monde sauf Livio. Il poursuivit, jetant un regard noir à sa femme, qui lui répondit en lui envoyant un baiser du bout des doigts.

- Enfin, n'oublie jamais que ce n'est pas contre toi ! N'importe quel Sanguisuga qui aurait eu l'impudence de... oui, je sais mon aimée, je m'énerve inutilement. Donc je conclurais juste pour te dire que tu ne dois plus jamais tenir de tels raisonnements. Tu me mets dans une situation très désagréable vis-à-vis de ma femme et tu nous fâches tous. Imagine ce que ton père pourrait dire de tels propos !

- Merci Livio, dit François s'approchant et serrant son beau-frère dans ses bras, mais je ne peux m'empêcher de penser que cela aurait facilité les choses que cela ne soit pas arrivé. Je, il raffermit sa voix qu'il avait d'enroué, je vais monter me coucher. Me permettez-vous pour ce soir de lui lire quelque pièce française récente que j'ai eu l'occasion de voir il y a peu ? Je sais que je me suis amusé de vous voir agir ainsi, mais les résultats étant là... je...

- Bien sûr, mais n'oublie pas de dormir un peu aussi, demain nous retournons à la chasse !

Ayant reçu l'autorisation de Domenica, il lui fit un rapide signe de tête à tous et monta précipitamment dans sa chambre avant que Livio ne tente de l'en empêcher. Il y prit le livre rempli de notes qui était posé sur la table près de son lit et rejoignit Générosa pour lui faire la lecture.

Il resta un moment debout près du lit, la contemplant longuement. Elle dormait, adorable avec une main sous le menton et une moue boudeuse incurvant ses lèvres.

Il se mit à lui parler en français. S'excusant de l'avoir froissé dans ses propos, lui demandant de lui pardonner et de ne plus être furieuse après lui. Il ajouta qu'il ferait tout pour se racheter. Puis n'osant exprimer tout haut dans le silence de cette chambre, devant une Générosa endormie, ce que renfermait son cœur et son esprit, il lui parla de ce qu'il allait lui lire et qui en était l'auteur. Prenant ses notes, il en commença la lecture. Il s'agissait d'une pièce de Molière[14], Le Médecin volant[15], il avait assisté à de nombreuses représentations et en avait recopié chaque mot de son élégante écriture.

Il était fasciné par cet homme, son imaginaire et la capacité qu'il avait de décortiquer la société qui l'entourait. Il savait Carol et

---

[14] Dramaturge et acteur de théâtre français, de son vrai nom Jean-Baptiste Poquelin, né à Paris vers fin 1621 et décédé à Paris le 17 février 1673
[15] Pièce de théâtre. Farce, en seize scènes. Écrite en prose et jouée vers 1645

Franck plus attachés à William Shakespeare[16], un de leurs compatriotes. Il leur laissait le soin de faire connaître ses œuvres auprès de Générosa. Lui, resterait fidèle à ses propres racines, il voulait que celle qu'il... il voulait qu'elle sache tout de lui et de ses goûts, qu'elle connaisse tout de la France ! Tout comme il se surprenait à tenter de mieux connaître la Sicile, en parcourant tout ce que la bibliothèque contenait sur ce pays. Il se rendait aussi au marché pour écouter les ritournelles chantées dans les rues.

Il se concentra à nouveau sur sa lecture en tentant de rester fidèle au ton qu'avait mis Molière dans la bouche des protagonistes de la pièce. Finalement près de deux heures plus tard, il sortit à pas de loups de la chambre, non sans avoir caressé ses cheveux, son visage et embrassé tendrement son front. Elle se retourna, étendit les bras au-dessus de sa tête et gémit, ce qui lui fit craindre l'avoir réveillé. Mais elle ne bougea plus et alors qu'un sourire naissait sur ses lèvres elle murmura son prénom... Ce qui le fit se raidir d'étonnement.

Il rejoignit sa chambre, ayant l'agréable sensation de marcher sur un nuage, se sentant au comble du bonheur. Il s'était su heureux à de nombreuses reprises grâce à sa famille notamment, mais ce n'était rien en comparaison de ce qu'il vivait à l'instant présent.

Il se changea pour la nuit, méditant sur cette soirée tellement étrange. À ces diverses surprises que leur avait réservées Générosa avec ses questions plus pertinentes les unes que les autres. Elle était tellement stupéfiante, prodigieuse ! Il ne tarissait pas d'éloges sur elle. Il était conscient que l'avenir proche serait difficile, laissant présager de nombreuses disputes avec Livio. Mais une chose était inéluctable : un jour elle serait à lui. Il

---

[16] *Poète, dramaturge et écrivain anglais né en avril 1564 et mort en avril 1616*

entrevoyait tant de joies possibles ! Il se coucha serrant son oreiller contre lui en pensant à elle et s'endormit, son sommeil peuplé de rêves emplis de Générosa. Un spectateur qui serait entré dans sa chambre à ce moment-là aurait vu qu'il avait sur les lèvres le même sourire que celui de Générosa un peu plus tôt.

- Tu l'encourages ! Tu n'aurais pas dû accepter si vite, Domenica. Comment veux-tu l'éloigner d'elle en le laissant l'approcher ainsi !
- Chéri ce qui doit être sera, qui sommes-nous pour nous y opposer ? Notre devoir en tant que parents est de tout faire pour qu'elle soit heureuse. Je connais bien mon frère et j'ai pleinement confiance en lui, il ne fera rien pour précipiter les choses, il est comme toi par bien des égards. Il veut qu'elle soit bien en tant que Sanguisuga, qu'elle assume son nouveau elle et qu'elle s'instruise ! Ai-je tort ? demanda-t-elle à Franck et Carol.
- Non, effectivement c'est tout le mal et le bien qu'il lui veut, conforta Franck. Cesse de t'inquiéter Livio et montons tous nous coucher. La nuit prochaine va encore être délicate. Générosa va vouloir chasser son premier gibier, ajouta-t-il. Ses questions ce soir n'étaient pas innocentes, elle se prépare intellectuellement à assumer ce que nous avons fait d'elle !
- Oui, tu as raison. Montons, mon amour ! À demain Franck, dit Livio s'inclinant pour baiser la main de Carol. Merci de votre soutien envers Générosa et pour tout le reste, mais aussi et surtout, pour cette unité familiale que j'ai par moment tendance à oublier. Votre père serait ici qu'il me botterait le derrière.

Cette ultime réflexion les fit sourire en imaginant leur père passer à l'action. Ils montèrent tous. Les deux couples se séparèrent sur le palier, non sans avoir entendu dans la chambre de Générosa, François faire la lecture en français en prenant différentes tonalités, suivant les personnages s'exprimant, et cela les fit rirent en silence. Ils entrèrent chacun dans leur chambre où se déroula une scène identique. Les femmes se déshabillèrent et attirèrent à elle leurs compagnons. Après s'être aimés, ils s'endormirent dans les bras l'un de l'autre.

Le soleil était encore haut quand François se leva, entendant les bruits de l'extérieur. Au vu du silence dans la maison il en déduisit être le premier éveillé. Il fit sa toilette en rêvassant et ouvrit ses volets pour voir le soleil briller. Tout comme Générosa, il songea qu'il ne pourrait vivre sans son éclat pendant une trop longue durée. Ayant voyagé à travers le monde il avait constaté combien le soleil est différent d'un continent à un autre, plus ou moins chaud selon les saisons, plus ou moins brillant suivant les contrées… Il se prit à souhaiter pouvoir montrer tous ces différents soleils à Générosa.

Tout son être tendrait vers un seul et unique but désormais : pouvoir partager avec elle tout ce qu'il avait pu voir durant ces années de solitude et de courses à travers le monde. Revoir ces choses avec elle, il le savait, les lui ferait voir différemment. Il avait passé toutes ces années à chercher une chose qu'il avait finalement trouvée ici même : son âme sœur, sa dame, son amour ! Il serra les poings de rage, la trouver enfin et qu'elle soit la fille de sa sœur, un bébé même pas conscient d'être déjà lié pour l'éternité… Elle était à lui, et même Livio ne pourrait empêcher cela. Il sourit amèrement songeant que le destin lui avait joué un drôle de tour en le destinant à Générosa et que la vie restait pleine de surprises, même pour un Sanguisuga !

Chez les Sanguisugas, l'amour est impérissable et dans les couples réunis la fidélité est de mise et inéluctable. Ce n'est pas un choix, mais une réalité qui s'impose à soi, quand on le ou la voit on sait que l'on a trouvé son complément, son compagnon, sa nouvelle raison d'être. Il lui laisserait le temps qu'il faut pour devenir une Sanguisuga accomplie et devenir sa femme à lui, rien qu'à lui et jusqu'à la fin des temps. Il se sentit fébrile et impatient ! Qu'il lui tardait que ce jour arrive enfin et qu'il puisse lui dire toutes ces choses qui lui brulaient les lèvres, lui avouer cet amour qui le rongeait de l'intérieur ! Ce qu'il éprouvait le mettait en danger, menaçait l'équilibre de sa vie...

Il avait déjà l'immense privilège de ressentir la moindre de ses émotions : la peur, la joie, la fureur, la tristesse et même ces sentiments mitigés à son égard. Il n'avait pu cacher un tressaillement quand il avait découvert au fond d'elle l'écho de son propre amour et donc la confirmation d'avoir trouvé l'unique, celle faite pour lui, celle... Mais Livio ressentant, de façon certes moins importante, les sentiments de sa fille, mais les percevant tout de même, avait paru furieux. Il lui restait pour combattre ce feu en lui et ne pas se trahir, l'ironie, la moquerie. L'ignorer était tellement difficile. La mettre en colère le mettait en joie ! Son caractère si bouillant et tellement sicilien, il savait qu'il ne se lasserait jamais d'elle… Il sentit une coulée de bonheur s'étendre sur son cœur rien qu'en pensant à elle. Oui, elle était sa moitié, mais pour le moment elle n'était que la fille de sa sœur et il devrait se contenter de la considérer comme telle. Générosa trop jeune ne comprenait pas ce qui se passait en elle, elle avait beaucoup trop de choses à gérer. Il respectait cette mutation et lui laisserait le temps qu'il faudrait.

Heureusement, Domenica, à l'opposé de Livio, comprenait très bien ce qu'il vivait. Elle savait qu'il ne ferait jamais rien pouvant remettre en cause son éducation. C'était à Livio et Domenica de lui apprendre les voies des Sanguisugas et il ne leur volerait jamais ce rôle. Il avait déjà suffisamment à faire avec l'apprentissage de la chasse, la seule chose qu'il pouvait lui apprendre ! Dès cette initiation terminée, ils partiraient tous vers Venise… Envisager de la quitter lors de ce départ le faisait souffrir horriblement. Se dire qu'il allait devoir vivre sans elle pendant de longues années le déstabilisait et l'angoissait. Mais il comptait bien reprendre sa route quelques dizaines d'années et revenir quand elle serait devenue une femme Sanguisuga pleine et entière, une femme qui comprendrait ce qu'il était pour elle et qui l'accueillerait à bras ouverts, pour devenir sienne à jamais ! Ce jour-là serait pour lui le plus beau de tous, il ne vivait désormais que pour ce futur qui le rendrait le plus heureux de tous les Sanguisugas au monde ! Il se dit que c'est ce qui lui permettrait de tenir loin d'elle !

Il comprenait mieux désormais les sentiments liant ses sœurs et leurs époux. Qu'il lui tardait ! Toutefois pour le moment la dissimulation de ses sentiments était de mise et il lui faudrait continuer à souffrir en silence.

Il entendit la voix fraîche de Générosa monter de la bibliothèque. Il n'avait pas vu le soleil se coucher, ni le ciel s'obscurcir, plongé dans ses pensées. Seule sa voix l'avait fait redescendre sur terre. Il soupira, heureux de la rejoindre, même s'il devait résister à l'envie de la toucher et l'embrasser. Il ferma ses volets et rejoignit sa famille.

Sur le palier, il prit conscience qu'elle était furieuse. Une colère qu'elle avait du mal à maîtriser. Il descendit précipitamment se demandant ce qui avait pu se passer pour qu'elle soit si hargneuse à peine éveillée. Le visage de la jeune femme irradiait de beauté et de colère !

- Papa je te trouve injuste, tu n'as pas le droit de me l'interdire. C'est… Je…

Elle bégayait ne trouvant pas ses mots, tant sa colère était grande.

- François ! Vient à mon secours, elle l'interpella dès qu'elle le vit entrer dans la pièce.

- Je n'ai même pas droit à un bonjour ?
- Oui bonjour ! Elle se mit sur la pointe des pieds pour l'embrasser sur la joue. Maintenant, dis-lui !
- Lui dire quoi mon cœur ?

Déstabilisé par ce baiser il utilisa ce mot tendre instinctivement. Ce n'était pas la première fois que cela lui arrivait et cela le mettait toujours aussi mal à l'aise vis-à-vis de Livio. Il enchaîna rapidement :

- Quel sujet de discorde y a-t-il entre ton père et toi ?

Il se morigéna intérieurement, il devait tout faire pour éviter ces attouchements ou être trop près d'elle. Dès qu'elle l'embrassait ou le touchait, il perdait la raison et n'était plus qu'un homme désespérément amoureux incapable de réfléchir posément. Mais Générosa ne le lâcha pas l'empêchant de s'éloigner loin d'elle.

- Dis-lui que j'ai le droit d'ouvrir mes volets et d'admirer le jour se couchant, hier nous étions bien convenus que cela ne nous était pas mortel non ? D'ailleurs, j'ai oublié de demander ce qui l'était pour des gens de notre espèce ! Mais là n'est pas le propos, je ne manquerais pas de vous le redemander ultérieurement…

Toute à sa colère, elle parlait sans s'arrêter et sans laisser à personne le temps d'intervenir, ses yeux lançaient des éclairs de rage.

- Il… et elle désigna d'un doigt accusateur son père en s'accrochant de l'autre main à François, il m'interdit d'ouvrir les volets, de regarder le jour se coucher ou se lever, précision qu'il n'a pas oublié de me donner ! Il me dit non comme à un enfant qui demanderait trop de friandises et refuse de m'en donner la raison. Aurais-tu honte de moi papa ? Personne n'a pris ma défense, vous êtes tous d'accord avec lui et vous vous êtes liguées contre moi ! François tu es mon dernier recours, mon sauveur !

Sa voix tremblait de fureur. Ses yeux se remplissaient de larmes en posant cette question cruciale à ses yeux, savoir si son père avait honte qu'on l'assimile à la famille ! Elle enfouit son visage dans le plastron de François, pleurant silencieusement. François sans y réfléchir la serra contre lui en baisant doucement ses cheveux, tentant de la réconforter ne sachant que dire exactement. Livio prit la parole d'une voix chagrine :

- Non ma chérie et tu le sais bien, je… il appela Domenica au secours du regard.
- Ton père voulait dire que tu n'as aucune existence officielle ni réelle pour le moment au sein de notre famille. Il pourrait se trouver quelqu'un t'ayant vu à Palerme et…
- Aucune existence réelle ?

Furieuse, elle s'était détachée de François en continuant à s'agripper à lui.

- Mais les personnes qui font le ménage voient bien que j'existe, non ? Ils se sont bien rendu compte que ma chambre est occupée ! Et ne dites-vous pas vous-même que notre ressemblance entre maman et moi est étrange au point que nous paraissons être comme fille et mère de façon réelle ? Et la probabilité que quelqu'un m'ait vue à Palerme est hautement incertaine. Je trouve vos excuses ridicules et nullement satisfaisantes. Je retourne dans ma chambre et… ses larmes s'étaient remises à couler et elle ne put finir sa phrase.

Elle s'envola plus qu'elle ne courut vers sa chambre. Elle en ouvrit grande la porte et s'écroula en larmes sur son lit ne réussissant pas à maîtriser ce flot de larmes ininterrompu. Elle sentit une main sur son épaule.

- Ne me touchez pas… mes larmes… et puis je ne veux voir personne !

- Ce n'est que moi, ma douce, lui dit François avec tendresse tentant de la retourner pour la prendre contre lui, ta mère m'envoie…

- Ce n'est pas la peine au revoir, l'interrompit-elle la tête toujours enfouie dans les draps.

- Mais quelle tête de mule, bien sûr c'est la peine, elle savait que je serais le seul que tu accepterais en cette minute, à part peut-être Carol.

Il l'obligea à se redresser et usant du revers de sa manche essuya ses larmes, dieu qu'il était dur d'être si près d'elle et ne pouvoir l'embrasser pour la consoler. Elle le regardait avec tant de confiance qu'il sursauta quand sa main par mégarde toucha ses larmes.

- Tu vois… Ils ont raison d'avoir honte de moi, je ne suis qu'une source d'ennuis ! Même quand je ne le veux pas, je fais souffrir les gens. Regarde ta main, montre-la-moi !

Elle la prit délicatement entre ses propres mains et embrassa chaque minuscule cloque s'étant formée. Cela mit mal à l'aise, François, qui furieux contre lui-même et sentant ses défenses tomber se mit à lui parler de façon brutale tout en arrachant sa main des siennes.

- Laisse donc ! C'est déjà en train de guérir. Écoute-moi ! Voyant qu'il l'avait choquée et attristée, il ajouta, pardonne ma brusquerie mon ange, mais le temps presse. Tes parents sont en bas soucieux et comme je nous ai coupés du monde ils ne savent pas ce que nous nous disons, et cela doit rendre ton père furieux. Si tes parents ne veulent pas que tu te montres à la fenêtre, ce n'est pas par honte ! Comme ta mère te l'a dit, tu n'existes pas officiellement comme membre de notre famille. Laisse-moi terminer ce que j'ai à dire, lui dit-il l'empêchant de l'interrompre en mettant sa main sur la bouche de Générosa. Le jour où ils sont revenus avec toi, ils étaient allés te chercher, ils savaient où te trouver... Ce n'était pas un heureux hasard ! Ton existence leur avait été révélée par un ménestrel, de passage à la propriété, qui s'est étonné de la ressemblance de Domenica avec une fille des rues de Palerme qu'il avait eu l'occasion de voir et dont il se souvenait sa beauté l'ayant marqué. Ils l'ont questionné pour savoir où et quand il t'avait vu. Et ils sont partis à ta recherche dès qu'ils ont su où te trouver. Pour eux, ce n'était ni une coïncidence ni un heureux hasard que d'apprendre ton existence.

- Je ne suis pas une fille des rues ! dit-elle dégageant sa bouche de la main de François. Je...

- Me laisseras-tu finir ? lui dit-il en la secouant. Je sais que tu n'es pas une fille des rues, mon amour, tes parents le savent aussi ! Il faut que tu comprennes : tu n'existes pas réellement, Domenica et Livio n'ont pour les gens d'ici aucun enfant. C'est pour cela qu'ils sont si impatients de finir l'apprentissage de la chasse afin de partir à Venise où tu pourras faire tout ce qui te plaira puisque tu seras présentée dès le départ comme leur fille. Tu as compris ce que je viens de t'expliquer ?

- Oh oui, mon dieu ! Quelle idiote je suis ! François, elle jeta ses bras autour de son cou, merci, je suis si ridicule parfois !

Alors qu'il tournait la tête, elle tenta de l'embrasser sur la joue, mais son baiser tomba en plein sur ses lèvres. Il se sentit embrasé de la tête aux pieds et ne résista plus. Il l'enlaça avec effusion, l'écrasa contre lui et l'embrassa passionnément de tout son cœur, de tout son amour d'homme, de toute sa passion de Sanguisuga... Sa langue commença à entrouvrir sa bouche qu'il trouva accueillante, elle n'avait pas peur de lui, au contraire même elle l'aspirait en elle, rendant leur baiser plus profond encore. Elle avait trouvé de façon naturelle sa place contre lui, entre ses bras et avait su d'instinct comment l'embrasser. Ses lèvres épousaient les siennes, sa bouche la sienne, sa langue…

Il prit enfin conscience de ce qu'il faisait et se rappela la promesse faite à Domenica et Livio. Avec énormément de difficultés, il réussit à se reprendre et à la rejeter loin d'elle. Il sentit en elle, comme un écho à sa propre douleur, le chagrin, l'incompréhension et pour finir la colère que ce rejet suscita. Il voulut lui expliquer, la rassurer… Cette colère le déstabilisait et il était à deux doigts de la reprendre contre lui. Il voulait lui dire ce que son cœur ressentait pour elle, tout cet amour qui l'étouffait, mais il se maîtrisa et dit simplement d'une voix rauque :

- Il ne faut pas ma douce, ce n'est pas bien, c'est… Il se racla la gorge, conscient qu'il ne faisait qu'augmenter la colère qu'elle ressentait contre lui. Descendons vite rassurer tes parents !
- Oui, laisse-moi me rafraîchir les yeux et j'arrive.

Sa voix était froide, distante. Elle se leva et se dirigea vers sa coiffeuse.

- Je t'attends sur le palier.

Il hésita et douloureusement poursuivit :

- Générosa ! Je suis désolé, vraiment désolé, cela n'aurait jamais dû arriver, je… tu es ma nièce et…

- Oui, je sais ! Je suis une fille des rues ! Une de celle que tu n'embrasses pas semblerait-il. Il est vrai que je ne suis pas française, je ne suis qu'une fille de rien, Sicilienne de surcroit ! Puis, elle ajouta d'un ton méprisant utilisant le vouvoiement tant sa fureur était grande : Vous êtes un noble sang Français, un sang bleu comme vous dites ! Et de surcroit un Sanguisuga capable de vous nourrir sans morts inutiles. Sortez Monsieur le Duc ! Passez votre chemin, ne perdez pas votre temps avec une moins que rien comme moi, conclut-elle lui tournant le dos

Pour le chasser, elle prit le premier objet qui lui tomba sous la main, une brosse à cheveux et la lui lança au visage. Enfin, elle tenta de la lui lancer au visage, car il l'évita en éclatant de rire et sortit. Son rire sonnait faux. Sur le palier, il tenta de se redonner une contenance luttant pour ne pas retourner dans cette chambre. Il aurait voulu pouvoir effacer la douleur du visage de son aimée, lui dire tout son amour ! Il aurait aimé remonter dans le temps pour effacer les paroles qu'elle avait prononcées... Il avait eu si mal... Lui jeter son lignage ainsi l'avait décontenancé. Que ne donnerait-il pour retourner près d'elle et finir ce baiser si bien commencé... Il résista à la tentation et, passant la main dans ses cheveux, tressaillit sous la douleur physique, il n'avait plus souffert autant depuis sa transformation. Regardant sa main il fut heureux de constater que celle-ci n'était pas guérie, qu'il y avait eu plus de dommages que prévu ! Il savait que sa main guérirait dans peu de temps, mais il espérait, pour ne pas dire souhaitait, qu'il en resterait un petit quelque chose, une petite trace afin que cette nuit reste gravée à jamais sur sa peau. Il n'avait pas perçu la douleur avant, tant il était heureux d'être seul avec elle. Il se reprit se traitant de pauvre fou masochiste et descendit rejoindre le reste de la famille.

- Elle arrive ! Elle pleure beaucoup et désire se rafraîchir avant de redescendre. Je lui ai expliqué et elle a très bien compris. Je rejoins Carol sur ce point, tu ne devrais pas la surprotéger ainsi Livio, tu lui fais plus de tort que de bien.

Elle apparut au même moment :

- Je suis une grande fille, papa, François a raison. Si tu me l'avais expliqué, j'aurais compris et cela aurait évité de nous quereller. Pardonne-moi mon petit papa chéri d'avoir été si méchante avec toi. J'éviterais les fenêtres tant que nous vivrons ici.

François était mystifié, elle paraissait si sûre d'elle tant extérieurement qu'intérieurement. Plus une once de cette douce émotion ressentie plus tôt, ni de sa franche colère. Elle n'en finissait pas de le surprendre ! Il se passa machinalement la main dans les cheveux et une fois de plus ne put retenir un tressaillement de souffrance. Il entendit autant qu'il ressentit le cri de Générosa.

- Ta main ! Je savais que je t'avais fait mal, tu disais que cela guérissait vite et que cela ne te faisait rien… et j'ai bien vu que tu as mal ! Elle s'écroula sur le sol, désespérée. Pourquoi ne puis-je maîtriser ces maudites larmes ? Je n'en vois pas l'intérêt d'ailleurs. Quel usage puis je avoir de larmes dangereuses pour les humains et d'autres pouvant marquer ainsi les nôtres.
- En ce qui concerne la main de François ne t'inquiètes pas elle va guérir, il ne t'a pas menti, tu as bien vu la main de ton père il n'y a aucune trace ! dit Domenica. Pour tes larmes, tu sais il faut parfois de nombreuses années pour découvrir à quoi sert tel ou tel talent. Nous le découvrirons avec le temps ma puce ! Nous t'avons parlé hier d'un ami auquel ton père va écrire pour obtenir de l'aide pour répondre à tes interrogations. Il y ajoutera cette inquiétude que tu as avec tes larmes. Cet ami est enchanteur et est donc versé dans les différentes magies. Ton père va lui demander de nous rejoindre à Venise dans quelques mois dès notre apprentissage achevé et ta maîtrise complète. Il pourra certainement t'aider à comprendre tes larmes et à les gérer.
- Un enchanteur ? De la magie ? Je croyais que c'était un don, un talent ou je ne sais quoi ! Je suis certaine que vous n'avez jamais parlé de magie !
- Tu sais dans notre monde il y a beaucoup de personnes

différentes, répondit Franck, beaucoup de talents divers, des monstres plus ou moins dangereux. Les magiciens sont pour la plupart amis avec les Sanguisugas. Ils n'ont pas une longévité de vie aussi importante que la nôtre puisque la vieillesse les rattrape au bout de quelques siècles alors que pour nous il est pratiquement impossible de mourir. Nos talents les ont toujours fascinés et les enchanteurs en particulier, qui sont peu nombreux au monde, ont la capacité de savoir quel talent est enfoui au fond de nous et peuvent nous expliquer leur raison d'être et bien souvent leurs origines. Des talents comme ceux de ton père, François ou Carol sont facilement compréhensibles et l'on voit très bien l'intérêt qu'il y a à les utiliser. Mais tes larmes tout comme celles de ta mère sont à part. Pour ta mère ses larmes lui sont utiles pour neutraliser, immobiliser et en surdosage c'est un vrai venin de serpent, amenant la mort. Le même venin que celui de notre dent !

- Je vois tu te sers de La Voix et de tes larmes ! Maman tu es une vraie tricheuse ! Dit Générosa avec espièglerie en regardant sa mère, puis, plus sérieuse, reprit : Un venin de serpent c'est pour cela que vous appelez nos larmes du venin... Avec mes larmes aussi alors je peux neutraliser quelqu'un si je dose bien ?

- François préfère que tu ne tentes rien tant que l'enchanteur ne t'aura pas rencontré, ce ne sont peut-être pas totalement les mêmes que ta mère puisque les tiennes ont deux niveaux de couleurs et d'effets différents. Enfin deux niveaux que nous ayons vus !

- Oh oui bien sûr. Très bien, dans ce cas en route vers notre partie de chasse. Ce soir, c'est à mon tour de tenter ! Promis je vous laisserais faire avant et je passerais en dernier. Mais je compte bien revenir rassasiée et avec un bon score, dit-elle avec une voix bien moins assurée qu'elle le laissait paraître. Et nous courrons entre filles ce soir ! Messieurs, préparez-vous à ne voir que la poussière de nos jupons.

Elle prit sa mère et sa tante par la main et les entraîna dehors. Elles riaient toutes les trois laissant les hommes médusés sur place alors qu'elles s'élançaient vers le lieu de chasse, le quartier mal famé de Palerme où Générosa avait vu le jour. Les trois hommes se regardèrent et tentèrent de rattraper les femmes qui ne les attendaient pas. Le temps qu'ils aient repris leurs esprits, elles avaient déjà une bonne longueur d'avance.

Générosa avait besoin de ce temps pour se préparer sans avoir François ou son père trop près d'elle. Elle était décontenancée par l'attitude de François, il l'avait embrassé et dieu que ça avait été bon et tellement extraordinaire. Une découverte de sensations nouvelles qui l'avait enivré ! La promptitude avec laquelle il avait éveillé sa sensualité avait quelque chose de déstabilisant. Un tel pouvoir de séduction devrait être interdit ! Mais il avait achevé son baiser si précipitamment, lui avait parlé si méchamment ! Pourquoi avait-elle eu cette impression étrange d'être à sa place dans ses bras ? Elle avait cru qu'il avait aimé ce baiser aussi et pourtant... et bien puisqu'il en était ainsi elle le chasserait de son cœur, non elle ne l'aimerait pas puisqu'il ne voulait pas d'elle ! Elle travaillerait bien, elle s'appliquerait dès ce soir pour qu'il reparte vite d'où il était venu ! Ainsi elle pourrait partir avec ses parents à Venise et tenter de l'oublier tout à fait avec tant de choses à faire qu'elle n'aurait jamais le temps de penser à lui.

Elles étaient arrivées à leur point de rencontre, mais les hommes n'étaient toujours pas en vus. Carol était ravie, mais sentant que Domenica voulait parler à sa fille, elle partit faire un tour d'horizon du terrain de chasse les laissant ainsi en tête à tête.

- Je ne te demande pas de me dire ce qui te tracasse ma chérie, mais si tu as besoin d'une oreille je suis là. Qu'il s'agisse de ton père ou même de François. Générosa la regarda surprise. Je sais garder un secret, il est vrai que jusqu'à ce jour je n'en ai jamais eu aucun pour ton père et je ne pensais pas en avoir un jour, mais je ne trahirais jamais ta confiance. Même si je ne peux pas comme François nous mettre dans une pièce à part loin des nôtres, nous pouvons toujours décider de nous absenter ou leur expliquer que nous souhaitons être un peu en tête à tête, une mère et sa fille ensemble. Ils ne seront dupes ni l'un ni l'autre, mais je sais qu'ils respecteront ce moment d'intimité. Tout comme je sais que ton père ne m'interrogera pas si je lui dis que nous avons besoin de parler toutes les deux sans qu'il ait besoin de savoir de quoi il s'agit. Cela fait partie d'une confiance familiale et d'un respect des uns des autres. D'accord ?

- Si tu n'oses parler à ta mère tu sais que je suis là aussi ma chérie, intervint Carol, désolée j'ai entendu la conversation et…

- Et tu as eu raison, nous sommes toutes les deux à ta disposition, ensemble ou séparée, d'accord ?

- Comment puis-je dire non à ce genre de propositions ! Je me demande encore ce que j'ai fait pour avoir la chance de vous avoir toutes les deux, vous avoir tous en fait, même si…

- Les voilà, chut !

- Quand je vous disais que vous ne verriez que la poussière de nos jupons, vous ne l'avez même pas aperçu, ironisa Générosa.

- C'est la faute de Franck, il a aperçu un sculpteur à qui il souhaitait commander une œuvre pour l'emmener à Venise. Et comme chacun sait, les humains sont très lents…

- Mais quelle honte ! Accuser ainsi mon mari... tu pourrais te montrer un peu plus fair-play Livio, se moqua gentiment Carol, et admettre que la gent féminine de notre famille vous est totalement supérieure en tout !

- Mais dans ce cas mesdames, à vous l'honneur ! Montrez-nous de quoi vous êtes capable ! railla François.

- Très bien, je me lance, dit Carol ayant retrouvé tout son sérieux, tu iras ensuite Domenica et… ma puce ? Tu te sens prête ?

- Je le suis oui, et ce n'est pas en ne faisant qu'en discuter que je

le saurais.
- Très bien, je me lance.

Elle fixa François, hocha de la tête et se dirigea vers une fille de joie qui venait de quitter un client. Elle revint victorieuse. Domenica qui n'avait pas quitté des yeux sa sœur se lança sur un homme cherchant de la compagnie, elle aussi revint victorieuse. Ce fut le tour de Générosa, elle se sentit chancelante, mais se souvenant de ses bonnes résolutions, elle chercha des yeux une proie possible. François fut à ses côtés en un clin d'œil et la prenant par la taille il encouragea les autres à partir chasser un peu plus loin pendant qu'il s'occuperait d'instruire Générosa. Il vit que Livio ne voulait pas quitter sa place, mais Domenica intervint en lui murmurant à l'oreille et l'attira loin d'eux. Cette scène ne dura qu'une minute. Une fois seul avec Générosa, il lui murmura à l'oreille :

- Laisse-moi t'aider pour cette première fois, je vais te guider pas à pas. Il sentit qu'elle tentait de se dégager et même si la sentir si près de lui était une torture, il resserra son étreinte. Non ! Laisse-moi te guider, mon cœur. En ce qui concerne ton apprentissage, je suis le seul à pouvoir t'en montrer chaque rouage pour que tu ne commettes pas d'imprudence et fasse un minimum d'erreurs. D'accord ?

Elle acquiesça de la tête. Il poursuivit donc :

- Le choix de ton futur repas est très important. Tu dois observer avec tes yeux, sentir avec ton nez, écouter avec tes oreilles. Tous tes sens doivent être en alerte. Comprends-tu ?

Elle fit oui de la tête.

- Bien vas-y fermes tes yeux et dit moi ce que tu vois, sens, entends et ressens.

- Eh bien, dit-elle en s'exécutant, je sens cette odeur que je n'aime pas quand papa m'amène mon verre, mais là il y a une fragrance qui m'interpelle, comme s'il y avait un fruit mélangé à son sang, de la cerise il me semble… Je ne sais pas trop, mais j'avoue que j'ai envie d'y goûter. Je n'aurais jamais cru pouvoir dire cela, mais cela me fait vraiment très envie. Je perds mon humanité, c'est cela ? Je ne vais pas rester moi encore longtemps…

- Non mon amour. Tu t'appliques et c'est bien, je suis fier de toi, mon ange ! Ensuite ?

- J'entends de la musique, comme une grosse caisse.

Elle tentait de faire abstraction de sa main toujours posée sur sa hanche et la brûlant à travers le tissu, en se concentrant sur sa mission.

- C'est le bruit que fait son sang dans ses veines. Alors, concentre-toi sur cette musique et laisse-la te diriger vers elle. Non ! N'ouvre pas les yeux ! Laisse-toi guider par tes autres sens pour le moment. Je suis près de toi, je ne te quitte pas, alors avance et guide moi vers la musique.

- Je l'entends vraiment très fort maintenant et… c'est étrange son odeur est comme palpable. C'est comme si je pouvais en tendant la main la toucher !

- Bien alors, maintenant ouvre les yeux et désigne-la-moi.

Elle la vit de suite et lui désigna avec un petit mouvement du menton une fille contre un coin de mur.

- Bien alors n'oublie pas tu t'approches, tu trouves une accroche et tu l'emmènes dans un coin un peu plus sombre. Ce n'est pas ta faute, mais ton choix se trouve être très visible, mon amour. Tu ne t'es pas facilité la vie, la taquina-t-il. Je ne serais pas loin de toi, je te le promets, tu n'auras besoin que d'un signe pour que je vienne à ton secours.

Elle s'arracha à son étreinte, se dirigea vers la fille, une fille de joie comme il y en a tant dans ce coin de la ville à cette heure-ci. Elle lui demanda la direction d'une officine ayant besoin d'un remède en urgence. Puis continuant de discuter avec la fille, elle réussit à l'attirer dans une ruelle un peu plus sombre, sous prétexte de prendre la bonne direction. Elle fit alors semblant de tomber et vit du coin de l'œil que François veillait. La fille l'aida à se relever et Générosa en profita pour fixer son regard et faire sa première tentative d'hypnose. La fille eut le regard qui devint vague et s'assit près de Générosa surprise par sa semi-réussite. Elle commença alors à se pencher vers le cou de la fille en prenant garde de viser à l'endroit indiqué par François et sentant entre ses incisives la dent, dont ils lui avaient tous parlé, grandir. Elle mordit. Ce fut enivrant, un arome sans nulle comparaison avec ce qu'elle avait pu boire jusqu'ici… Elle sentit les doigts de François effleurer sa nuque et elle comprit qu'elle devait cesser là ou elle la tuerait. Elle se redressa, François reprit possession de sa taille, elle se pencha sur l'oreille de la fille et lui murmura :

- Je te remercie ma belle, mais il me semble entendre des clients venir ! Tu devrais te dépêcher avant qu'une autre te les prenne. C'était très serviable de ta part. Tu ne te retourneras pas et ne te souviendras pas de moi !

La fille s'éloigna en se déhanchant, aguicha un homme et comme demandé par Générosa fit le tout sans se retourner.

- Tu es formidable, ma douce, tu as réussi dès ta première morsure. Tu seras très vite une chasseuse extraordinaire… Je n'en doutais pas ! Quand tes parents vont l'apprendre…
- Avant qu'ils en soient informés, laisse-moi essayer une ou deux fois encore s'il te plaît.

- À vos ordres, ma princesse.
- Très bien, je ferme les yeux puis…

Les rouvrant aussitôt, elle s'exclama une main sur la bouche :

- Pardonne-moi, je ne suis qu'une égoïste ! Tu dois être affamé toi aussi !
- Ne t'inquiète pas ! Je ne tiens pas à t'interrompre en si bon chemin et tu dois savoir qu'avec l'âge, c'est comme pour le sommeil, nous n'avons plus besoin de nous nourrir aussi souvent. Nous sommes capables de tenir de longues semaines avant que la faim ne nous terrasse.
- D'accord ! Dans ce cas… Elle referma ses yeux et reprit sa chasse.

François était terriblement fier d'elle. Et elle était toute à lui, sa femme ! Enfin presque… Ce n'était qu'une question de temps pour qu'elle le soit.

Non pas deux, mais quatre proies plus tard, quatre réussites, ils rejoignirent les autres. Ils furent tout aussi fiers que François si ce n'est qu'eux pouvaient l'exprimer tout à leur aise et il leur enviait cela. Il avait résisté toute la soirée à l'embrasser, n'avait pu retenir les mots tendres qui venait à ses lèvres naturellement, mais il arrivait au bout de ses résistances et sa sœur l'avait bien vu. Elle prit sa fille dans ses bras, l'embrassa et la félicita. Puis lui prenant la main regarda Livio qui s'empressa d'attraper la seconde et ils coururent vers la maison. Arrivés sur place, Domenica l'envoya au lit et lui chuchota à l'oreille de ne pas oublier leur conversation du début de soirée.

François arrivait alors qu'elle montait l'escalier. Il la regarda se diriger à l'étage, songeant en lui-même combien elle était séduisante et à quel point son amour pour elle était fort. Il rejoignit le reste de sa famille dans le petit salon où ils firent la synthèse de la soirée, un seul décès à eux tous ! Une soirée qui laissait envisager une prompte conclusion aux leçons. Première nuit pour Générosa et une réussite parfaite. Une semaine comme celle-ci et, ils pourraient tous affiner leurs techniques et se concentrer pour faire de Générosa une jeune fille prête à vivre dans le grand monde de Venise.

Générosa ne s'était toujours pas confiée à sa mère ou sa tante, préférant pour le moment gérer sa peine et ses doutes toute seule. Elle tentait, chaque jour, seule de travailler sur son état d'esprit, sur la façon de maîtriser ses sentiments, mais sans succès. Depuis qu'ils lui avaient tous parlé de ce lien spécial l'unissant à son père, elle avait compris que son père et elle partageaient le même lien que le reste de la famille entre eux et avec leur père. Ce qu'elle ne comprenait toujours pas, c'est la raison pour laquelle elle avait ce lien avec François. Elle avait la sensation qu'il partageait chacune de ses pensées et cela la dérangeait. Elle voulait être libre de toute entrave ! Cet état de choses l'agaçait d'autant plus qu'elle n'en comprenait pas la raison. Alors à chacun de ses réveils et à chaque coucher elle se concentrait en travaillant sur elle-même. Mais, comme sa famille l'en avait prévenu, travailler sans aide était très difficile, elle se persuadait que cela fonctionnait et parfois elle pensait en avoir la preuve, comme ces fois ou il lui était arrivé de pleurer et de voir son père la regarder interrogatif, ne comprenant pas ce qui se passait. Mais cela ne durait jamais très longtemps ! Elle avait hâte de rencontrer cet ami. Il avait répondu à Livio qu'il ferait son maximum pour les rejoindre à Venise, mais il ne pouvait garantir que ce soit aussi rapidement qu'ils le souhaitaient tous. Il avait précisé qu'il ne pouvait pour le moment répondre à leurs questions bien trop précises pour un simple courrier et que pour lui leurs compliments sur Générosa étaient sans aucun doute exagérés par leur amour familial ! Pourquoi disait-il cela ? Avec lui, elle en était convaincue, elle le sentait au plus profond d'elle-même sans même le connaître, oui avec lui elle réussirait à ne plus rien laisser filtrer de ses sensations. Et ses pleurs... elle pleurait souvent, trop à son goût... et n'en gérait absolument pas l'intensité ni le danger... cela aussi elle voulait que ça cesse !

Les jours et les mois passèrent. Elle tenta de parler de ces démons intérieurs à Carol et sa mère, mais n'y parvint pas, les mots restaient coincés dans sa gorge dès qu'elle tentait de se confier. Les deux femmes le comprirent bien et firent tout pour lui rendre la vie plus facile malgré elle.

En ce qui concernait la chasse, ils prenaient tous de plus en plus d'assurance succès après succès. Fiers et heureux de leurs réussites, ils n'oubliaient pas pourtant d'en être reconnaissants à l'égard de François qui les avait amenés à une chasse qu'ils estimaient tous plus juste, car elle satisfaisait leur faim en ne dépeuplant pas les villes pour cela ! Ils reprenaient leur vie courante assistant à diverses soirées, Générosa ne pouvant leur tenir compagnie étant une parfaite inconnue dans cette contrée et sa ressemblance avec Domenica tellement troublante que cela aurait pu provoquer des questions gênantes. François n'aimait guère la laisser seule, mais Livio ne lui en laissait pas le choix.

Générosa appréciait ces soirées en solitaire, elle se promenait seule dans les jardins quand le temps le permettait ou lisait près de la cheminée. Elle était avide de connaissances et lisait tout ce qu'elle pouvait sur le monde et les différentes cultures humaines. Mais ce qu'elle aimait par-dessus tout, même si elle aurait refusé de le reconnaître à haute voix c'était les romans sentimentaux. Elle devenait une véritable fontaine en lisant ces histoires d'amour, certaines se terminaient bien, d'autres moins, d'autres devaient traverser de terribles embûches pour réussir à vivre leur amour. Toutes ces histoires la bouleversaient et lui faisaient beaucoup de bien en même temps. C'était une étrange sensation, mais elle aimait cela !

Générosa devint de plus en plus sûre d'elle à la chasse et en tant que Sanguisuga. Elle devenait une excellente musicienne et sa voix enchantait les oreilles. Chacun voulait lui imprégner ses connaissances. Telle une éponge elle absorbait tout ce qu'on lui inculquait, langues, musique, chant, lecture, écriture rien ne lui était épargné et elle était heureuse, même si elle n'aimait guère les travaux d'aiguille, elle faisait du mieux qu'elle pouvait pour l'amour de Carol et de sa mère. Elle s'était donnée pour but de réussir dans un maximum de choses, pour tous les contenter et afin de partir au plus vite vers Venise.

François gardait ses distances, mais la voyait grandir, devenir l'une des leurs, mais pas n'importe laquelle : une Sanguisuga extraordinaire ne soupçonnant pas sa beauté ni tout ce dont elle était capable. Il en tirait un orgueil quasi similaire à celui de Livio et Domenica. On pouvait le voir régulièrement caresser sur sa main une très légère cicatrice laissée par les larmes de Générosa. Pour lui, une marque de guerre faite d'amour, un bien précieux, un peu d'elle constamment avec lui.

Le seul point de discorde dans son éducation, et pas des moindres, résidait dans le fait que Franck, Carol et François souhaitaient l'instruire en géographie et histoire du monde et des civilisations humaines. Cela accablait ses parents, car lui donnait envie de partir loin, de voir par elle-même tout ce qu'elle pouvait apprendre ou lire dans les livres… Depuis qu'elle était entrée dans leurs existences, imaginer son absence leur paraissait terriblement douloureux !

VENISE
janvier 1662

Un soir de janvier 1662, ils se réunirent pour organiser leur départ vers Venise. Il était temps, Générosa et eux tous étaient prêts, ainsi la famille en avait décidé pour le plus grand bonheur de Générosa. Les jours suivants, elle ne tint plus en place papillonnant dans la maison, terriblement impatiente de partir enfin. Ce dont elle rêvait depuis des mois allait enfin arriver. La famille décida que la période du Carnaval arrivant ils pourraient s'installer tranquillement et profiter des réjouissances qui fascineraient Générosa. Ils lui en avaient parlé longuement : le raffinement que l'on pouvait y rencontrer, les différentes pièces de théâtre, concerts ou jeux sur les places de la ville, les bijoux, les déguisements faits de haillons permettant à tous Vénitiens, qu'ils soient pauvres ou riches, de s'amuser ensemble sans distinction. Ils lui avaient raconté comment ceux qui voulaient profiter des festivités sans se faire reconnaître et dissimuler toutes les transgressions à la loi qu'ils auraient pu commettre, usaient de la bauta[17], les femmes quant à elles préférant la moretta[18] et le domino[19].

François s'intégra dans ce voyage. Il n'imaginait pas laisser Générosa seule sans lui… Pas maintenant, pas encore ! Il doutait d'ailleurs d'y arriver un jour ! Imaginer Générosa dans une telle orgie de fêtes données à travers la ville… la jalousie se mêlait à la peur… Il tenta de se convaincre qu'il ne souhaitait pas la voir

---

[17] *Composée d'un Tabarro (ample manteau noir qui, partant de la tête, descendait sur les épaules jusqu'à couvrir la moitié de la personne. Il pouvait être de drap ou de soie. On ne rencontrait pas que du noir il y a aussi du blanc/bleu azur/rouge écarlate parfois décoré de colifichets, franges et pompons), un tricorne noir et un masque blanc à la lèvre supérieure élargie et proéminente sous un petit nez qui modifiait le timbre de la voix, rendant ainsi la personne qui le portait impossible à identifier.*

[18] *Un masque ovale de velours noir complété de voile, voilette et petit chapeau à large bord.*

[19] *Un très long manteau muni d'une capuche couvrant le visage*

seule dans une ville telle que Venise à l'aube de sa vie de Sanguisuga. La réaction des Anciens, son baptême en tant que l'une des leurs, tout lui était un prétexte pour se convaincre qu'il se devait de partir avec eux tous et de remettre ses idées de voyages personnels à plus tard. Il fit taire ses angoisses et se laissa emporter par la joie de Générosa et le bonheur que son beau-frère et sa sœur avaient du mal à cacher à la seule pensée de retrouver les lieux où leur amour était né. L'allégresse emplissait la maison et les cœurs !

Une fois le départ pour Venise programmé, tout s'enchaîna rapidement. Livio expliqua aux employés leur désir de voyager et leur prochain départ pour la France. Il laissa les instructions pour la bonne tenue du manoir et de ses dépendances. Puis il se rendit à Palerme régler certains détails avec l'avoué local de la famille. Il expliqua à Générosa, qu'ils géraient de père en fils et depuis toujours les affaires de la famille et qu'il en existait un peu partout dans le monde pour veiller à la bonne tenue des biens et des finances de toute la famille. Ils avaient toute leur confiance et ne connaissaient ni les uns ni les autres leur vraie nature, se contentant de faire leur travail le plus scrupuleusement possible.

Tous ces détails importants réglés ils préparèrent leurs malles, les remplirent de vêtements et d'autres choses précieuses ou sentimentales qui les suivaient à chacune de leurs pérégrinations. Puis ils les envoyèrent par mer, vers Cambrai en France. En cette ville vivait un très vieil ami Sanguisuga de la famille, Marcelin Faucheur. Ils y joignirent une lettre afin de lui demander de faire suivre le tout à Venise et en profitèrent pour lui raconter la naissance de Générosa, lui promettant de venir le voir dès que possible pour lui présenter la nouvelle venue dans la famille.

Ils firent le choix de prendre la route en carrosse. C'est la première fois que Générosa voyageait loin de sa Sicile natale. Ils souhaitaient qu'elle puisse voir un maximum de choses lors de ce déplacement qu'ils vécurent comme une excursion. Elle était en admiration devant tout ce qu'elle pouvait voir, sentir, entendre. Les arrêts dans les auberges l'enchantaient, la ravissaient ! Tout était si différent des tavernes qu'elle connaissait. Plus ils avançaient dans le nord du pays et plus les choses prenaient une figure différente de tout ce qu'elle avait pu connaître jusqu'ici. François ne se lassait pas de la voir se charmer de tout autour d'elle. Un bras de fer entre Livio et lui s'était engagé… Si elle posait une question, c'était à celui qui serait le plus rapide à lui donner une réponse ! Lorsqu'elle descendait ou montait dans le carrosse, c'était à celui qui serait le premier près d'elle pour l'aider… Tout était ainsi, une véritable rivalité masculine s'était installée ! Cela énervait Domenica, autant que ça la faisait rire. Franck et Carol regardant tout cela d'un œil amusé. Seule Générosa ne voyait rien tant elle était concentrée sur les paysages et les découvertes qu'elle faisait.

Le voyage dura quatorze jours, mais il n'y eut aucun incident à déplorer. Générosa avait désormais pleine confiance en elle et se nourrissait sans jamais avoir d'échecs. Ils arrivèrent à Venise alors que les festivités s'achevaient pour cette nuit-là, la ville allait s'endormir pour se réveiller au jour baissant. Ils se rendirent directement en la demeure familiale de Livio. Il était si heureux ! Descendant de l'embarcation qu'il expliqua à Générosa s'appeler une gondole[20], il resta en admiration devant sa demeure en la redécouvrant avec joie, n'osant en ouvrir la porte et en pousser les battants. Il se décida pressé par Domenica. À peine le pied dans la demeure il commença à en faire le tour tenant sa femme

---

[20] *Gondola en italien. La gondole est une barque à fond plat de couleur noire et à une rame. La couleur noire fut imposée par un décret dogal en 1562, promulgué pour mettre un terme à la compétition qui opposait les riches Vénitiens soucieux de posséder l'embarcation la plus richement décorée. Le gondolier manœuvre uniquement du côté droit. Ceux qui ne souhaitaient pas conduire leur gondole eux-mêmes faisaient appel à un gondolier qui dut comme les gondoles se vêtir de noir des pieds jusqu'au chapeau. Avant ils portaient les couleurs de leurs employeurs.*

par la main, heureux comme un enfant ayant retrouvé le jouet qu'il avait cru perdu. Certainement grisés par les bruits de la fête, au-dehors, ils étaient tous en état de surexcitation intense. François euphorique voulut faire le tour du propriétaire avec Générosa, vite rattrapé par Livio qui l'en empêcha ôtant d'un geste brusque la main qu'il avait posée sur sa taille.

- Tu devrais explorer la maison toute seule, ma chérie, et voir quelle chambre te serait la plus agréable ! Je... Il regarda Domenica. Ta mère et moi allons revisiter cette maison qui nous a tant manqués. Bonne chasse, mon ange, appelle-nous si tu as besoin d'une aide quelconque, ajouta-t-il avec un sourire.

N'ayant pas le temps de répondre, Générosa se retrouva seule et partit visiter la vaste demeure. Elle fit un tour rapide du salon sachant qu'elle aurait tout le temps de le voir en détail à l'avenir. Elle entra dans la bibliothèque où François se trouvait en train de faire le tour des livres, il se retourna à peine paraissant concentré comme s'il cherchait quelque chose de précis. Arrivée en bas d'un gigantesque escalier elle hésita entre le gravir et poursuivre sa visite au rez-de-chaussée. Son esprit de déduction lui soufflant que les chambres devaient, selon toute logique, se situer au palier supérieur et comme son père lui avait confié comme mission celle de s'en trouver une, elle se rendit à l'étage doucement, ses pieds frôlant à peine les marches.

La première chambre était d'un style tout masculin, elle s'y trouva à l'aise dès qu'elle en ouvrit la porte. La pièce était accueillante et un parfum enivrant et chaud rendait l'ambiance générale très agréable. Cependant, elle n'osa pénétrer trop en avant dans la pièce et ne s'y attarda pas trop longtemps devinant que ce devait être la chambre de François, ils venaient à peine d'arriver et pourtant son parfum flottait déjà dans l'air.

Elle s'arrêta éblouie à l'entrée de la seconde chambre. Les riches parures, les nuances d'un rouge profond et chaud tranchant avec des nuances crème et dorée. Les tapis paraissaient si doux qu'elle n'osa entrer et les fouler de ses chaussures... Elle regarda si quelqu'un venait et ne voyant personne aux alentours elle se décida. Ôtant ses bottillons elle entra sur la pointe des pieds... Les tapis étaient encore plus doux et soyeux qu'elle ne l'avait imaginé, elle résista avec peine à l'envie de se rouler dessus tout entière. Elle fit le tour de la pièce, prenant tout son temps. Un immense lit en chêne doté de boiseries sculptées d'angelots et de fleurs possédait un baldaquin et était recouvert d'une courtepointe d'une jolie couleur crème. Des coffres et coffrets de différentes tailles étaient éparpillés dans la pièce au sol et sur une paire de jolies tables en marqueterie. Une grande fenêtre était au centre du mur. Ici nul volet, uniquement de lourdes tentures. Les poussant sur le côté, on devinait un balcon derrière les fenêtres. Une porte en retrait, masquée par un joli paravent, amenait vers une seconde pièce où Générosa découvrit une table, surmontée d'un miroir, où divers objets tels brosses, peignes, pinceaux, poudres, maquillages et autres objets féminins devaient trouver leur place par le passé. Une table de toilette avec une bassine et un broc d'une matière que Générosa n'avait jamais vue, mais qui paraissait fragile. Une immense armoire finissait la pièce. Une petite fenêtre nue, sans tentures, l'attira. Elle y vit la rue, les flambeaux et les gens s'éloignant vers un sommeil mérité. Elle sourit et retourna dans la chambre principale où elle découvrit Livio étrangement ému et semblant l'attendre. Il fit un large geste semblant englober toute la pièce.

- Cette chambre te plaît-elle ? Y arrêtes-tu ton choix ? As-tu encore d'autres pièces à visiter ?
- Elle est... Oh papa ! Je ne trouve pas mes mots, dire qu'elle est splendide ne lui rend pas justice. Je n'ai pas visité les autres

pièces, mais celle-ci… C'est comme si elle m'attendait ! Je sais que c'est présomptueux de ma part de dire de telles choses, mais je…

- Je comprends très bien, ma puce. Considère cette chambre comme étant tienne désormais.

- Tu avais raison mon chéri, elle a choisi cette chambre entre toutes ! Dit Domenica apparaissant à la porte souriante. Je vous cherchais pour te souhaiter un bon repos ma fille et dire à ton père qu'il serait bon qu'il prenne un peu de repos lui aussi.

Ils firent demi-tour pour s'éloigner, mais Livio ayant vu l'air surpris de sa fille à la réflexion de sa mère, se retourna et expliqua d'une voix douce, tout en serrant contre lui Domenica :

- C'était la chambre de ma mère. Mais, n'hésite pas à y faire toutes les modifications de décor que tu souhaites, je ne t'en tiendrais aucune rigueur au contraire ! Approprie-toi la chambre, ma chérie. Je ne doute pas qu'avec ta mère tu empliras les malles et l'armoire de vêtements et objets de toutes sortes. Je vous fais confiance, tout en sachant que Carol viendra vous prêter main-forte pour tout ce qui concerne vos fanfreluches de femmes. Quand il s'agit de dilapider de l'argent, les femmes Sanguisugas sont tout aussi efficaces que les humaines ! Ajouta-t-il avec humour.

Domenica lui fit une légère tape sur le bras et dit en riant :

- Comment peux-tu dire de pareilles horreurs ? Nous sommes beaucoup plus rapides ! Nous courons beaucoup plus vite d'une boutique à l'autre, et pouvons vous ruiner beaucoup plus vite aussi…

Livio se mit à rire à son tour, la serra encore plus contre lui puis l'embrassa sur la tête. Il fit le tour de la chambre d'un regard et poursuivit :

- Si tu souhaites d'autres armoires ou d'autres meubles pour arranger ta chambre et ton cabinet de toilette ou même pour changer ceux qui sont existants, demande et nous t'exaucerons au plus vite. Tu trouveras peut-être dans les pièces non occupées des meubles te plaisant davantage, n'hésite pas à le dire et nous les déménagerons vers ta chambre. Si tu veux simplement changer l'agencement de cette pièce, nous t'aiderons...
- Merci papa ! Cette chambre est déjà magnifique comme cela... Mais promis ! Si je veux faire un quelconque changement, je t'en informerais...
- Il te manque un bureau, il lui faut un bureau ! Dit-il en regardant Domenica. Si tu n'en trouves pas un dans le reste du Palazzo te convenant, nous t'en commanderons un selon ton choix ! Ma mère avait pour habitude d'écrire dans l'une des bibliothèques et n'avait donc pas jugé utile d'en mettre un dans sa chambre, expliqua-t-il. Demain, tu pourras visiter le reste de la maison, mais pour le moment il faut te reposer. Bon repos mon ange !

Il hésita encore un moment sur le pas de la porte, puis se décida à ajouter :

- J'espérais de tout cœur que cette chambre te plaise et c'est pour cela que je tenais tant à ce que tu fasses cette visite toute seule, je ne voulais pas te voir influencer par qui que ce soit... Personne n'ignore que c'est ce que je désirais plus que tout au monde. C'est tellement incroyable... Tu n'imagines pas à quel point ton choix me touche, mon ange !
- Je suis heureuse que tu acceptes de me voir dans la chambre de ta mère... Si j'avais su quelle pièce c'était, je crois que je n'aurais

même pas osé en pousser la porte. Mais… elle hésita et poursuivit : comment toute la famille pouvait-elle savoir que tu souhaitais que je fasse le choix de cette chambre ? Je ne vous ai jamais entendu en parler. Et pourtant aujourd'hui je n'ai plus du tout de problème pour vous entendre ! Mon ouïe est à son maximum… Elle s'interrompit alors, ayant comme un éclair d'illumination, et ajouta furibonde : Oh… François ! C'est cela, c'est lui qui m'a empêchée de vous entendre ?

- C'est possible, mais pas certain, mon cœur, intervint Domenica souriante. Tu sais, tout le monde connaît ton père et ses désirs n'ont pratiquement plus de secrets pour notre famille. Nous avons des demeures à travers le monde et avons tous une préférence quant à la chambre que tu choisiras dans chacune d'entre elles…

Livio reprit la parole comme s'il n'avait pas été interrompu.

- Tu n'imagines pas à quel point cela m'a fait chaud au cœur, mon ange, quand j'ai vu tes souliers à l'entrée de cette chambre. Tu as du remarquer que tu as une très belle vue de la pièce voisine. J'aimais, quand j'étais petit garçon, rejoindre ma mère dans sa chambre et attendre son réveil en me cachant derrière ce paravent en me blottissant près de la fenêtre pour regarder les gondoliers et les gens se promener, entrouvrir la fenêtre, les écouter… Aux beaux jours, je me glissais sur le balcon de la chambre et me cachais pour espionner la rue. Ma mère savait toujours où chercher pour me trouver…

Il soupira à ses souvenirs et murmura la bouche dans les cheveux de sa femme :

- Venise m'a tant manqué ! Ici tant de choses ont eu lieu…
- Chéri, il faut la laisser se reposer. La route a été longue et je me sens moi-même un peu lasse.

Domenica se dirigea alors vers sa fille et l'embrassa. Elle prit son époux par la main l'entraînant vers leur propre chambre, ne lui laissant que le temps d'embrasser rapidement sa fille. Ils croisèrent François sur le palier. Soucieux, il était parti à la recherche de Générosa. Il tenait absolument à la savoir bien installée, avant de rejoindre sa propre chambre. Sa curiosité le poussait avant tout à découvrir où se situait la chambre choisie par Générosa. Il avait ressenti sa stupeur suivie d'une joie incommensurable et soupçonnait que c'était la découverte de sa chambre qui avait entraîné ces émotions. Il se doutait que comme prévu ce devait être celle de feu la mère de Livio et c'est pour cela qu'il s'était dirigé directement vers celle-là après avoir tourné dans la villa pour resituer chaque pièce la composant. Il n'avait eu que peu d'occasions de venir ici.

Devinant qu'il était à la recherche de sa fille ne fut pas du goût de Livio, mais Domenica ne lui laissa pas le temps de pester. Elle l'entraîna tout au bout du couloir, qui paraissait immense, puis s'arrêtant devant la dernière porte l'attira à l'intérieur faisant un petit signe à Générosa et François. Générosa souhaitant découvrir dans quelle pièce ils allaient entrer les avait suivis hors de sa chambre. Voyant François, elle lui souhaita rapidement un bon repos et referma tout aussi vite sa porte. Plusieurs semaines auparavant, lorsqu'elle avait compris qu'il les accompagnerait, elle s'était promis de l'éviter autant qu'elle le pourrait dès leur arrivée à Venise ! Elle comptait bien s'y tenir maintenant qu'ils étaient arrivés à destination.

Il vit cette volonté en elle de le tenir à distance... Il le prit comme un soufflet ! Il était pourtant heureux en découvrant que c'était bien la chambre de la mère de Livio que Générosa avait choisie. Sa chambre se trouvait donc voisine à la sienne, qui était celle du père de Livio par le passé. Elles se situaient toutes deux loin de la chambre de son beau-frère, qui avait gardé celle qui était sienne depuis sa naissance. Il en retirait une certaine satisfaction, plus il était proche d'elle, plus il faisait corps avec ses sensations, ses sentiments. Il prit possession de sa chambre et rêvassa quelques instants en rêvant à sa douce aimée juste derrière ce mur qu'il contemplait. Il y a déjà plusieurs semaines qu'il s'endormait ainsi en pensant à elle. Ses rêves aussi étaient remplis d'elle.

Générosa avait d'autres préoccupations, elle éloignait de son esprit tout ce qui était François ! Penser à lui, la mettait en colère ou la rendait triste à pleurer. Mais pour l'heure, elle avait la tête remplie du peu qu'elle venait de voir ici et était impatiente de visiter la demeure de son père, ses jardins et bien entendu Venise ! Le petit voyage en gondole du carrosse jusqu'à leur demeure l'avait laissé sur sa faim, elle n'avait pas résisté à l'envie de laisser sa main effleurer l'eau… Elle aimerait Venise ! Tout comme elle raffolerait de la navigation sur petites et un jour sur grandes embarcations, elle le sentait, le savait ! Épuisée, elle oublia de se changer et se glissa dans le lit, désormais le sien et fut agréablement surprise de découvrir des draps frais et fleurant bon la lavande. Elle s'endormit très rapidement, se promettant d'en chercher la raison dès le lendemain.

À son réveil, elle regarda autour d'elle et découvrit d'un œil nouveau sa chambre. La détaillant et en refaisant le tour sans la fatigue du voyage, la chambre la ravit encore plus qu'à son arrivée. Les murs, le lit, les coffres, coffrets, tables et quelques tableaux la composant étaient tous plus beaux les uns que les autres. Il lui semblait qu'il racontait l'histoire de la chambre et de sa précédente occupante. Elle qui trouvait déjà la chambre qu'on lui avait confiée à Syracuse magnifique, elle ne trouvait pas de mots pour traduire ce qu'elle voyait autour d'elle et l'écho que toutes ces splendeurs éveillaient en elle. Un petit grattement à la porte lui fit réaliser que plongée dans la contemplation de son nouvel univers, elle ne s'était pas adonnée à ses ablutions. Puis elle constata à sa grande honte qu'elle était toujours vêtue de ses habits de voyage ! Un nouveau grattement se fit entendre, comme dans l'attente d'une réponse. Aussi dit-elle :

- Je suis réveillée, mais je n'ai pour le moment pas encore eu le temps de me préparer. Je descends dès que je suis vêtue décemment.

Entendant rire, elle comprit que c'était François qui avait osé la déranger avec autant d'audace... Elle l'entendit s'éloigner continuant à rire de son rire, reconnaissable entre tous. Elle serra les poings et hésita entre la honte et hurler sa colère, finalement elle préféra ignorer l'incident et fila se préparer. Elle découvrit un broc d'eau fraîche pour sa toilette avec un savon de lavande ainsi qu'une brosse pour se coiffer qui avait rejoint les tables dans la pièce voisine. Ces objets n'étant pas là la veille, elle devina là une attention de sa mère. Elle ouvrit alors l'armoire et y découvrit que ses malles de voyages y avaient été vidées. Elle choisit une robe couleur prune et finit sa toilette rapidement. Alors qu'elle allait sortir de la pièce, elle fut distraite par les voix dans la rue et ne put résister à aller voir à sa fenêtre tout en essayant d'imaginer Livio petit garçon en contemplation à cette même place bien des années avant. La rue était très animée, colorée par les vêtements de ceux qui n'avaient aucune raison de se dissimuler et tellement illuminée par les lampions qu'on y voyait comme en plein jour ! Entendant dix coups sonnés à la cloche d'une église toute proche elle se rendit compte qu'elle avait perdu la notion du temps et se dépêcha de rejoindre sa famille.

À peine franchie, le pas de sa porte elle s'arrêta net, une fleur sur le palier l'attendait... Une rose d'un rouge éclatant. François, pensa-t-elle sans hésitation. Ce ne pouvait être que lui... Il ne s'arrêterait donc jamais de la taquiner, de la torturer, de la ridiculiser... Elle hésita entre écraser la fleur et la cacher dans sa chambre. Finalement, la raison prit le dessus et elle alla poser la fleur dans un des coffrets posés sur l'une des tables de la chambre située près de la porte. Elle ne voulait plus la voir, mais ne voulait pas donner à François la satisfaction de voir la fleur dans la chambre ou dans une corbeille. Elle savait qu'il trouverait le moyen de pénétrer dans sa chambre pour vérifier ce qu'elle en avait fait. Elle glissa donc ce coffret sous son lit afin de la cacher à sa vue et à celles de ceux entrant dans cette pièce. Même s'il fouillait sa chambre, il n'irait pas sous son lit... Enfin, elle l'espérait !

Elle se calma, étant quelque peu énervée par l'attitude générale de François depuis son réveil et se laissa guider par son ouïe vers les bruits de voix. Elle faillit s'arrêter à plusieurs reprises devant la beauté de la maison, les tableaux et portraits ainsi que dans le jardin central en le traversant pour rejoindre les siens. Ils étaient tous détendus et élégamment habillés. On voyait qu'ils étaient, sans aucune exception, heureux d'être ici. Elle les embrassa l'un après l'autre, pas encore totalement calmée, elle ignora le sourire de François. S'excusant pour son retard elle expliqua :

- J'ai refait le tour de la chambre, elle est encore plus belle que ce que j'avais pu en voir à notre arrivée. Je me suis aussi attardée à la fenêtre du petit cabinet. Tout est si beau dehors, les gens, la rue, le canal... Et en vous rejoignant, j'ai résisté pour ne pas m'arrêter à chaque tableau, chaque sculpture, afin d'être près de vous au plus vite... Je ne suis pas sure d'y réussir aussi bien à l'avenir !

François inquiet avait senti sa tension interne, la lutte qu'elle menait en elle-même, pesant le pour et le contre : parler ou non du passage de la rose ! Finalement, la raison l'emporta et elle se tût. Regardant Livio, il vit qu'il avait lui aussi senti qu'elle était anxieuse, mais la sentant se détendre il prit alors la parole :

- Je suis vraiment content que ta chambre te plaise tant. Je sais que je me répète mon aimée, dit-il en regardant Domenica, mais c'est si étrange de me trouver ici avec ma fille, que la moindre de ses réactions m'enchante.
- Ce soir, nous te laisserons visiter toute la maison seule mon ange, dit Domenica, tu prendras ainsi tout le temps qu'il te faut pour étudier chaque pièce à ton aise.
- Je dois me rendre chez le Doge[21] afin d'annoncer notre arrivée, ce qui est la plus élémentaire des courtoisies. Des personnes inconnues du voisinage prenant possession de la résidence Baldi la nuit dernière, cela n'a pu passer inaperçu et a déjà dû être rapporté en haut lieu. J'ai entendu lors de notre arrivée la nuit passée que ce soir se donne la grande fête du Doge et cela n'aura donc rien de surprenant que j'aille rendre mes devoirs au représentant officiel de Venise. Je vais donc annoncer notre arrivée, celle des héritiers ainsi que la mort de nos parents. Je présenterais aussi le changement de nom de notre résidence qui sera désormais connu comme le Palazzo Baldi della Julienus. Ce changement de nom sera officiellement justifié comme étant un hommage à nos parents, alors que ce n'est que le résultat de notre union éternelle, conclut-il regardant Domenica en lui caressant délicatement le visage.
- Es-tu vraiment sur de ta décision de t'y rendre seul mon amour ? Nous sommes tous prêts à t'accompagner, tu sais ! Dit-elle en lui prenant le visage entre les mains.
- C'est inutile ma chérie, je ne cours aucun danger. Cela vous permettra de vous remettre des émotions du voyage en refaisant connaissance avec la ville pendant mon absence. Je vous

---

[21] *Dirigeant de Venise.*

retrouverais sans problème où que vous vous dirigiez lors de mon absence.

Enlaçant amoureusement Domenica, il l'embrassa sur les lèvres tout en caressant sa taille et ajouta :

- Cesse de te soucier et profite de cette soirée avec tes frères et ta sœur. Je crois deviner que notre chère fille va prendre un grand plaisir à faire connaissance avec la demeure. Quant à vous autres, allez donc vous amuser, laissez-la seule ici en tête-à-tête avec la villa, elle n'en ressentira que davantage l'âme qui pénètre cette résidence.
- Nous partagerons la même gondole, tu nous laisseras sur une berge en cours de route. Mesdames, prenez vos déguisements, François… dit Franck invitant tout le monde d'un large geste vers la porte.

On pouvait voir sur le visage de François que la seule idée de laisser seule Générosa ne lui plaisait pas. Mais on ne lui laissait pas le choix ! Domenica le tirant même physiquement à l'extérieur de la pièce, en lui prenant le bras et disant d'un ton taquin :

- François tu seras donc pour ce soir mon cavalier puisque mon mari m'abandonne à mon sort et que ma fille préfère la compagnie d'une maison plutôt que la nôtre, je ne suis entourée que d'ingrats ! Mais mon tendre époux, nos pensées t'accompagneront tout de même ! Elle soupira et embrassa tendrement sa fille. À tout à l'heure, ma chérie ! Nous ne te délaissons pas. Tu n'auras qu'à appeler si tu te sens seule, où que nous soyons, l'un d'entre nous t'entendra aussi surement que si tu étais près de lui.

Sur ces derniers mots, ils s'éloignèrent tous dans un joyeux brouhaha, qui prouvait à quel point ils étaient tous réellement contents d'être ici à Venise et de renouer avec cette ville et ses divers loisirs ! Générosa ravie d'être seule avait eu un bref instant, un drôle de sentiment de déception qui ne venait pas d'elle et qui pourtant s'était imprégné en elle et l'avait mise mal à l'aise. Ce n'est pas la première fois qu'elle percevait ainsi les sentiments de quelqu'un d'autre et cela la déstabilisait toujours autant. Habituellement, elle mettait cela sur le compte de son père et de leur relation privilégiée de père/fille. Mais aujourd'hui, c'est lui qui la poussait à rester seule, ce ne pouvait donc être ses émotions à lui ! Cette déception n'était donc pas celle de son père, mais elle savait pertinemment que ce n'était pas la sienne non plus ! Elle faisait clairement la différence entre ses troubles et ceux venant d'une tierce personne, même s'ils étaient aussi profonds que les siens propres. Elle mit cela sur le compte de la fatigue et commença sa visite approfondie de la maison.

Au fil des heures, elle se ravissait de chaque détail en s'attardant dans chaque pièce. Elle découvrit un petit salon empli de livres. Plus intime que la bibliothèque, la pièce sentait bon le tabac que fumait son père. Elle se sentit bien dans cette pièce dès qu'elle y pénétra. Elle regarda autour d'elle tous ces livres qui semblaient avoir été lus et relus, quelques portraits sur le mur, dont un de son père, enfant, mais qu'elle reconnut sans hésiter… Après un moment le quittant des yeux et souhaitant s'imprégner de l'aura de la pièce, elle prit possession d'un des fauteuils d'un vert profond. Il tournait le dos à la porte et sa position différente des autres l'intriguait. Il faisait face à un portrait qu'elle découvrit alors, celui de sa mère. Elle devina que son père était à l'origine de ce tableau et qu'il avait dû rester devant de longues heures dans ce même fauteuil, alors qu'il croyait son aimée perdue à jamais pour lui… Elle resta en contemplation un long moment devant ce portrait, ressentant les émotions de son père à l'époque. Cela la troubla, car cela paraissait si réel, mais comme sorti d'un de ces romans dont elle raffolait. Elle finit par sombrer dans un profond sommeil sans en prendre conscience, sous le regard bienveillant de sa mère.

Elle fut réveillée en sursaut par une présence, une caresse sur sa joue et un léger baiser sur sa chevelure. Levant la tête elle vit François, penché sur elle, l'air inquiet, il trépignait sur place, se frottant les mains sur ses chausses, il semblait totalement perdu. La voyant éveillée, il s'accroupit à ses côtés en prenant l'une des ses mains :

- Comment te sens-tu ? Tu as eu un malaise ? Tu es malade ? Tu veux que j'aille te chercher un peu de...
- Je vais bien, l'interrompit Générosa énervée par ces questions et le repoussant loin d'elle. Il tomba assis l'air ahuri ne s'attendant certes pas à une réaction telle que celle-là de sa part. Je me suis juste assoupie sans m'en rendre compte, je ne dois pas être bien remise du voyage, un peu de fatigue. Maman s'est inquiétée ?
- Ta mère ? Mais nous nous sommes tous inquiétés Générosa, s'irrita-t-il à son tour en se levant prestement. Nous rentrons au Palazzo et ne te voyant pas nous nous sommes rendus directement dans ta chambre ! Tu ne t'y trouvais pas et je n'y ai pas vu la rose non plus d'ailleurs... Profitant de l'occasion pour en parler d'une voix basse et rauque. Puis, reprenant de plus belle avec un ton redevenant agressif : Si ta mère s'est inquiétée n'est pas une question, mais une évidence Générosa ! Et elle n'est pas la seule à s'être alarmée ! Tu mériterais une bonne fessée...
- Vraiment Monsieur le Duc ? Et c'est vous qui comptez me la mettre cette fessée dont vous me menacez ?

Lui demanda-t-elle provocatrice en se levant du fauteuil pour s'éloigner de lui.

- Oh ne me tente pas mon ange, je suis suffisamment de mauvaise humeur pour avoir envie de le faire de suite et je ferais volontiers fi des conséquences !

- Et bien, allez-y si vous l'osez ! Vous êtes très fort à la causerie, Monsieur le Duc, mais dès qu'il s'agit de passer à l'action il n'y a plus personne… Enfin, gardez en mémoire que si vous deviez agir ainsi j'en parlerais à papa dès son retour et alors gare à vous Monsieur le Duc ! Êtes-vous vraiment certain de vouloir affronter papa ? Ajouta-t-elle innocemment, mais prenant peur en le voyant s'approcher d'un air menaçant.

- C'est du joli, se cacher derrière son père ! Je te l'ai dit, je suis prêt à faire fi de toutes les conséquences possibles ! Si te mettre une correction soulage un peu mon humeur massacrante, je n'hésiterais pas une seule seconde à défier ton père.

Il la tira violemment par le bras, furieux contre elle comme jamais il ne l'avait été auparavant. Elle n'avait aucune conscience de l'inquiétude, de la peur qu'il avait eue en ne la trouvant pas à leur retour. Il avait senti sa présence et la douce quiétude qui l'avait envahie, mais n'avait pu maîtriser cette peur en lui de la perdre, de la voir partie loin de la villa… Elle avait parfois des réactions tellement étranges, elle écoutait tant ses envies qu'il craignait pour elle à chaque instant… Il savait Livio aussi soucieux que lui à ce sujet, elle était si impulsive. Et pendant qu'il s'inquiétait, elle dormait paisiblement dans ce fauteuil dos à la porte ! Il était passé deux fois devant la pièce sans la voir… Il reprit alors, ne réussissant pas à se calmer :

- Rejoignons vite les autres avant que je ne commette l'irréparable. Comment peux-tu rester ainsi à me regarder comme si tu ne comprenais pas ce que je dis, alors que tout est de ta faute ? Ton père te gâte beaucoup trop ! Tu n'as aucune conscience de l'inquiétude que tu peux donner à chacun d'entre nous ! Cette correction tu la mérites, pour tout ce que tu as pu faire depuis que tu es entrée dans notre famille et ce que tu ne manqueras pas de faire à l'avenir !

Il se savait totalement injuste, mais cela lui permettait de garder la tête froide. Il hésitait entre la couvrir de baisers ou la châtier comme il venait de la menacer. Et maintenant, il lui fallait ne pas penser, ne surtout pas regarder ses lèvres si tentantes qui, sous le coup du chagrin qu'il venait de lui asséner, s'étaient mises à trembler. Il la sentait au bord des larmes et savait que si elle pleurait, il ne répondrait plus de lui-même. Alors, culpabilisant, il poursuivit très vite sans réfléchir :

- J'attends des réponses précises ! Tu ne perds rien pour attendre ! Maintenant, allons-y !

Elle ne bougea pas, il vit alors son air surpris. Heureux d'avoir réussi à détourner son attention et ses larmes, il lui fallait maintenant expliquer ce qu'il venait de dire :

- Je veux que tu me dises ce que tu as fait de cette maudite fleur.

Son soulagement fut de courte durée, il avait perçu en elle comme une envie de revanche. Méfiant il l'entendit alors dire :

- Une fleur ? De quelle fleur parlez-vous, Monsieur le Duc ? Il y en a de très belles partout dans la maison c'est vrai, papa m'a dit posséder de très belles serres remplies de fleurs plus belles les unes que les autres. Mais je ne vois pas de laquelle vous parlez précisément, Monsieur le Duc ! Je n'en ai pas cueilli, n'ayant pour le moment eu le temps de visiter ces serres, je vous l'assure !

Elle le bravait avec effronterie tout en ravalant les larmes qu'elle avait senties prêtes à perler au bord de ses yeux. Elle refusait de pleurer devant lui, cela lui ferait trop plaisir !

Elle sortit de la pièce précipitamment suivie de près par un François dans une telle colère qu'il doutait lui-même de réussir à se contenir encore longtemps. Il ne réussissait pas à rester détaché en sa présence et d'autant moins lorsqu'il était, comme maintenant, seul avec elle. Et ce vouvoiement, ses Monsieur le Duc qu'elle assenait à chaque fin de phrase, le mettait dans une rage folle. Il la rattrapa et la main serrée sur son avant-bras grinça entre ses dents :

- C'est ça, vas y fanfaronne ! Je ne manquerais pas te rafraîchir la mémoire dès que l'occasion se présentera… Pour le moment, allons rassurer ta mère…
- Je vais mettre un point d'honneur à vous empoisonner l'existence aussi longtemps que possible, Monsieur le Duc !

Alors qu'elle prononçait ces mots, Domenica apparut au bout du couloir. Générosa arracha son bras à l'étreinte de François et courant vers sa mère, s'excusa :

- Pardon maman, je me suis endormie dans la petite bibliothèque, celle où se trouve ton portrait. Je n'ai même pas fini de visiter la maison. Cette pièce est magique, elle sent si bon et je m'y suis sentie si bien ! Je devais avoir encore un peu de la fatigue du voyage…

Puis voyant sur le visage de sa mère qu'elle avait pleuré, elle ajouta, en lui caressant les joues pour effacer ces larmes :

- Oh ! Je suis tellement désolée de t'avoir tourmentée ainsi…
- Ce n'est rien ma fille chérie ! Ton père se fera une joie de me dire que je suis totalement ridicule ! Comment pouvait-il t'arriver quoi que ce soit dans cette résidence... Mais elle est tellement vaste et quand tu n'as pas répondu à nos appels cela m'a… Elle soupira : c'est une bonne leçon que je viens de recevoir. Je ne

dois pas m'inquiéter inutilement quand nous te savons comme ce soir en sécurité ! Surtout dans la maison de ton père ! Si je n'ai pas confiance en cette résidence qui a vu l'aube de notre amour, comment pourrais-je... Je ne suis qu'une sotte...

Elle essuya ses larmes qui s'étaient remises à couler et embrassa Générosa. La serrant contre elle, elle l'entraîna dans la pièce la plus proche, un salon où dans la cheminée un feu brûlait et chauffait la pièce. Franck et Carol venaient de s'y installer, François les suivit et prit place près de la cheminée. Une fois assises toutes deux dans un divan, Domenica la prit contre elle et la berça doucement. Générosa jeta un bref coup d'œil vers François et vit les visages de Franck et Carol rassurés comme s'ils avaient craint... Crainte de quoi ? Elle ne comprenait pas ce qui se passait, mais sentait que c'était suffisamment important pour les avoir tous paniqués ainsi. Elle demanda donc :

- Que craigniez-vous donc tant, maman ? François m'a fait la leçon comme si j'avais commis une énorme bêtise. Mais quel danger peut-il y avoir pour moi ici à Venise, chez papa ? Et en tant que Sanguisuga ? Qui pourrait donc me vouloir du mal ? En plus, personne ne me connaît, je n'ai donc pas d'ennemis ! Je ne comprends pas votre désarroi à tous ! Vous étiez si heureux de rejoindre Venise et maintenant je ne sais plus que penser.

Domenica jeta un regard malheureux vers Franck qui prit alors la parole :

- Ton père n'est pas seulement allé voir le Doge, mais aussi les Anciens. Nous t'avons déjà parlé d'eux. Nous devons leur signaler tout nouveau Sanguisuga. Ton père l'a fait par courrier, mais tant que cela n'est pas fait de façon officielle ta vie est en péril. Tu es pour eux un danger potentiel... Il y a eu tant de Sanguisugas abandonnés et mettant en danger notre race par manque d'éducation, que les Anciens estiment désormais dangereux et à détruire tous les Sanguisugas sans géniteur officiel…

- Mais pourquoi ne m'avez-vous pas dit cela avant de partir ? Si vous aviez si peur, votre devoir était de résister à papa et de rester avec moi ici ! J'aurais tout aussi bien pu visiter la maison en votre compagnie ou sans vous, mais avec votre présence non loin de moi et… oh c'est pour cela que papa m'a dit d'appeler si j'avais un souci, que quelqu'un m'entendrait à coup sûr, vous étiez à l'écoute intentionnellement au cas où il m'arriverait quelque chose !

Générosa se leva marchant de long en large dans la pièce. La fureur grondait en elle, tel un volcan près à exploser, sa voix était haut perchée quand elle reprit la parole.

- Mais, je répète ma question, pourquoi ne m'avoir rien dit ? Je ne suis rien ? Uniquement un objet qu'on sort et qu'on montre comme un petit singe sur la place du marché et à qui surtout on ne dit rien ! Je suis tellement idiote ! Je ne suis qu'une fille des rues ! Je suis…

Elle ne trouvait plus ses mots tant la fureur l'avait envahie. François calmé et sensible à la douleur qui perçait dans chacun de ses mots, se leva et tenta de l'intercepter pour la prendre dans ses bras, la rassurer, atténuer cette souffrance qu'il sentait grandir en elle.

- Ah non toi… Surtout toi, tu ne me touches pas ! Elle le toisa et ajouta d'un ton péremptoire, alors que sa main avait enfin réussi à se poser sur son bras : lâche-moi ! Je vais me coucher ! Demain, il faudra certainement que je sorte que vous le vouliez ou non ! Anciens avertis de ma présence à Venise ou pas ! Danger ou pas, j'irais manger avec ou sans vous !

155

Sa voix s'était faite menaçante. Elle se précipita dans sa chambre et une fois bien en sécurité derrière la lourde porte de celle-ci, elle fut surprise d'avoir retrouvé son chemin aussi facilement et de s'être retrouvée si vite dans sa chambre. Les larmes inondaient son visage et coulaient dans ses yeux l'empêchant de voir où elle marchait.

Choquée, elle se rendit compte qu'elle s'était servie de son nez pour se diriger en suivant sa propre odeur ! Elle comprit aussi qu'elle avait volé seule… Jusqu'ici, elle n'avait jamais tenté l'expérience. Lorsque cela lui arrivait, elle tenait la main de ses parents, en courant l'envol se faisait naturellement… Mais là sans réfléchir, elle avait décollé dans les escaliers, ses pieds n'ayant retrouvé le sol ferme qu'une fois dans sa chambre, qu'elle avait rejointe en un éclair !

Toujours furibonde, elle plongea sous le lit et ouvrit le coffret où elle avait déposé la rose rouge de François et résista, en soupirant, à l'envie qu'elle avait de la prendre, la chiffonner, la piétiner… Mais cela ne soulagerait ni sa peine ni sa colère et la pauvre fleur n'y était pour rien. Elle referma le coffret et le glissa sous son lit, comme pour l'oublier. Au même moment, elle entendit un léger frottement à la porte et comprit instinctivement que c'était François. Elle voulut l'ignorer, mais le grattement persista. Elle craqua et dit d'un ton sec et désagréable :

- Laisse-moi tranquille !

Un silence s'ensuivit. Elle crût l'avoir obligé à partir, mais il commença à parler tout doucement au travers de la porte :

- Je suis désolé, mon amour ! Ne voudrais-tu pas ouvrir la porte quelques instants s'il te plaît ? Je me trouve un peu sot à tenter de discuter avec une porte.

Il avait tenté de mettre un peu de rires dans sa voix, mais sans succès. Générosa resta silencieuse et il comprit qu'elle ne cèderait pas, percevant encore la colère en elle.

- Je ne voulais pas t'alarmer inutilement, ni te mettre en colère, mais nous étions si inquiets que je n'ai su comment te le dire... Tu as le don de faire sortir de moi les pires réactions... Je...
- La prochaine fois, vous n'aurez qu'à me dire ce qui se passe cela évitera ce genre de soirée décevante pour tous ! Elle avait pourtant bien débuté...
- Nous voulions te protéger...
- Et bien, cessez de me protéger tout le temps, je ne suis pas une fragile petite chose ! Le dialogue n'existe donc plus dans cette famille ? Je suis capable de comprendre les choses ! Lorsque nous étions à Syracuse, vous me parliez, vous m'expliquiez les choses... Venise change donc tout cela ? C'est terminé ? On ne me parlera plus, c'est ce que je dois comprendre ? Je suis une femme Sanguisuga capable d'appréhender les choses !
- Je le sais bien, mon cœur, mais ton père ne voulait t'en parler qu'une fois la chose faite. Il n'était pas certain d'être reçu dès ce soir par les Anciens. Il voulait tenter sa chance en se rendant à leur palais espérant les rencontrer sans avoir à demander une audience, étant conscient de l'urgence de ta présentation pour pouvoir vivre sereinement dans Venise et que tu puisses te déplacer sans menace planant au-dessus de ta tête. S'il réussit à les rencontrer, seulement à partir de ce moment-là les Anciens reconnaîtront ton existence et tout danger sera alors écarté. Mais cela signifiera aussi que dès que possible tu seras présentée aux Anciens de façon officielle. Cette visite est nécessaire, ton baptême ou ta bénédiction officielle, si tu préfères, aura lieu et tu seras alors définitivement reconnue comme une Sanguisuga et protégée par nos lois. Personne ne pourra nier que tu fais partie des nôtres et plus précisément de notre famille.

Elle sentit sa colère s'évanouir comme par magie, ces révélations agirent comme de l'eau sur un feu. Pas suffisamment cependant pour qu'elle lui ouvre la porte, elle s'était assise appuyée sur la porte sentant sa présence juste derrière.

- Oh... je... C'était si difficile de me le dire ? Non ne répond pas, c'était le rôle de papa de m'en parler ce sera donc à lui de me répondre ! Je ne comprends toujours pas pourquoi vous agissez tous d'une façon ou d'une autre quand il s'agit de moi. Mais maman n'a-t-elle pas dit que papa leur a écrit pour les informer de ma naissance ?
- C'est vrai, mon ange, mais à leurs yeux, il faut que l'annonce de la naissance d'un nouveau Sanguisuga soit faite oralement pour être prise en compte et soit donc valable.
- D'accord, ils sont bien compliqués si tu veux mon avis.

Elle l'entendit rire doucement.

- Tu as bien raison ma chérie, mais les lois sont les lois et si les Anciens ne respectent pas celles qu'ils ont édictées comment pourraient-ils les faire respecter par les autres...
- Je comprends bien, mais cela ne m'empêche pas de trouver cela totalement ridicule. Maintenant, je veux aller dormir et ne plus penser à tout cela, tout au moins pour le moment, nous verrons demain soir ce que papa aura à me dire. Bon repos Monsieur le Duc !

Il soupira et chuchota :

- Mon amour s'il te plaît cesse de m'appeler ainsi... Tu me sembles si en colère quand tu prononces ces mots-là ! Je suis Duc par droit de naissance c'est vrai, mais dans ta bouche cela ressemble tellement à une insulte que je...

Elle tenta de s'expliquer d'une voix tremblante :

- C'est une façon pour moi de faire la différence entre le François que j'aime, enfin je veux dire que j'apprécie comme membre de la famille, se reprit-elle se morigénant intérieurement d'avoir dit cela, et le Duc qui se croit au-dessus de moi et ne cesse de me faire la leçon ! Tu es deux François avec moi, même si tu ne t'en aperçois pas, et je me dois de pouvoir faire la distinction entre les deux ! Je... Je suis désolée si cela te peine, mais c'est comme ça et uniquement comme cela que je peux te différencier... Je ne sais pas trop comment t'expliquer, je risque de répéter la même chose...

Il émit un petit rire triste en tendant la main vers la porte comme pour caresser ce visage qu'il adorait et devinait juste derrière le bois il murmura comme pour lui-même :

- J'ai saisi ce que tu veux dire mon cœur, même si cela ne me fait pas pour autant plaisir de t'entendre m'appeler ainsi. Fais de doux rêves mon ange, ma princesse...

Elle chuchota d'une voix très douce, sachant qu'il l'entendrait parfaitement :

- Bon repos François.

Générosa se leva, s'éloigna de la porte et alla mettre ses vêtements de nuit. Elle se sentait un peu coupable du chagrin qu'elle avait entendu dans la voix de François... elle se secoua se rappelant sa promesse de l'ignorer et de l'éviter. Elle tenta alors de se convaincre que la peine qu'il avait lui était totalement égale. Elle se glissa dans son lit qui une fois de plus la surprit par sa fraîcheur et son délicat parfum de lavande qui lui permit d'oublier un instant ses préoccupations. Elle ne mit que quelques secondes à s'endormir.

François de son côté écoutait le moindre de ses mouvements assis sur le palier de sa porte et ne quitta son poste que quand il la sut détendue et profondément endormie. Il rejoignit alors sa chambre. Suite aux divers évènements de la soirée, il se sentait tiraillé intérieurement par un tas de sentiments : l'amour et la tendresse, mais aussi la fureur et la tristesse. Elle l'avait rejetée loin d'elle et ces mots : « *Ah non toi… Surtout toi, tu ne me touches pas ! Lâche-moi !* », l'avaient blessé au-delà de tout. Il aurait tant voulu la prendre dans ses bras l'embrasser, lui faire oublier sa colère en la caressant, en la cajolant… L'emmener loin de ce salon pour aller vers sa chambre et lui faire l'amour tendrement. Il prit le premier objet qui lui tomba sous la main et le jeta contre le mur… ce mur derrière lequel se trouvait son lit… ce lit dans lequel elle dormait… dans lequel elle dormait seule…

Il continua à fixer le mur et soudain se leva. Il entreprit de déménager sa chambre et de mettre le lit contre ce mur qui le hantait tant. Il ne mit que quelques minutes à changer les quelques meubles de place afin que le lit se trouve dans, ce qu'il estimait, la bonne position. Il remercia intérieurement son père d'être un Sanguisuga, ce qui lui permettait de ne demander d'aide à personne, liant rapidité et puissance. Il avait mis son lit de façon à pouvoir s'allonger tout contre le mur, ce qu'il fit sans attendre. De la main, il toucha ce mur, comme s'il pouvait la toucher elle. Il n'aurait jamais cru être réduit à cet état d'amoureux transi un jour. Souffrir autant était impensable pour lui le bourreau des cœurs. Il s'était tant moqué des maris de ses sœurs et autres hommes qu'il avait jusqu'ici considérés comme dépouillés de tout amour-propre quand il s'agissait de la femme aimée ! Et il se trouvait à son tour pris à ce même piège et devait souffrir les pires tourments à cause d'une femme. Il eut un petit rire amer. Sa souffrance était si intense qu'il se retourna dos au mur et tenta de lire, mais ne réussit pas à se concentrer.

160

Entendant Livio rentrer, il descendit précipitamment les rejoindre afin de glaner des informations. Il tenta de paraître détendu. Ils se tournèrent tous, à son arrivée, inquiets. Il comprit que son apparente décontraction n'avait dupé personne. Il tomba alors le masque et dit :

- Ne vous alarmez pas, elle repose profondément. C'est moi qui n'arrive pas à trouver le sommeil, les derniers évènements m'ont… Il s'interrompit et se tourna vers son beau-frère : peu importe ! Ta soirée était importante Livio, je suis donc venu aux nouvelles.
- Tu arrives au bon moment, j'allais commencer mon rapport. Tes sœurs m'ont raconté ce qui s'est passé avec Générosa, je m'en veux tant. Comment est-elle ?
- Elle repose, j'ai tenté de lui expliquer les raisons de notre attitude à tous. Je pense que cela l'a un peu calmée et lui a permis de s'endormir. Mais demain, tu auras beaucoup d'explications à donner ! Elle était dans une colère noire.
- Je saisis bien la situation et l'état d'esprit dans lequel elle doit se trouver, ne t'inquiète pas. J'aurais dû me douter que je m'attirerais ses foudres. Je serais prêt à entendre ce qu'elle a à me dire !
- Mais et toi, ta nuit ? Demanda François souhaitant changer de conversation.
- Oui, mon chéri raconte nous vite ta nuit ! Domenica était aussi impatiente que François d'entendre ce que Livio avait à relater.
- Je me suis rendu chez le Doge qui a accueilli notre arrivée avec beaucoup de plaisir. Nous avons mal compris ce que disait le gondolier hier, ce n'était pas son soir de fête. Il était seul avec son épouse. Mais dans un sens, cela a bien arrangé nos affaires. Il m'a accueilli en tête-à-tête avec beaucoup d'affabilité. Nous

sommes tous conviés à son banquet[22] la nuit prochaine. Il est impatient de connaître la famille dans son ensemble. Je me suis engagé en notre nom à tous en lui disant que ce serait un honneur de nous rendre à son invitation.

- Formidable ! Dit Franck. Demain, ma douce, nous irons danser ! Il y a si longtemps que ce n'est pas arrivé ! Je suis impatient... Pardon Livio, mais me dire que demain je tiendrais Carol dans mes bras et la ferais tournoyer me rend tout guilleret.

Et il éclata d'un rire très heureux en regardant son épouse, qui enchantée joignit son rire au sien. Ils firent même ensemble un petit pas au milieu du salon.

- Confidence pour confidence, je suis moi aussi très heureux d'emmener Domenica et Générosa s'amuser et danser. Et ce sera la première sortie de notre Générosa chez les humains ! Une étape importante dans sa vie sociale de Sanguisuga... La première fois qu'elle rencontrera d'autres humains depuis qu'elle est notre fille. Je suis si fier de la présenter et que ses premiers pas se fassent à Venise !

- Et en ce qui concerne les Anciens ? Demanda François impatient d'en savoir plus.

Il savait qu'il ne pourrait garder Générosa pour lui indéfiniment, mais il ne pouvait retenir cette jalousie grandissante en lui : il allait devoir partager Générosa, la voir se faire courtiser par d'autres hommes. Il serra les poings dans l'attente de la réponse de Livio.

- Comme ce n'était pas la soirée du Doge, cela m'a permis de m'éclipser plus rapidement. Je me suis excusé auprès de lui et me suis rendu chez les Anciens, qui m'ont reçu promptement,

---

[22] *Le Doge était tenu d'offrir cinq fois par an un fastueux banquet financé avec sa propre bourse. Y être convié était un grand honneur !*

comme s'ils m'attendaient... Ils ont toujours nié lire l'avenir, mais vu la façon dont ils m'ont reçu ce soir, je pense sincèrement qu'il doit y en avoir un capable de lire son propre futur à défaut de lire celui des autres...

- C'est probable, dit Carol, c'est ce que j'avais cru lire en Cristofero lors de ma présentation. Il serait capable de voir son propre avenir, mais uniquement le très proche, à quelques jours près seulement. Je m'en étais ouverte à père à l'époque, mais nous venions de découvrir mon don et il était si jeune que nous nous sommes tous méfiés de cette lecture. Peut-être que je ne m'étais pas trompée à l'époque, en fait... À vérifier quand l'occasion se présentera, dit-elle lui rendant la parole d'un geste.

- Oui, à espionner dès que possible comme dirait Franck ! Fit François avec humour.

Ce dernier haussa les épaules en secouant la tête. Livio reprit :

- Ils connaissaient notre retour à Venise. Ayant reçu mon courrier ils savaient aussi notre nombre exact. Générosa est la bienvenue parmi la grande famille Sanguisuga. Quand je leur ai appris notre invitation à la soirée du Doge, ils m'ont instamment prié de faire les présentations officielles de Générosa en nous y rendant. Nous lui expliquerons tout cela à son réveil. Pensez-vous que je doive aller la réveiller pour m'excuser et lui expliquer tout ce que je viens de vous dire ?

- Non, chéri, laissons-la se reposer. Si nous y réfléchissons bien, elle a vécu beaucoup de choses depuis notre départ de Syracuse. Notre réaction de ce soir lui a paru anormale ce dont nous ne pouvons lui en vouloir, c'est éprouvant pour elle toutes ces nouvelles sensations, cette découverte d'elle-même. Crois-moi laisse-la dormir ! N'ai-je pas raison ?

Domenica regarda les autres pour obtenir leur appui. Ils firent tous un signe d'assentiment de la tête qui acheva de convaincre Livio. Elle reprit alors :

- Voyons plutôt comment nous vêtir toutes les trois demain soir, nos tenues ne sont pas encore revenues de France. Nous nous devons d'être très élégantes pour ne pas vous faire honte, messieurs… C'est le baptême de Générosa et notre admission au sein de la population vénitienne. Carol, prête ? Nous devons nous trouver ces tenues avant d'aller nous reposer. Allez, dépêchons-nous, avant que la boutique ne ferme ses portes ! Nous avons déjà de la chance que grâce au carnaval elle ait son échoppe d'ouverte si tard dans la nuit ! Nous essaierons de penser à vous afin que vous ne nous fassiez pas honte à votre tour, il vous faut être aussi séduisant que nous !

Gloussant comme de toutes jeunes filles se préparant pour leur premier bal, elles partirent sur ces mots ne laissant pas le temps à la gent masculine de se proposer pour les accompagner. Une fois seuls, Franck et Livio se décidèrent à attendre leurs épouses en lisant. François quant à lui rejoignit sa chambre pour essayer de se reposer. Il s'allongea, mais ne trouva pas facilement le sommeil, toujours envahi par cette tristesse au fond de lui. Il fixait le mur et écoutait la respiration légère de Générosa dans son sommeil. Il continuait à se demander ce qu'elle avait pu faire de la rose. La seule chose dont il fut sûr c'est qu'elle ne l'avait pas détruite. Il entendit revenir ses sœurs et se rendre à l'étage avec leurs maris.

Carol frappa doucement à sa porte et avant qu'il l'invite à entrer, elle poussa la porte. Elle examina, surprise, le nouvel agencement de sa chambre. Le voyant éveillé, elle accrocha à la porte d'une des armoires la tenue qu'elles avaient achetée toutes les deux à son intention pour la nuit suivante. Elle lui sourit et alla l'embrasser. Se permettant de lire rapidement en lui pour confirmer son impression, elle vit combien il était malheureux. Ne pouvant laisser son jeune frère dans une telle détresse, elle s'assit sur le lit près de lui et dit :

- Cesse de te tourmenter ainsi ! L'amour fait mal, ce n'est pas nouveau… Soit patient et veille sur elle comme tu le fais depuis son entrée dans ta vie. Tu sais que tu peux me parler, petit frère ! Comment puis-je t'aider ?
- Tu ne peux pas. La seule qui peut quelque chose, c'est elle ! Et je ne peux rien lui dire, rien lui demander de ce genre pour le moment. Pourquoi elle, Carol ? Pourquoi suis-je revenu ? Pourquoi ne suis-je pas tombé fou d'amour de l'une des nombreuses Sanguisugas que j'ai pu croiser lors des mes voyages ? Pourquoi ce bébé, celui de ma sœur ? Un bébé à qui je ne peux même pas parler, c'est si dur… Je n'ai même pas eu la force de vous laisser partir seuls à Venise avec elle… C'est pourtant ce que j'aurais du faire, mais je n'ai pas pu… Je n'imagine pas m'éloigner d'elle…

Sa voix transpirait la souffrance. Il poursuivit, comme si une digue s'était brisée en lui… C'est la première fois qu'il pouvait parler de tout cela librement sans Livio dans les parages. Inconsciemment, il avait même mis sa bulle en place pour être seul avec sa sœur.

- Je sais que Livio se pose les mêmes questions, et peut-être même Domenica même si elle comprend, ne juge pas et fait même tout pour me faciliter les choses. Mais je n'ai aucune réponse, juste cette immense douleur dans la poitrine. Si tu pouvais imaginer à quel point j'envie Domenica de pouvoir pleurer… Cela me soulagerait peut-être un peu… Carol, tu l'as entendu ce soir, tu as vu comment elle m'a rejeté ! Je ne rêve que de l'embrasser et elle n'aspire qu'à me voir loin d'elle. Je me sens tellement idiot ! Je suis déjà jaloux de ceux qui porteront les yeux sur elle ! Je sais qu'elle est mienne, mais elle ne le sait pas encore ! Et...

sa voix s'éteignit, douloureuse. Le prenant contre elle, Carol le berça pour tenter d'apaiser sa peine et se mit à chanter une douce et triste complainte de sa voix douce et envoûtante. La complainte était celle préférée de Générosa et François la chérissait pour cette raison précise. Carol ne l'ignorait pas, il lui avait demandé de la lui apprendre lorsqu'il avait vu, lors des cours de chants qu'elle donnait à Générosa, à quel point cette dernière en raffolait. Elle eut une pensée rapide pour Franck et souriante sut qu'il comprendrait, il aimait François autant qu'elle. Elle commença à fredonner doucement :

Ja nus hom pris ne dira sa reson
Adroitement, s'ensi com dolans non ;
Mès par confort puet il fere chançon.
Moult ai d'amis, més povre sont li don ;
Honte en avront, se por ma reançon
Sui ces dewr yvers pris.

Ce sevent bien mi homme et mi baron,
Englois, Normant, Poitevin et Gascon,
Que je n'avoie si povre conpaignon,
Cui je laissasse por avoir en pnson.
Je nel di pas por nule retraçon,
Més encor sui ge pris.

Or sai je bien de voir certainement
Que mors ne pris n'a ami ne parent,
Quant hon me lait por or ne por argent.
Moult m'est de moi, més plus m'est de ma gent,

Qu'après ma mort avront reprochier grant,
Se longuement sui pris.

Ce sevent bien Angevin et Torain,
Cil bacheler qui or sont riche et sain,
Qu'enconbrez sui loing d'aus en autrui main.
Forment m'amoient, mes or ne m'aimment grain.
De beles armes sont ores vuit li plain,
Por tant que je sui pris.

Mes compaignons cui j'amoie et cui j'ain,
Ceus de Cahen et ceus de Percherain,
Ce di, chançon, qu'il ne sont pas certain ;
Qu'onques vers aus nen oi cuer faus ne vain.
S'il me guerroient, il font moult que viiain,
Tant con je serai pris.

Contesse suer, vostre pris souverain
Vos saut et gart cil a cui je me clain
Et por cui je sui pris.
Je ne di pas de celi de Chartain,
La mere Looys[1]

Le chant n'était pas terminé qu'il s'était endormi. Carol termina et regardant de nouveau la position du lit, l'installa un peu mieux dans le lit et le laissa seul pour rejoindre dans leur chambre Franck qui l'attendait patiemment. Il ne posa aucune question, la serrant seulement amoureusement contre lui.

Lorsque Générosa se réveilla, sa colère était intacte ! Même si les éclaircissements de François lui avaient permis de comprendre un peu mieux les choses, son père serait contraint de lui expliquer ce qui s'était passé lors de ses visites nocturnes et surtout pourquoi un tel manque de confiance en elle. Elle

167

descendit vivement les escaliers sans même prendre le temps de s'habiller. Elle s'arrêta sur le pas de la porte surprise, son père l'attendait seul. Elle hésita brièvement et finalement entra vivement dans la pièce en l'invectivant violemment sans même le saluer.

- Comment as-tu pu me laisser dans l'ignorance ?
- Bonjour, mon ange ! Lui dit d'une voix douce son père, mais faisant fi de son intervention elle continua à l'agresser.
- Maman a été très angoissée et tu es le seul responsable ! Je suis peut être comme un jeune enfant pour toi, mais je n'en suis pas moins une femme adulte et j'ai le droit de savoir quand ma vie est en jeu, quand je dois être prudente parce que tu connais un danger, quand… elle était tellement furieuse qu'elle cherchait ses mots et commença à pleurer de rage. Vous ne m'avez même pas appris ce qui peut nous tuer, alors comment me protéger si l'on me fait tant de secrets sur ce que je dois savoir ? Tu…
- Pardon ma chérie, l'interrompit-il en la prenant dans ses bras et la berçant doucement tout en sortant un mouchoir en dentelle de sa poche pour essuyer ses larmes, objet qu'ils avaient tous adopté depuis que Générosa était entrée dans leurs vies, tu as raison de m'en vouloir et j'aurais dût tout te dire sur les Anciens et sur ce qui t'attendait dans les premiers jours de notre arrivée à Venise. Je t'en supplie accorde-moi ton pardon mon ange, sa voix s'était faite implorante.

Entendant ces mots sa rage alla en gonflant et sa voix devint très dure :

- Non ! Ce serait trop facile, tu demandes que l'on soit indulgent avec toi et l'on doit s'exécuter ! Cela marche peut-être avec maman, mais je ne suis pas comme elle, aucun homme ne m'obligera jamais à accepter de fausses excuses et à… voyant son regard triste et implorant elle reprit plus gentiment : Papa… Je l'ai tant vu en tant qu'humaine ce genre d'attitude et je… Excuse-moi tu n'es pas comme les personnes de mon souvenir ! Évidemment que je te pardonne, mais je mets tout de même une condition, un engagement solennel, je veux que cela ne se reproduise plus jamais !

- Je te certifie mon cœur que je ne te cacherais plus rien si cela te concerne directement ! Je te promets aussi que nous t'apprendrons de quoi il te faudra te méfier pour te protéger de tous dangers potentiels. Il y a peu de choses qui peuvent nous tuer, mais les Anciens les connaissent tous et n'ont aucun scrupule à les utiliser quand il y a un problème parmi les nôtres à régler ou encore un Sanguisuga non reconnu à détruire. Recevoir leur bénédiction comme Sanguisuga est vital pour ta survie. Ma visite de la nuit dernière t'a donné cette bénédiction, mais tu dois maintenant être présenté officiellement et recevoir le baptême qui témoignera de ton entrée parmi la grande famille Sanguisuga et te donnera une protection parmi les nôtres. Et ensuite…

Il s'interrompit et observa, tenta d'anticiper sa réaction à ce qu'il allait lui dire :

- Ensuite, tu feras tes premiers pas dans le monde humain. Nous sommes conviés à une fête au palais du Doge qui se fait un plaisir de nous accueillir à Venise et de voir revivre notre palais. Il est très heureux d'être le premier à présenter notre famille au grand complet au Tout-Venise !
- Présentation ? Fête ?
- Oui chérie…
- Attends ! Je reprends, tu veux dire que ces Anciens dont vous me parlez tous depuis quelque temps et dont vous avez voulu me protéger hier demandent à me voir et que je vais donc les rencontrer ? Le baptême, c'est celui dont m'a parlé François, une bénédiction officielle ?

- Tout à fait ! François t'a bien expliqué. Tu dois recevoir la bénédiction des cinq Anciens de façon solennelle, l'équivalent d'un baptême chez les humains, un baptême Sanguisuga qui te fera reconnaître comme telle et te protègera parmi les nôtres.

- Et donc tu dis que j'irais ensuite dans le grand monde parmi ceux qui n'avaient jusqu'ici aucun regard pour moi, voire même du mépris, du dédain ?

- Encore une fois, tout à fait vrai. N'oublie pas que tu es désormais ma fille et une femme merveilleusement belle ! Et du mépris ou du dédain personne ne pourra jamais plus en avoir pour toi ! Tu es la digne fille de ta mère et ma fierté personnelle ! Je défie quiconque d'oser me dire le contraire de tout ce que je viens d'énoncer !

- Oh merci papa pour tout ce que tu viens de me dire ! Elle se fit mutine : cela m'oblige donc à te pardonner totalement et à ne t'en tenir aucune rancune

Il éclata de rire, rejoint par son rire cristallin à elle. Il la serra fort dans ses bras, bien plus fier encore qu'il ne le lui avait dit. Être le père de cette formidable créature et en clamer la paternité aux yeux du monde entier étaient un honneur qu'elle ne pouvait soupçonner. Oui, tout ce qu'il lui avait dit, il en pensait chaque mot et bien plus encore, tout comme Domenica qui arriva à ce moment-là et lui fit un clin d'œil, heureuse de les voir dans les bras l'un de l'autre.

- À ce que je vois, vous voilà réconciliés, dit-elle en entrant dans la pièce suivie de près par Carol et Franck tout souriants.

Générosa les soupçonna d'avoir suivi toute la conversation tapis dans le couloir et d'avoir attendu le bon moment pour s'introduire.

- J'ai craint un moment en entendant Générosa te hurler dessus que Franck doive s'interposer pour vous séparer.

En disant cela, Domenica avait un large sourire.

- Je suis intimement convaincu que nous ne pourrions rester en colère l'un contre l'autre très longtemps. Mais… il y a une chose à ne pas oublier… C'est une Sicilienne et en cela elle n'a rien à envier à sa Portugaise de mère… Vous avez toutes deux un caractère qu'il vaut mieux ne pas contrarier, conclut-il haussant les yeux vers le ciel d'un air comique.
- Vous regretterez ces paroles, mon ami. Pour le moment, je dois m'occuper de notre fille, mais… tu ne perds rien pour attendre ! Je te ferais ravaler ces paroles et ton sourire moqueur ! Ce n'est pas une menace, mais une promesse…

Livio éclata de rire. L'ignorant superbement, Domenica le sépara de leur fille et reprit :

- Ma chérie, Carol et moi t'avons acheté ce matin une robe magnifique. Viens dans ma chambre. Et vous messieurs prenez garde ne vous avisez pas de venir nous déranger. Et je ne plaisante pas une seule seconde en disant cela ! Ajouta-t-elle pointant un doigt menaçant vers eux.

Elles filèrent toutes les trois dans la chambre de Livio et Domenica. Sur le lit, trois robes plus belles les unes que les autres étaient étendues. L'une jaune, une autre verte et une dernière lavande. Sa mère et sa tante avaient l'air toutes excitées :

- Choisis, mon cœur ! Nous avons acheté l'une de ces robes en pensant à toi. Nous sommes certaines de ne pas nous être trompées sur la tenue que tu vas choisir.

Sans hésiter, elle désigna la robe jaune. Elle vit sa mère et sa tante ravies.

- Nous ne nous sommes pas du tout trompées ! Fit Carol joyeusement.
- Je ne dis pas que les autres robes ne me plaisent pas, se défendit Générosa.
- Nous le savons, chérie. Prends la robe, nous te faisons confiance pour le maquillage... Ce n'est pas un piège ! Ajouta Domenica voyant sa fille inquiète et méfiante. Nous souhaitons juste constater si nos leçons ont été suffisantes pour que tu te maquilles seule ou s'il y a besoin que nous t'en apprenions davantage. Si cela te pose un quelconque problème, appelle et nous arriverons de suite !

Générosa se retrouva poussée sur le palier, hors de la chambre de sa mère avec la robe dans les bras. Elle prit alors conscience qu'elle était toujours en tenue de nuit et se précipita dans sa chambre pour se préparer. Une fois là, elle prit son temps pour faire sa toilette, se coiffer et se maquiller. Après un ultime coup d'œil au miroir, elle fut convaincue d'être présentable et assez fière du résultat. Elle descendit rejoindre sa famille. Sa mère et sa tante étaient ravissantes. Sa mère portait la robe lavande et sa tante la verte. Son père se dirigea vers elle et la complimenta sur sa beauté. Sa mère lui fit signe que son maquillage était parfait, approuvée par un signe de tête de Carol. Son père ouvrit alors un coffret contenant une parure magnifique malgré sa simplicité. Il l'en para tandis que Carol avisa qu'elle allait voir où en était François de ses préparatifs, inquiète de ne pas le voir déjà parmi eux.

François fut réveillé par un coup à la porte. Son premier réflexe fut d'écouter dans la chambre de Générosa, mais ne l'entendant pas, il se réveilla totalement. Un autre coup se fit entendre à la porte.

- Oui ?
- François ! Il reconnut la voix de Carol, tu envisages de te joindre à nous pour aller chez les Anciens ou tu nous rejoins directement chez le Doge ?
- Je me lève, je suis en bas d'ici quelques minutes, ne partez surtout pas sans moi ! Il est hors de question que je ne sois pas avec vous tous chez les Anciens. Nous sommes une famille unie !
- C'est bien ce que je me disais ! C'est pour cela que je me suis permis de venir frapper à ta porte.
- Merci sœurette. Je peux toujours compter sur toi !

L'entendant redescendre, il se prépara rapidement revêtant la tenue que sa sœur avait accrochée dans sa chambre la nuit précédente. Il soigna sa tenue, car comme Carol venait de lui rappeler, ils étaient attendus chez les Anciens, mais aussi à la soirée du Doge. Il était reconnaissant à Carol de l'avoir réveillé, il n'avait pas envisagé une seule minute qu'elle put être présentée aux Anciens sans lui à ses côtés. Elle serait présentée comme membre de leur famille, mais elle était sienne et cela aussi les Anciens devaient le savoir !

Prêt, coiffé et parfumé, il les rejoignit tous dans le hall. Il salua tout le monde et constata tristement que Générosa ne répondit pas à son salut et même l'ignora totalement. Cela le blessa tout autant que les mots qu'elle avait prononcés la veille. Mais si cela avait été possible, il aurait eu le souffle coupé en la voyant. Elle portait une robe d'une couleur jaune paille qui se mariait très bien avec ses longs cheveux corbeau coiffés en hauteur de manière à dégager sa nuque, mais on pouvait aussi remarquer que quelques mèches s'échappaient de façon séduisante et attirante. Il entrevit très vite que ses sœurs étaient aussi très ravissantes, mais son regard revenait inexorablement vers Générosa. Il n'avait d'yeux que pour elle. Il y avait un joli sautoir en or suspendu à son cou assorti de jolies boucles d'oreilles pendantes et complétées d'un bracelet tout aussi séduisant, le tout avec des maillons filigranés. Seules ses mains étaient nues de tous bijoux comme il convenait à une jeune fille du monde. Il reconnut des bijoux de la famille de Livio et se fit la réflexion qu'il aurait aimé lui aussi avoir le droit de la couvrir des bijoux hérités de sa famille humaine... Un jour cela arriverait, il avait hâte ! Il lui glisserait des bagues aux doigts, dont la plus importante, celle qui ferait d'elle sa femme aux yeux de tous ! Il se secoua... Tout cela il ne le vit qu'en quelques secondes. Elle était déjà en train de mettre son domino et remonter la capuche sur sa tête.

Ils prirent une gondole que Franck dirigea seul vers un quartier sombre, s'éloignant des bruits de la fête. Générosa regardait autour d'elle pleine de curiosité. Les structures des demeures étaient si différentes de celles de Palerme tout comme les odeurs qui chatouillaient ses narines. Cette rencontre avec les Anciens et cette première soirée en public la rendaient nerveuse. La nuit qui se préparait allait être riche en émotions. François tenta de lui prendre la main, mais elle la lui retira hâtivement. Elle le vit serrer le poing et sentit qu'elle lui faisait de la peine, mais s'en moquait totalement. Pour le moment, elle était tendue vers son avenir immédiat. De plus, elle se devait de rester fidèle à la promesse qu'elle s'était faite à elle-même de s'éloigner de François pour se protéger.

Ils finirent par aborder près d'un palais où deux hommes, vêtus totalement de noir, les accueillirent. Ils aidèrent les femmes à mettre pied à terre et les firent entrer sans un seul mot prononcé d'un côté ou de l'autre. On les fit patienter dans une pièce immense. Le plafond très haut était recouvert d'une peinture magnifique représentant une immense prairie où des humains étaient étendus étroitement enlacés et en extase. Mais pour un public averti qui y regarderait de plus près, la peinture prendrait une autre dimension. Le spectateur se rendrait vite compte que ce ne sont pas des humains en extase, mais des Sanguisugas en train de se nourrir. Les tentures d'un rouge sombre, les meubles splendides d'un beau bois sculpté, tout paraissait vivant et engendrait émerveillement et angoisse. François tenta une fois de plus de prendre la main de Générosa afin de lui insuffler du courage et elle se laissa faire, paralysée qu'elle était par l'endroit. François fut heureux de ce moment d'intimité volé et de sentir Générosa se détendre doucement. Livio avait lui aussi senti l'angoisse de Générosa et voyant François se saisir de sa main prit sa fille par la taille et l'attira à lui, pensant obliger François à lâcher prise, mais ce dernier tint bon. Cela sortit Générosa de sa torpeur, elle s'éloigna de l'un et l'autre d'un mouvement vif et se rapprocha de sa mère. Ils se tournèrent tous vers la porte entendant un bruit de pas se dirigeant vers eux. Un groupe de cinq hommes entra, ils semblaient tous avoir l'âge approximatif de François et pourtant à y regarder de près on pouvait constater qu'ils avaient vécu beaucoup plus de choses que toute la famille réunie.

- Voilà donc notre nouvelle venue dans la grande famille des Sanguisugas. Je parle en mon nom et en celui de mes frères pour te dire que nous sommes ravis de t'accueillir parmi nous jeune fille !
- Générosa ma fille, présenta Livio, vous vous souvenez de mon épouse Domenica, ma belle-sœur et mon beau-frère venant d'Angleterre Carol et Franck Philips et mon jeune beau-frère français François. Ma chérie, et il l'a poussa doucement en avant, je te présente le Conseil des Anciens. Il les désigna les uns après les autres : Libero, Giovanni, Svelto, Teobaldo et Cristofero Mantegna.

175

Ils s'inclinèrent doucement chacun leur tour à l'énoncé de leur prénom. Libero reprit la parole.

- Nous te souhaitons de tout cœur la bienvenue parmi les Sanguisugas, sache que tu n'as rien à redouter de nous ni d'aucun Sanguisuga où que tu te trouves sur cette terre. Ce jour est ta naissance officielle parmi les nôtres. Surtout que tu es bien chanceuse...

Il s'interrompit en voyant un geste de Livio. Il le regarda interrogatif et finalement compréhensif acheva sa phrase par :

- Tu es bien chanceuse d'être membre de cette famille. Ils t'apprendront tout ce que tu dois savoir en tant qu'individu et en tant que Sanguisuga. À très bientôt Générosa.

Il s'approcha d'elle et l'embrassa délicatement sur les lèvres. Cela n'avait rien de malsain, un baiser très doux et chaste, mais qui la tétanisa. Chacun des Anciens l'embrassa de cette manière et esquissant une légère révérence ils quittèrent la pièce sans un mot de plus. Sous le choc, Générosa resta silencieuse un long moment. Son père s'approcha et elle l'entendit lui expliquer au milieu d'un brouillard que c'était un rite, une sorte de bénédiction, le baptême Sanguisuga. Elle se sentit tirer vers l'extérieur et ne sortit de sa torpeur qu'au moment où les bruits, les odeurs des canaux et de la ville l'envahirent. Elle réalisa alors qu'elle se trouvait dans les bras de François et qu'il caressait tendrement ses bras. Elle se dégagea de son étreinte bredouillant qu'elle se sentait bien et sentant de nouveau violemment le chagrin l'envahir comprit que cela venait de François. Elle ne comprenait toujours pas pourquoi elle le ressentait en elle, il n'était pas son géniteur ! Elle regarda autour d'elle, vit les lumières des lampions, les couples courants le long de l'eau, d'autres dans des coins renfoncés en train de se faire une cour empressée. Arrivés au palais du Doge, son père devança François et l'aida à prendre pied sur la terre ferme. Les couples se formèrent, François prenant le coude de Générosa et ils montèrent tous les marches vers l'intérieur du palais.

Livio présenta sa famille au Doge et sa femme, deux personnes d'un âge certain avec des visages très doux respirant la gentillesse. Ils les accueillirent chaleureusement. Livio se pencha légèrement en avant pour les saluer tous deux.

- Signora, Signore[23], j'ai l'honneur de vous présenter mon épouse Domenica, ma fille Générosa avec à son bras le frère adoptif de mon épouse, François qui est d'origine française, la sœur adoptive de mon épouse et son conjoint, Carol et Franck Philips, tous deux originaires de la vieille Angleterre. Comme vous pouvez le constater, mon beau-père était très prodigue en amour et suite au décès de son épouse n'a pas voulu laisser Domenica seule !

Les femmes firent une révérence tandis que les hommes imitaient Livio en se penchant légèrement en avant. Le Doge prit la parole :

- Je vois cela, ce doit être un homme formidable. Je nous présente donc à mon tour, Domenico Contarini[24] et mon épouse Paolina[25]. Nous sommes ravis de vous recevoir dans notre demeure et que votre arrivée à Venise soit connue et officialisée en cette soirée ! Nous vous souhaitons une d'excellentes

---

[23] *Madame, Monsieur, en italien.*

[24] *Doge de 1659 à 1674. Né le 28 janvier 1581 (d'autres disent 1585) et décédé le 26 janvier 1675. 104e doge de Venise. Il est le second de sa famille à accéder à ce poste. Il épouse Paolina Tron, en 1607. Il aura 6 enfants. 1 fils Giulio et 5 filles (dont 2 épouseront la religion). Il est enterré dans le tombeau de la famille des Contarini dans l'église de San Benedetto.*

[25] *Au moment où se déroule l'histoire, son épouse est en fait déjà décédée depuis de nombreuses années, bien avant l'accession au poste de Doge de son mari.*

réjouissances et espérons avoir le plaisir de vous garder à Venise pendant une longue période.

- C'est en effet notre désir. Nous prévoyons de rester à Venise quelques années et de faire ainsi connaissance avec la ville et la région où nos familles ont vécu si longtemps, répondit Livio.
- Nous sommes ravis de l'apprendre et espérons vous rencontrer très souvent. Je profite donc de ce moment et de cette nouvelle, ainsi que de vous voir tous trois ensembles, messieurs, pour vous inviter à me rendre visite à votre convenance la semaine prochaine afin que nous puissions discuter de votre avenir et implication dans notre communauté si vous le permettez et si vous le souhaitez bien entendu. N'y voyez aucune obligation !
- Avec grand plaisir, nous ne manquerons pas d'honorer cette invitation, intervint Franck.
- Merci, messieurs. Je ne vais pas vous retenir plus longtemps. Mon épouse et moi vous souhaitons une fois de plus de passer une très bonne soirée. Amusez-vous et profitez bien de cette soirée, mademoiselle, mesdames, messieurs !

Ils s'inclinèrent tous de nouveau et posèrent leurs manteaux dans une pièce où quelques femmes de chambre prenaient soin de poser les vêtements de façon à ne pas les abimer et à se souvenir qui en étaient les propriétaires. Ce qui ne devait pas être aisés, en cette période de fêtes tous les vêtements se ressemblaient ! Ils se mêlèrent alors à la foule déjà nombreuse.

Générosa regardait, effarée, toutes ces personnes. Il y a bien longtemps qu'elle n'avait pas été mêlée à des humains. En réfléchissant bien, elle se rendit compte qu'elle n'avait jamais été confrontée à autant de personnes à la fois, même lorsqu'elle était encore l'une des leurs, une humaine... Constatant que leur famille ne passait pas inaperçue, elle se sentit légèrement mal à l'aise. En effet, chaque convive les dévisageait avec plus ou moins de discrétion. Elle vit aussi que sa famille se sentait très à l'aise et ne paraissait pas être dérangée par le fait d'être le point de mire de tout le monde, ce qui n'était pas son cas, elle détestait cela et s'accrocha encore plus fermement au bras de François. Soudain, alors qu'elle admirait la pièce pour se donner une contenance, elle se sentit tirée brusquement sur le côté. Elle serait tombée si François instinctivement ne l'avait lâchée pour l'attraper par la taille. C'était sa faute si elle avait failli chuter, elle allait le lui faire remarquer sèchement, mais vit qu'il avait été pris à parti par une femme masquée, souriante lui murmurant des choses qu'elle ne voulait pas entendre. La femme réussit à faire lâcher à François la taille de Générosa et à l'entraîner loin d'eux tous sous prétexte de danser. Il lui lança un regard dépité et murmura pour elle seule :

- Je suis désolée, mon ange, j'aurais préféré danser et rester toute la soirée avec toi seule, elle ne me laisse pas le choix... pardonne-moi...
- Ne t'inquiète pas et amuse-toi bien. Elle danse sans aucun doute bien mieux que moi et cela te fera une connaissance à Venise, répondit-elle sur le même ton, ses lèvres bougeant à peine.

En fait, elle était soulagée. Depuis leur arrivée, elle s'était accrochée à lui comme à une bouée de sauvetage, sentant sa bonne résolution de le garder à distance d'elle fondre comme neige au soleil. La gentillesse et les attentions qu'il lui portait la rassuraient et lui donnaient envie d'être toujours protégé par lui ainsi ! Cette séparation soudaine lui rendit sa raison, lui criant que cela ne se pouvait, ni ne devait être. Cette femme la sauvait de toutes ces sensations et des doutes qui s'immisçaient en elle.

Un homme très séduisant apparut à ses côtés comme par magie, comme s'il n'attendait que cette occasion pour l'aborder. Il s'inclina poliment devant elle et l'invita à danser. Il n'était pas masqué et très bien fait de sa personne. Son père se trouvait juste dans son dos et lui chuchota à l'oreille :

- Il nous faut, comme tu viens de le dire à François, faire des connaissances, nous intégrer... Cet homme est très séduisant et m'a tout l'air d'être captivé par tes charmes !

Disant cela il fixait François sachant pertinemment que ce dernier écoutait. Il sut qu'il avait fait mouche, en constatant une crispation de la mâchoire que François n'avait pas pu maîtriser. Générosa ne le vit pas, son regard rivé sur l'homme. Son père ajouta :

- Amuse-toi ma chérie, ne doute pas de tes capacités, tu es une excellente danseuse.

Il s'éloigna Domenica à son bras rejoignant Franck et Carol qui dansaient déjà. Au vu de son peu de réactions et de son attention qui semblait fixée ailleurs, l'homme crut qu'elle n'avait pas entendu son invitation et la réitéra. Elle se décida alors à suivre le conseil de son père et accepta volontiers. Elle se fit la réflexion, qu'elle ne craignait rien au milieu de cette foule ! L'homme ne la laissait pas indifférente, il était comme son père l'avait dit très séduisant et de plus galant et charmant. Il était aussi excellent danseur et elle prit beaucoup de plaisir à être en sa compagnie. Cela se manifesta par ses rires et son enthousiasme à la danse. Au bout de la deuxième danse, elle tenta d'éconduire son chevalier servant ne souhaitant pas le monopoliser et dit :

- Je devrais tenter de rejoindre mes parents, monsieur...

- Ils ne doivent pas être bien loin, mais il y a foule ce soir et je doute que vous réussissiez à les trouver seule. Puis-je vous proposer mon aide ?

L'homme lui tenait le coude. Il ne souhaitait pas la laisser s'éloigner de lui, cela se voyait autant que cela s'entendait. Générosa se fit la réflexion, qu'on aurait pu croire qu'il craignait qu'un autre homme ne l'accapare, lui faisant perdre ses chances d'être près d'elle et de lui tenir compagnie. Elle se trouva stupide d'avoir de telles pensées, il ne la connaissait pas ! Elle ne se voyait pas le rabrouer alors qu'il était si aimable et gentil et lui répondit :

- Je vous en prie… Votre assistance me sera précieuse.

Il avait dû cependant lire dans ses yeux l'inquiétude et le doute qu'elle avait eu pendant une seconde, car il poursuivit sur un ton léger :

- Je viens de me rendre compte que j'ai manqué à la plus élémentaire des politesses ! Laissez-moi me présenter. Comte[26] Lorenzo Gabrieli, à votre service, gente demoiselle. Je fais partie de cette cour, je suis issu comme votre père de l'une des plus anciennes familles de Venise. Enfin, comme vous donc… Il se mit à bredouiller rougissant : je ne voulais pas dire que… je suis contrit ! Je ne suis pas un très bon compagnon… Vous allez me prendre pour le dernier des crétins… Cela me désole à un point que vous ne pouvez imaginer… Décidément…
- Ne vous inquiétez pas, Monsieur le Comte ! Je ne doute pas que mon identité soit connue de toute l'assemblée ici présente. N'ayez crainte, je trouve votre compagnie très agréable et je

---

[26] *Les aristocrates vénitiens sont désignés par les titres de sier ou messier, ils n'ont pas de titres féodaux contrairement à la majorité de la noblesse européenne (Marquis, Comte, Duc). Seuls les aristocrates, propriétaires de terre en dehors de Venise possédaient un titre.*

dirais que vous avez entièrement raison, ce sont les origines de mon père avant d'être les miennes !

Elle appuya cette déclaration d'un sourire éblouissant, souhaitant le mettre à son aise.

- Je ne suis absolument pas froissée par vos propos. Je vais me présenter comme vous venez de le faire, ainsi la bienséance sera sauve. Générosa Baldi della Julienus !

Ne se départissant pas de son sourire, elle fit une petite révérence tout en ôtant son domino, c'est la première fois qu'elle se présentait sous son nouveau nom et cela lui parut bizarre, mais, lui fit aussi très plaisir. Instinctivement, elle savait qu'elle ne courait aucun danger avec cet homme et qu'il serait dans sa nouvelle vie vénitienne un allié à ne pas mésestimer autant pour elle que pour toute la famille.

- Ravi de faire votre connaissance, Signorina[27]. Merci de votre générosité, je dois vous avouer que je suis fier d'avoir une femme d'une telle beauté et avec une telle fraîcheur d'esprit à mon bras. Nous faisons des envieux à n'en pas douter et cela n'est pas pour me déplaire !

Il avait un sourire complice en disant ces mots ce qui fit rire Générosa et retourner de surprise les convives les plus proches d'eux.

- Je ne vois vos parents nulle part, accepteriez-vous une petite promenade dans les jardins, ils sont magnifiques. Ils s'y sont peut-être rendus d'ailleurs.

---

[27] *Mademoiselle en italien*

- Avec grand plaisir ! J'aime les jardins et un peu d'air frais ne me fera pas de mal.

Ils allèrent prendre leurs manteaux et visitèrent les jardins, le Comte n'avait pas menti, ils étaient magnifiques et les serres très odorantes. Cette intimité lors de cette promenade fut plus difficile à gérer qu'elle ne l'imaginait. Le sang du Comte l'appelait et elle devinait qu'il serait tout à fait à son goût. Mais elle ne se sentait pas prête à se nourrir sur lui, peut-être un jour, mais pas ce soir. Cet homme l'attirait, l'intriguait, la fascinait. Elle était surprise par toutes ces sensations qui l'envahissaient et perturbaient l'équilibre intérieur qu'elle avait réussi à établir depuis sa mutation en Sanguisuga. En revenant de leur promenade, elle croisa François qui s'amusait et riait. Il était toujours en compagnie de sa nouvelle amie et d'autres personnes qui gravitaient autour de la belle et parmi lesquelles il semblait très à l'aise. Cela augmenta son trouble et la rendit furieuse. Croisant son regard elle tenta de lui cacher les émotions qui l'avaient envahie et la dérangeaient. Elle lut dans son regard autant qu'elle le sentit, qu'il était furibond de la voir sans son domino et toujours en compagnie du Comte. Détournant le regard elle haussa les épaules et l'ignora. Serrant le bras de son cavalier, elle le suivit. Ils reposèrent leurs manteaux et Lorenzo tenta de l'entraîner dans la salle principale, disant avec un large sourire :

- J'aimerais vous présenter à quelques-uns de mes amis présents ce soir. Ils m'en voudront si je ne les laisse pas vous approcher pour pouvoir se vanter après d'avoir parlé à l'une des plus belles femmes de Venise, héritière de l'une des plus grosses et anciennes fortunes vénitiennes ! Ceci dit sans vouloir vous offenser…

La faim la tenaillait toujours et de plus en plus vivement. Elle craignait de commettre un impair aussi voyant une femme se toucher légèrement les cheveux et fouiller dans son réticule, elle eut une idée et dit en riant doucement :

- Il n'y a pas d'offense, je vous assure. Je suis plutôt flattée par ces paroles et serais ravie de les rencontrer, mais je… Pourriez-vous me laisser un petit moment pour me rafraîchir ? Et si possible m'indiquer où je peux le faire…
- Bien entendu, j'aurais dû y penser et vous le proposer moi-même. C'est la seconde porte en face de nous. Il la retint par la manche et ajouta : veuillez me pardonner ! J'ai si peu l'habitude de tenir compagnie à une demoiselle que j'en oublie les plus élémentaires des politesses ainsi que les besoins que vous pourriez avoir...
- Merci et cessez donc de vous excuser tout le temps, vous n'avez rien à vous reprocher ! Mes parents m'ont donné une éducation et une langue, je sais donc demander quand j'ai besoin de quelque chose, comme maintenant. Je ne connais pas encore la demeure et j'aurais le même souci dans d'autres soirées. Alors, s'il vous plaît soyez plus indulgent avec vous-même et laissez-moi quelques minutes. Mais ne restez pas à m'attendre, je vous rejoindrais dans la grande salle, je ne devrais avoir aucun mal à vous retrouver.

Elle lui fit un sourire gracieux et s'éloigna. Troublée, elle l'entendit murmurer pour lui-même ne pouvant se douter qu'elle l'entendrait distinctement *« Ne tardez pas trop à revenir, je sens que vous m'êtes déjà indispensable »*. Elle entra dans le salon féminin servant à se repoudrer, et fut bien aise d'y découvrir une jeune femme seule, elle l'avait secrètement espéré en demandant un peu d'intimités au Comte. Et au regard avenant de la jeune personne, elle comprit que celle-ci était enchantée d'avoir de la compagnie.

- Bonsoir Mademoiselle !
- Mademoiselle ! Répondit-elle avec un léger hochement de tête. Je suis ravie de vous rencontrer. Puis-je me permettre de vous demander si vous faites partie de cette famille qui vient de s'installer à Venise dans leur demeure familiale ?
- Oui tout à fait. Mon père m'a raconté que la villa est dans sa famille depuis plusieurs générations déjà. Je me présente, Générosa Baldi della Julienus.
- Enchantée. Je suis Giuliana Rizzo... Quelle joie de savoir que ce palais va revivre, il est si joli ! C'était triste de le voir inhabité. De plus, nous serons bientôt voisins ! Nous allons vivre non loin de vous quand nous serons mariés, la famille de Raffaele, c'est mon fiancé il s'appelle Raffaele Moretti, sa famille possède une villa dont ils vont nous faire présent pour notre mariage. C'est une villa magnifique et nous pourrons y accueillir une famille nombreuse.

Cette dernière était en mal de confidences et parlait sans s'arrêter, ce qui fit l'affaire de Générosa. Se mettant devant un miroir elle remit quelques mèches de ses cheveux et la laissa converser à son aise.

- Mon fiancé m'attend à l'extérieur si vous saviez, il est si gentil. J'ai une chance folle de l'avoir comme fiancé. Nous allons nous marier très prochainement. Je suis folle de cet homme depuis notre plus jeune âge, nos parents étaient les meilleurs amis du monde et j'ai l'impression que j'ai toujours été amoureuse de lui. Je suis terriblement impatiente d'être sa femme et la mère de ses enfants.
- Vous êtes bien chanceuse. Il est rare de rencontrer le vrai amour et...

Elle la fixa dans les yeux, en prenant soin d'écouter si quelqu'un arrivait. Lui prenant la main elle reprit :

- Vous avez l'air d'être une personne très aimable, généreuse et de surcroit vous aimez votre fiancé énormément. Votre futur époux est très chanceux de vous avoir dans sa vie. Mais je suis intriguée, à quoi ressemble-t-il ? Fermez les yeux, décrivez-le-moi ! Ne pensez qu'à lui je serais sûre ainsi que votre description sera le plus fidèle possible !

La jeune femme se mit à parler pendant que Générosa se penchait vers elle et la mordit délicatement puis se mit à boire rapidement, l'oreille toujours attentive. La femme ne se rendit compte de rien, continuant à parler. Générosa cessa de boire et se redressant l'interrompit gentiment :

- Je vous envie, vous avez une chance extraordinaire et vous devriez le rejoindre. On ne laisse pas un homme comme celui que vous me décrivez seul au milieu d'une telle foule !

Songeant à la compagne de François, elle ajouta en se murmurant pour elle-même :

- Surtout quand on voit la moitié de ces femelles enragées à la vue d'un homme !

Puis se penchant à l'oreille de sa nouvelle amie, elle lui ordonna :

- Rejoignez-le, souvenez-vous seulement du moment agréable que nous venons de passer ensemble et de la conversation que nous venons d'avoir sur notre futur voisinage et votre mariage. Offrez-moi de rencontrer votre promis !

Suspendue au souffle de la jeune fille, elle se redressa pour vérifier si son effacement était réussi.

- Voulez-vous m'attendre, que nous sortions d'ici ensemble ? Je finis de me repoudrer rapidement et j'aimerais vous présenter mon fiancé, voulez-vous ?
- Ce serait un véritable honneur ! Je serais enchantée de faire la connaissance d'un homme aussi merveilleux. Il est si rare d'en rencontrer.

La jeune femme se frotta le cou machinalement et en se repoudrant finit de couvrir la petite trace laissée que seul un œil averti pouvait voir. Elles se levèrent à l'unisson et sortirent ensemble. Générosa vit le Comte qui l'attendait patiemment un peu en retrait non loin dudit fiancé. Il était resté... Elle ne comprenait pas qu'un tel homme soit seul dans ce genre de soirée, ni même qu'il soit toujours célibataire... ses réflexions sur son inaptitude à ne pas devancer les désirs d'une jeune femme la laissaient songeuse... Sa compagne lui présenta son fiancé, un peu plus réservé, mais tout aussi chaleureux qu'elle. Il fut heureux de faire connaissance avec une future voisine. Apercevant ses parents elle leur fit un léger signe et en profita pour laisser les tourtereaux, dont elle n'avait à sa grande honte pas retenu le nom. Mais elle ne doutait pas qu'elle aurait l'occasion de les rencontrer de nouveau lors des diverses soirées de Venise et même si elle n'avait pas retenu leurs noms elle savait qu'elle serait contente de les rencontrer de nouveau. Son repas avait été succulent et... comment pouvait-elle tenir un tel discours... Non ! Ce n'était pas possible, elle serait heureuse de les revoir parce que malgré son babillage elle avait senti la gentillesse et une amitié possible avec ce jeune couple. Oui voilà la raison, la bonne raison ! Et elle savait qu'elle ne se mentait pas ! De plus, comme la jeune femme l'avait souligné, ils allaient être voisins...

Toute à ses réflexions elle avançait sans regarder autour d'elle et avant qu'elle ait pu rejoindre ses parents, le Comte l'avait intercepté.

- Je suis navrée d'avoir mis autant de temps, cette jeune femme tenait absolument à me présenter son fiancé. Puis j'ai aperçu mes parents... Vous n'auriez pas dû m'attendre je vous avais conseillé de rejoindre vos amis, vilain garçon ! Lui dit-elle malicieuse en tapant légèrement son avant-bras, ce qui fit éclater de rire le Comte.
- Je suis un peu têtu, il est vrai, ma pauvre maman me le répétait sans cesse ! Mais ne vous tourmentez pas, c'est un véritable honneur et surtout un plaisir de vous attendre. Mes amis, je peux les voir où et quand je veux alors que vous... et ils sont mes amis et non pas des relations impersonnelles. Je sais donc qu'ils ne m'en voudront pas d'avoir attendu une femme telle que vous ! J'espère que vous ne quitterez pas Venise trop vite...
- Vous êtes un vrai flatteur, Monsieur le Comte, lui dit-elle espiègle, mais ressentant un bien-être exquis à son compliment. Seraient-ils furieux si nous prenions encore un peu de temps, juste le temps que je vous présente mes parents ?
- Je serais enchanté d'être présenté à votre famille afin de leur souhaiter la bienvenue à Venise et leur dire à quel point leur fille est délicieuse et charmante...

Cette réflexion mit mal à l'aise Générosa, car elle était pleine d'un sous-entendu qui la dérangeait sans qu'elle sache exactement pourquoi. Cependant, une fois de plus son propos l'avait touché au plus profond d'elle-même. Elle se dirigea vers ses parents, alors que le Comte ne lâchait pas son bras. Il agissait sensiblement comme François et elle se surprit à les comparer. Elle ne put aller au bout de sa réflexion, ses parents étant venus à sa rencontre.

- Papa ! Maman ! Laissez-moi vous présenter mon cavalier le Comte Lorenzo Gabrieli ! Comte, mes parents le Marquis et la Marquise Livio et Domenica Baldi della Julienus.

Son père souriant lui susurra à l'oreille :

- Je me souviens de la naissance de ce jeune Comte. Son père fou de joie d'avoir un héritier mâle avait donné une grande fête. Tel que tu le vois là, il avait à l'époque des joues toutes rondes et roses. Ses petites fesses étaient identiques à ces joues...

En entendant cela, Générosa faillit éclater de rire et se donna une contenance en triturant les cheveux qui s'échappaient de sa coiffure tout en cherchant du regard Carol et Franck. Elle ne vit pas François les rejoindre et sursauta quand elle entendit sa voix :

- Je tenais à vous présenter ma compagne, la Marquise Fiorellina Razetta. Marquise voici une partie de ma famille, ma sœur et son époux le Marquis Livio Baldi della Julienus et leur fille Générosa.

Il murmura très bas, se tenant derrière cette dernière et se touchant le nez délicatement afin qu'on ne le vit pas murmurer juste pour les oreilles de sa famille. Un simple mortel ne pouvait l'entendre et son geste était parfaitement inutile, ses lèvres remuant à peine et son débit extrêmement rapide :

- Elle est veuve et a vingt-cinq ans. Elle est issue de l'aristocratie vénitienne, son mari, un Marquis du Piémont, est mort il y a deux ans et a fait d'elle une très riche héritière, après son décès elle est revenue vivre ici à Venise. Selon ce que j'ai pu voir et comprendre, elle est très courtisée.

La femme regarda d'un air mauvais Générosa, qui ne la connaissant pas se demanda pourquoi. Elle se dit que cette femelle avait tenté de séduire le Comte sans succès et était donc furieuse qu'elle soit à son bras alors qu'elle avait échoué à y être elle-même. Elle ne voyait pas d'autres raisons à cette animosité. Elle entendit comme dans un brouillard le Comte demander l'autorisation à Livio de présenter Générosa à quelques amis et de continuer à la faire danser. Elle vit celui-ci lui donner son accord avec grand plaisir. Elle suivit son cavalier sans résistance. Épuisée, elle s'excusa auprès du Comte quand elle entendit sonner les trois heures du matin, elle était impatiente de rejoindre son lit. Le comte l'avait présenté à des personnes très influentes de la haute société vénitienne et ne l'avait pas quitté un seul instant. Sa soirée avait été enrichissante et pleine de surprises. Elle tenta de prendre congé du Comte, mais celui-ci ne voulut pas la quitter tant qu'il ne la savait pas en sécurité avec sa famille et dans la gondole. Trouvant son père, elle lui expliqua son désir de rentrer. Il n'était quant à lui pas impatient de rentrer et fut heureux de voir Carol et Franck se proposer de la raccompagner. Carol était fatiguée et souhaitait se détendre un peu à la maison avec un bon livre. Domenica embrassa tendrement sa fille et remercia sa sœur et son frère de prendre soin d'elle.

Le Comte l'aida à remettre son manteau et l'accompagna jusqu'à la gondole. En descendant les escaliers, il tenta de lui arracher la promesse de venir avec sa famille à la soirée qu'il donnait lui-même en son palace le surlendemain. Elle promit de transmettre l'invitation au reste de sa famille et de tout faire pour les convaincre d'être présents. Satisfait, il lui baisa la main et l'aida à monter dans la gondole que Franck s'apprêtait à diriger pour rentrer. Il était resté avec elle jusqu'à la dernière minute regardant l'embarcation s'éloigner. Elle le vit remonter doucement les marches pour rejoindre l'intérieur du palace du Doge. Elle resta rêveuse tout le long du chemin, cette nuit avait été magique, étrange, surprenante. Franck et Carol la laissèrent tranquille et une fois à la maison elle s'excusa, les embrassa et monta directement se coucher. Elle n'avait pas menti en prétendant être épuisée, elle faillit se coucher tout habillée, mais prit son courage à deux mains et ôta son maquillage, se changea puis s'allongea. Elle se laissa bercer par la musique qui continuait à retentir dans sa tête, quelques secondes plus tard elle dormait profondément. Elle ne vit ni n'entendit le reste de sa famille rentrer.

François était fou de jalousie à la vue de Générosa au bras du Comte, il voyait cet individu comme un bellâtre imbu de son titre et tentant de monopoliser la plus belle femme de la soirée, sa Générosa ! Il entraîna sa compagne et passa le reste de la nuit avec la belle Marquise qui en fut ravie. Il ne réussit cependant pas à quitter Générosa des yeux, plus il la voyait s'amuser, plus sa colère montait, et plus il se rapprochait de la Marquise, comme une vengeance qu'elle ne perçut même pas. Quand il la vit partir de la soirée, il eut un soupir de soulagement et voulut s'éloigner à son tour, mais la Marquise ne l'entendait pas de cette oreille et il ne put s'en séparer qu'à la toute fin de la nuit. Au moment de prendre congé, la marquise l'embrassa goulûment voulant qu'il l'accompagne chez elle, elle le caressa de façon suggestive et comprenant qu'elle n'obtiendrait rien de lui ce soir-là elle prit cela pour de la galanterie et lui fit cependant promettre de venir lui rendre visite dès le lendemain. Promesse qu'elle lui arracha, il souhaitait rentrer rapidement à la villa.

Il avait vu Carol et Franck partir avec Générosa, ne voyant ni Livio, ni Domenica, il supposa qu'ils étaient déjà partis et il ne prit donc pas la peine de prendre une gondole préférant rentrer en courant et volant, il était tellement rapide qu'un œil humain n'aurait pu spécifier avec exactitude ce qui se passait. La villa était silencieuse quand il arriva et il en profita pour entrer dans la chambre de Générosa et s'y arrêter un long moment.

Les doigts tremblants, il tendit la main pour la toucher, mais ne finit pas son geste. La voir et ne pouvoir la toucher étaient un vrai supplice. Mais s'il la touchait, il perdrait toute sa maîtrise de soi. Un désir brutal monta dans ses reins, il voulait s'allonger près d'elle et couvrir sa bouche et son corps de baisers. Aucune femme n'avait jamais embrasé ses sens de cette façon, même lorsqu'il était encore humain. Il aurait aimé lire dans son esprit, elle paraissait tellement paisible et il ressentait une telle sérénité en elle qu'il était jaloux même de ses rêves.

Ne réussissant pas à se décider à la quitter, il se mit à faire ce qu'il avait tant critiqué lorsqu'il les avait rejoints à Syracuse et qui était devenu son activité favorite, un moment d'intimité qui lui était devenu cher. Il lui parla en langue française d'une pièce qu'il connaissait par cœur l'ayant tant de fois lue : Le Cid[28] de Pierre Corneille[29], un autre de ses contemporains qu'il appréciait particulièrement, il commença par lui parler de l'homme et commença le récit de la pièce. Il entendit dix coups sonner et se décida à rejoindre sa propre chambre, il fallait qu'il se repose un peu. Il regagna sa chambre se dépêcha pour se dévêtir et faire sa toilette. Il finit par s'allonger et se colla contre le mur afin de s'approcher au maximum de son aimée, se calant sur sa respiration il s'endormit plus facilement, imaginant la tenir dans ses bras.

---

[28] *Pièce de théâtre tragi-comique dont la première représentation eut lieu fin 1636 /début 1637*
[29] *Dramaturge français né à Rouen le 6 juin 1606 et mort à Paris le 1er octobre 1684*

À son réveil, Générosa vit à sa grande surprise que la nuit n'était pas aussi noire qu'habituellement. Il était bien plus tôt que tous ses réveils depuis sa renaissance ! Ce qui la laissa surprise... Elle avait l'impression ne jamais avoir eu de nuit plus épuisante que la précédente. Même ses soirées d'apprentissage à la chasse lui avaient demandé moins d'énergie, au milieu de tous ces humains et de la danse sans compter toutes ces émotions qui l'avaient assaillie et épuisée nerveusement. Elle était contente de ce réveil anticipé, elle fit une toilette rapide, se vêtit d'une robe lui permettant une plus grande liberté de mouvement et se décida à profiter de ce moment pour finir d'explorer la villa.

Tout était silencieux et déambulant dans la demeure elle s'aperçut qu'en dehors des jardins et d'une fontaine de toute beauté, il ne restait qu'une chambre vide, certainement celle d'invités potentiels et les diverses chambres de sa famille qu'elle n'avait pas visitées. Ce qu'elle ne ferait pas bien entendu. Elle avait entraperçu celle de ses parents la veille lorsque sa mère lui avait remis sa robe, une très jolie chambre crut-elle se rappeler, elle n'avait pas fait très attention au décor. Elle respecterait l'intimité de sa famille et ne passerait pas dans les chambres, sauf peut-être celle de François qu'elle avait déjà entraperçue à son arrivée... Se faisant cette réflexion, elle imagina sa colère s'il la surprenait dans son intimité et cela la mit en joie. N'ayant plus rien à voir, elle se décida à retrouver la bibliothèque où elle s'était endormie. Elle fit appel à ses souvenirs olfactifs et reconnaissant le mélange de tabac, de papier et d'encre, qui lui avait tant plu, elle se laissa guider par son odorat et pénétra dans la pièce. Elle se sentait sereine et en sécurité dans cette pièce, comme dans un cocon. Elle prit un livre au hasard et reprenant instinctivement le fauteuil qui tournait le dos à la porte, se plongea dans la lecture d'un livre sur la mythologie grecque. Cela la passionna tant qu'elle ne vit pas que sa famille l'avait rejointe et s'était installée derrière elle dans les différentes assises.

Elle ne leva la tête que quand elle sentit une main frôler tendrement ses cheveux et comprenant qu'elle n'était plus seule, se leva et les vit tous rassemblés. Elle ne sut pas qui l'avait touché ainsi, mais vit François mettre son fauteuil face aux autres et l'aider à se rasseoir. Elle s'installa confortablement, tandis que lui restait debout derrière elle, s'accoudant au dossier du fauteuil dans lequel elle était. Elle les regarda tous et se lança, elle voulait connaître l'opinion de sa famille :

- Comment s'est déroulée la soirée d'après vous ? Les Anciens sont impressionnants, tout en eux inspire le respect et je dois avouer un soupçon d'inquiétude. Et leurs baisers avant de quitter la pièce plutôt insolite… Cela m'a laissé un goût étrange sur les lèvres, mais un goût très agréable, presque enivrant ! Je crois qu'ils m'ont adoptée, ils l'ont dit c'est vrai, mais ils le pensaient aussi, non, il n'y a plus de dangers pour moi ?

Elle dit tout cela d'une traite et ne leur laissant pas le temps de répondre, reprit de plus belle. Elle était lancée et semblait ne pas pouvoir s'arrêter, ce qui les fit tous sourire.

- Et cette soirée, je ne m'étais jamais autant amusée, en fait en y réfléchissant avant de vous rencontrer, je ne savais même pas ce qu'était le plaisir ! Alors une nuit comme celle passée hier, je n'aurais même pas pu en rêver… J'ai lu beaucoup de choses dans les romans qui étaient à Syracuse sur le bonheur, le plaisir, la joie ou tout ce qui s'y rattache, même sur ce type de soirée, mais le vivre est tellement plus… tellement intense… Et le Comte… Je n'avais rencontré ce type d'homme que dans ces romans là… Il est si sympathique, c'est si curieux qu'un homme tel que lui soit toujours célibataire ! Il a tout pour plaire à une femme, il est séduisant et je suis certaine qu'il rendra heureuse la femme qu'il épousera…

Elle entendit un grognement de colère venant de François, mais n'en tint pas compte.

- Il est aimable et très prévenant… Il m'a guidée toute la soirée et m'a présentée à quelques hautes personnalités de Venise qui sont de ses amis. Ta Marquise, François, est très antipathique, le Comte ne l'apprécie guère lui-même, il dit que c'est une croqueuse d'hommes. Oh ! J'allais oublier, nous sommes aussi conviés la nuit prochaine en son palais ou il donne une soirée. Je lui ai promis de tenter de vous convaincre de nous y rendre.

François était furieux, mais Générosa l'ignora, les regarda et continua précipitamment sur sa lancée, venant de se souvenir d'une chose qu'elle devait leur signaler. Elle regarda son père avec inquiétude :

- Toutes ces émotions m'ont fait ressentir une très grande soif au cours de la soirée. Je me suis rendue dans la chambre servant à se repoudrer et j'y ai trouvé une jeune femme très gentille, je n'ai pas retenu son nom à ma grande honte, je me souviens juste qu'elle se marie bientôt et qu'elle vivra non loin d'ici… J'étais surtout concentrée sur ma soif et la venue éventuelle d'une tierce personne. Cette jeune personne a été très coopérative. Je veux juste être sûre que je n'ai pas fait une bêtise en me nourrissant ainsi. Elle s'est massé le cou et s'est repoudrée, le nez, elle était très bavarde et n'arrêtais pas de parler… Tu es fâché, papa ?
- Non ma chérie ne t'inquiète pas nous aurions dût y penser et t'emmener te nourrir après la visite chez les Anciens. Leurs baisers ouvrent la soif… Nous sommes tous des sots d'avoir pu oublier cela. Mais il n'y a eu aucun incident et nous sommes très fiers de toi, tu maîtrises si bien ta soif que cela force le respect.

195

As-tu encore d'autres questions ? Ou pouvons-nous répondre à tes interrogations ?

Il était empli de fierté et cela se voyait sur son visage souriant. Voyant qu'elle répondait non de la tête d'un air gêné son sourire s'élargit encore, un peu moqueur.

- Alors pour répondre à tes différentes questions je vais me faire le porte-parole de nous tous, mais si vous trouvez quelque chose à ajouter n'hésitez pas, ajouta-t-il en regardant les autres qui approuvèrent de la tête. Je pense que nous pouvons tout d'abord affirmer que la soirée s'est passée magnifiquement, dit-il avec un sourire heureux. Pour la débuter, tu as séduit les Anciens, ils sont sous ton charme et ont beaucoup de respect pour toi. Cela nous a tous impressionnés, ils sont rarement aussi surpris par une nouvelle recrue.
- Mais ils n'ont rien dit de tout cela !
- Je l'ai lu dans leurs esprits, dit Carol. Nous voulions être sûrs d'avoir bien interprété ce qu'ils disaient. J'ai par ailleurs eu la confirmation que Cristofero peut lire son propre avenir sur quelques jours seulement, mais pas celui des autres. Il tente de faire progresser son don depuis de très nombreuses années, mais sans succès et pourtant Kenneth a tenté de l'aider. Mais ils n'ont pas eu de résultats positifs. Il semble vraiment désolé de cela ! Enfin, en tout cas, il est l'un des Anciens qui a été le plus ému par toi !

Générosa était très surprise d'avoir impressionné les Anciens, le fait qu'ils aient quitté la pièce sans un mot lui avait laissé entendre qu'elle les décevait un peu et apprendre le contraire la troublait et la dérangeait, comme si de ce fait ils attendaient quelque chose d'elle… François sentant son désarroi lui massa doucement et amoureusement les épaules afin de la détendre. Son père reprit la parole.

- Quant à la soirée chez le Doge, elle a été très enrichissante pour chacun d'entre nous. Nous sommes ravis que tu te sois si bien amusée. Je suis entièrement d'accord avec toi en ce qui concerne le Comte. C'est une personne très sympathique et qui ressemble énormément à son père, qui était un homme digne de confiance à tous niveaux. Je suis bien aise de le savoir de nos relations et c'est avec grand plaisir que nous nous rendrons tous à la soirée qu'il donne. Je lui fais parvenir un billet pour l'en informer dès ce soir. Il me semble très attaché à ta personne... La façon dont il te regarde, la manière qu'il a eu de te monopoliser et de te protéger toute la soirée, laisse penser qu'il est tombé sous ton charme et n'acceptera pas un refus de notre part. C'est un jeune homme très intéressant et très agréable tu n'aurais pu mieux choisir comme conquête ! Ajouta-t-il perfidement en regardant François. Au vu de sa position dans la société vénitienne, c'est une douce revanche sur ta vie d'humaine, n'est-ce pas mon ange ?

Elle n'eut pas le temps de répondre, François resserrait vivement ses doigts sur ses épaules ce qui lui provoqua un petit hoquet de surprise et une légère grimace de douleur. François la relâcha aussitôt en marmonnant une excuse, alors que Livio lui lançait un regard peu amène. Générosa ressentant cette colère ambiante était mal à l'aise. Domenica qui ressentait clairement l'animosité entre les deux hommes prit la parole.

- Chérie, depuis que tu es notre fille tu as appris de nombreuses choses. Ta curiosité, ta soif de connaissance élargissent tes horizons culturels, et te font t'intéresser à des sujets que nous n'aurions jamais imaginés, tel que comment soigner des humains malades ou encore comment faire en sorte que chacun d'entre eux puisse se nourrir chaque jour… Tu es profondément bonne et ton passé difficile d'humaine n'y est pas étranger. Ce passé est très ancré en toi alors que nous ne rêvions que de l'effacer de ta mémoire. Mais tu n'oublies pas celle que tu as été ou ce que vivent les humains chaque jour et c'est devenu une grande source de fierté, car nous avons enfin compris que l'humaine d'hier est la Sanguisuga d'aujourd'hui.

Les mots restèrent coincés dans la gorge de Domenica et Livio lui prit la main tendrement pour l'encourager à poursuivre.

- Tes lectures complètent l'éducation que nous te donnons depuis ta renaissance et répondent à une partie de tes questions. Nous souhaitions savoir si tu serais d'accord que nous poursuivions ton instruction et développions ici le travail commencé à Syracuse. Comme tu l'as dit à ton père hier, tu as de graves lacunes. Quand, notre ami enchanteur sera là il aura des réponses précises à certaines de tes interrogations, notamment sur tes questions d'herboristerie pour soigner les humains. Pour l'heur, tu as besoin de savoir quels sont nos amis ou nos ennemis, comment on peut nous tuer, quels dangers nous guettent et autres choses directement liées à notre état de Sanguisuga. Nous n'avons jamais abordé ces sujets et c'est un grand tort de notre part. Si cela te convient, mon ange, nous pouvons étudier à partir de cette nuit et chaque nuit de liberté, cela te convient-il ?
- Bien entendu, tout ce qui pourra me rendre plus forte et résistante est le bienvenu. Je veux tout savoir avant de tout voir par moi-même en voyageant à travers le monde.

Sa mère grimaça à ces mots, mais ne fit aucun commentaire. Elle se leva et pendue à la main de Livio ajouta :

- Ce soir, Franck sera ton professeur, il t'apprendra de quelle façon les nôtres peuvent mourir. Nous avons reçu un courrier de notre ami Kenneth il devrait être à Venise d'ici quelques mois, car il est très pris en ce moment… J'espère que ton grand-père se décidera aussi à bientôt venir te voir, il aura beaucoup de choses à t'apprendre aussi… Bien, nous vous laissons. Bonne soirée ma chérie, ton père et moi allons revisiter tous deux Venise en amoureux, tu seras sans doute couchée à notre retour.

Ils l'embrassèrent avant de disparaître tandis que Carol précisait qu'elle se rendait au petit salon poursuivre la lecture d'un roman. Quant à François, il ne décolérait pas… La façon dont elle avait parlé du Comte et de son opinion sur la Marquise, même si sur ce dernier point il était d'accord, l'avait mis dans une telle rage qu'il ne réussissait pas à se calmer… Comme si cet homme était parfait, autant dans son comportement que dans ses avis ! Malgré cela, il ne réussissait pas à s'éloigner de Générosa, même s'il savait indispensable son cours avec Franck. Il réfléchissait rapidement à la meilleure excuse possible pour se rendre utile et ainsi rester au plus près d'elle.

- Je vais rendre visite à la Marquise, elle m'a fait promettre de venir la voir ce soir, mais si vous préférez que je reste dite le moi, j'annulerais mes projets avec plaisir.

Ce n'était pas ce qu'il voulait dire, mais il espérait par ces paroles éveiller la jalousie de Générosa.

- Bonne soirée François ! Amuse-toi bien avec ton amie, lui dit-elle comme si elle le congédiait.

Cette réponse eut pour effet d'attiser la rage au fond de lui, il avait ressenti cette indifférence au fond d'elle, aucune jalousie, juste une sorte de joie qui n'avait rien à voir avec lui.

Générosa n'avait aucune arrière-pensée en disant cela et ne souhaitait nullement blesser François, elle voulait juste qu'il parte vite. Elle ne vit pas la réaction de François et ignora la colère qu'elle sentait sourdre en elle tendue vers sa soirée avec Franck. Cette soirée lui apporterait des informations importantes sur sa nouvelle nature et tout ce qui se mettait en travers de son chemin était malvenu, tout comme la présence de François à cet instant.

- Puisque mon départ semble si vivement souhaité, je ne vous imposerais pas davantage ma présence…

Il était véritablement furieux, mais aussi envahi d'une très grande tristesse, ce qui lui fit ajouter bien malgré lui avec un regard implorant vers Générosa :

- Ou bien j'ai mal compris et je reste…

Franck interrompit François, se leva et le prit par les épaules :

- Ne t'inquiète pas François ! Passe une bonne soirée… Je vais m'occuper au mieux d'elle, je te le promets…

Il voulait calmer François, mais ne savait pas comment s'y prendre. Il avait deviné que la réponse de Générosa l'irriterait encore davantage. François se dégagea brutalement et sortit furieux de la villa en claquant la porte. Franck soupira et retourna s'asseoir près de Générosa un sourire sur les lèvres :

- Bien, je suis donc chargé de te parler de notre côté mortel si l'on peut dire, t'expliquer le processus de la transformation, car même si tu l'as vécu, tu as sans nul doute manqué des épisodes. Cela te convient-il ?

La voyant hocher de la tête, il poursuivit :

- Tout d'abord, les façons de nous tuer sont peu nombreuses. Il en existe en tout et pour tout, trois sortes : la décapitation, le feu et la faim. Il y a cependant un danger à ne pas négliger, nous pouvons être immobilisés et donc fragilisés si l'on nous enfonce quoi que ce soit en plein cœur. Nous ne pouvons alors plus rien faire ni enlever nous-mêmes l'objet, c'est un grave risque, car nos ennemis peuvent alors nous décapiter et nous brûler. Notre cœur ne bat plus qu'à un très faible rythme, mais le transpercer ne peut nous tuer.

La voyant frissonner, il se rendit compte de la dureté des mots qu'il avait prononcés. Pour lui, c'était une évidence, mais pour Générosa c'était nouveau et donc effrayant.

- Ne te fais pas de soucis, ces pratiques sont très rares, nous avons peu d'ennemis aussi acharnés à vouloir notre mort. Le feu ne nous tue pas s'il ne touche qu'une partie de notre corps, par exemple si tu passes ta main dans les flammes tu ne mourras pas et ne ressentiras même pas de douleur. Pour que notre mort soit totale, il faudra être décapité ! Sans notre tête, nous ne sommes plus rien. Tant que notre tête reste bien plantée sur nos épaules, nous ne craignons rien. Certains de nos ennemis ont le pouvoir de nous arracher la tête ou bien leur morsure nous affaiblit et peut entraîner notre mort si cette faiblesse nous empêche de nous nourrir.
- Quelle horreur ! Murmura Générosa avec une expression de dégoût sur le visage qu'elle ne put réprimer.
- Nous évitons soigneusement les duels, mais cela concerne plus les hommes que les femmes. Cela nous évite de nous retrouver immobilisés par un mauvais coup et éveiller ainsi les soupçons. Nous sommes tous de fines lames, mais nous ne pouvons être parfaits dans toutes nos actions. C'est un devoir pour tout Sanguisuga de ne jamais laisser quiconque soupçonner notre

existence, car comme François nous l'a rappelé lors de notre apprentissage cela mettrait en péril tous les Sanguisugas du monde. Cette loi est d'ailleurs commune à toutes les races qui ne sont plus humaines. Nous sommes nombreux à travers le monde.

Il commença à énumérer sur ses doigts :

- Sanguisugas, Vampires, Loups-garous, Métamorphes, Magiciens, Enchanteurs, Druides, Sorciers, je crois ne pas en avoir oublié beaucoup. Certains sont plusieurs choses à la fois, comme Kenneth un Enchanteur, Druide et Magicien. Certains sont mortels, mais vivent des centaines d'années, d'autres ont une vie aussi longue que celle d'humains normaux et d'autres comme nous ne mourrons que sous certaines conditions. Nous avons tous en commun de devoir préserver le secret envers les humains. S'il en était autrement, nos représentants officiels, pour nous les Anciens, prononceraient notre condamnation à mort. Il y a deux grandes règles à respecter : ne jamais tuer l'un des nôtres de façon délibérée ou parler de nous ouvertement aux humains. Si l'une ou l'autre de ces règles étaient transgressées sans motifs valables, cela entraînerait une condamnation à mort. Ne l'oublie jamais !

- Je... très bien, je n'oublierais jamais ces règles tu peux me croire. Mais comment connaissez-vous l'existence des uns et des autres si chacun doit garder le secret ?

- C'est vis-à-vis des humains que le secret doit être tenu ! Certaines de ces ethnies sont nos amies depuis toujours, d'autres le sont devenus en apprenant à se connaître les uns les autres, d'autres sont nos ennemis en raison de leur nature. Nous te parlerons d'eux plus tard. Certains d'entre nous en ont rencontré, d'autres nous n'en connaissons que l'existence sans jamais les avoir croisés... . François et notre père sont ceux qui pourront t'en parler le mieux. Ils ont tant voyagé… Kenneth pourra te parler des enchanteurs en étant un lui-même et de nous tous c'est lui qui à la meilleure connaissance du monde et de ses habitants.

- Je ne m'attendais pas à tout cela, ce que tu m'apprends est si étrange et semblent directement sortis d'un des livres de la bibliothèque.

- Hum… Ça va chérie ? Tu m'as l'air bien ébranlée, je n'aurais peut-être pas dû te parler aussi ouvertement… Carol va m'étriper… Il se leva et tourna en rond mortifié et très inquiet d'avoir pu être trop brutal dans ses propos.

- Mais non, Oncle Franck ! Ne crains rien, je suis un peu choquée c'est vrai je te mentirais si je disais le contraire, mais c'est parce que cela me fait beaucoup de choses à assimiler d'un seul coup… Je n'imaginais pas qu'il puisse y avoir tant de créatures aussi étranges dans notre monde.

Il s'accroupit devant elle et prenant l'une de ses mains la regarda dans les yeux :

- Tu es sûre ? Je ne suis pas très futé parfois…

- Cesse de te tourmenter. Et puis surtout, n'oublie pas que c'est moi qui ai voulu qu'on soit honnête et qu'on cesse de me cacher les choses ! Il me faut juste un peu de temps pour absorber les informations que tu viens de me donner. Mais je n'aurais pas idée de me plaindre auprès de qui que ce soit. J'apprends chaque jour depuis que je suis l'une des vôtres et nous venons d'aborder un sujet très important pour mon avenir notamment que ma tête reste bien à sa place, c'était indispensable qu'on me le dise ! Je ne comprends pas que papa ou maman ne me l'a pas dit avant… Ni même François lors de notre apprentissage.

- Tu étais en sécurité parmi nous et tu avais déjà tant à apprendre ! Nous n'avons jugé ni les uns ni les autres cette information importante, tu avais déjà tant de choses à assimiler et

203

cela aurait pu te faire peur. Regarde ta réaction aujourd'hui alors que tu as toute confiance en nous ! Cela t'a remué, tu veux que nous en restions là pour ce soir ? Nous avons fait le tour du sujet et nous pourrons discuter des autres thèmes un autre soir.

- Non, non surtout pas ! Acceptes-tu juste de m'accorder quelques minutes dans le jardin ?

- Bien entendu, je vais rejoindre Carol au petit salon, viens m'y chercher dès que tu te sentiras prête

Il s'arrêta un bref instant sur le palier puis la regardant il leva les yeux au ciel d'un air comique :

- Toujours cette soif d'apprendre ! Tu es insatiable Générosa ! C'est épuisant…

Lui faisant un clin d'œil il la laissa, ravi et soulagé de l'entendre rire. Générosa se leva et se dirigea vers les jardins près de cette fontaine qu'elle avait repérée et dont le bruit l'apaisait. Elle s'y appuya en laissant sa main traîner dans l'eau.

Songeuse, elle réalisa qu'elle avait tant de choses à apprendre ! Elle avait bien fait d'exiger qu'on l'informe de tout, même si cela était dur à entendre et à assimiler. Elle avait toujours des difficultés avec la notion d'immortalité, il lui faudrait du temps pour comprendre que sa vie d'humaine était derrière elle. Vivre avec des règles ou les risques de morts ne lui faisait pas peur, sa famille le faisait depuis des décennies, François voyageait tout comme elle espérait le faire un jour à son tour. Il lui fallait tout savoir, tout apprendre et ne pas les laisser la couver comme ils le faisaient tous depuis sa naissance ! Sa seule, unique et grande terreur était de ne jamais se faire à sa condition de Sanguisuga et de ne pas être à la hauteur des espérances de sa famille.

Elle resta, encore quelques minutes, à se détendre au bord de la fontaine puis quitta le jardin et trouva Franck l'attendant patiemment, étendu la tête posée sur les genoux de Carol qui lisait en lui caressant les cheveux. Il leva la tête en sentant la présence de Générosa et se leva lui faisant signe qu'il l'a suivit. Carol leur sourit à tous deux et se replongea dans la lecture de son ouvrage.

- Te sens-tu mieux Générosa ?

Lui demanda-t-il une fois tous deux confortablement installés dans la bibliothèque

- Ne t'inquiète pas, oncle Franck, je vais très bien. J'avais besoin de faire le point… J'ai… Je n'arrive pas à assimiler la notion d'immortalité, surtout que cette immortalité a des côtés mortels… Elle éclata de rire, ce que je dis n'a aucun sens… Tu sais Oncle Franck, je… Elle prit une grande bouffée d'air, réflexe typiquement humain et se lança, ne dis rien à papa et maman, mais je me sens toujours humaine au fond de moi et je m'attends toujours à vieillir comme telle, à devoir prendre garde de tomber de peur de me blesser, à… tu crois que je suis anormale ?

Elle avait un air si sérieux et soucieux en disant cela que Franck, qui ne voulait pas la froisser, eut toutes les peines du monde à ne pas éclater de rire.

- Non ma puce, tu es tout ce qu'il y a de plus normale, n'oublie pas que tu n'as qu'un peu plus d'une année en tant que Sanguisuga et nous restons tous longtemps avec les sentiments qui t'animent aujourd'hui. Ce qui nous fait évoluer est le premier déménagement, voir les gens autour de soi vieillir tandis que notre image dans le miroir reste la même. Cela est perturbant, mais nous permet de réaliser qui nous sommes vraiment. Donc

205

n'ai pas de crainte tu es d'une extrême banalité si je peux me permettre de l'exprimer ainsi.

- Oh merci ! Et bien maintenant que ma banalité est reconnue, je me sens bien mieux et nous pouvons passer à la suite du programme de la soirée.

- Très bien, je suis à ta disposition, que veux-tu savoir ?

- J'aimerais savoir comment la transformation s'opère et comprendre ce lien qui unit un géniteur à ses enfants ou bien ce lien qui unit des personnes comme Carol et toi ou papa et maman. Tout comme j'aimerais savoir quelle est la différence entre un père et un géniteur... Si ce n'est pas trop déborder du sujet ?

- Non bien sûr, nous pourrons aborder les autres sujets une autre fois. Nous ne pouvons discuter de tout dans la même soirée alors autant répondre aux questions qui te viennent plutôt que d'oublier d'en parler de nous-mêmes. Pour l'heur, je suis sûr que Carol apprécierait de se joindre à nous pour m'aider à te répondre, veux-tu ?

- Oui bien entendu !

À peine son acceptation prononcée, qu'il appelât Carol et qu'elle les rejoignît sur l'instant comme si elle attendait ce moment, ce qui ne manqua pas de surprendre Générosa. Franck sourit en voyant sa réaction.

- Une petite démonstration de ce que peuvent faire deux âmes sœurs ! Mais pour en arriver à expliquer l'union invisible de membres d'une même famille, nous devons t'expliquer la transformation et ses rouages. Le lien qui unit deux personnes par le grand et unique amour est quant à lui différent. Mais ne mettons pas la charrue devant les bœufs et parlons de la différence entre parents et géniteurs... C'est un sujet délicat, je...

- Ce que Franck veut dire c'est que pour nous il n'y a nulle différence. Nous ne pouvons engendrer des enfants de façon naturelle comme les humains. Le seul moyen c'est la transformation. Nous ne pourrons en tant que femmes jamais être enceintes... Pour ta mère, ne pas avoir d'enfant avec Livio fut difficile à supporter. Mais maintenant, tu es là et c'est comme si elle t'avait porté en elle !

Générosa blêmit sous le choc de la révélation. Les larmes commencèrent à couler doucement sur ses joues tandis qu'elle se mit à hoqueter :

- Jamais ? Je pensais que maman avait un souci comme cela arrive chez certains humains... Je n'aurais jamais de bébé ? Je ne serais jamais maman ?
- Non mon cœur... Tout comme moi... Mais je dois faire partie de ces humaines ne pouvant avoir d'enfant et j'en ai souffert humaine, mais devenir Sanguisuga ne fut donc pas un énorme sacrifice.

Carol lui prit délicatement la tête et la posa sur son épaule. Générosa laissa libre cours à ses larmes. Puis redressant la tête elle embrassa Carol qui retourna près de Franck et s'assit sur ses genoux. Générosa s'essuyant les joues dit avec un petit sourire courageux et le menton toujours frémissant :

- Je suis désolée, c'est si... triste... je n'avais pas compris cela... quelle idiote de pleurer ainsi, on m'offre l'immortalité et je pleure parce que je ne porterais jamais d'enfants... Alors que maman et toi... Je suis vraiment indécrottable à pleurer tout le temps ainsi. Ne vous tourmentez pas je digèrerais l'information en son temps.
- Tu es sûre ? Tu ne veux pas que...

- Tout va bien, interrompit-elle Franck. Elle sourit pour atténuer son ton vif, je ne veux pas de pause. Parlez-moi plutôt de la transformation, s'il vous plaît.

- D'accord. Tu ne dois pas t'en souvenir en effet. Nous buvons notre futur enfant, la raison pour laquelle François nous a mis en garde lors de notre apprentissage. Nous buvons jusqu'à la limite de tuer, mais laissons couler un peu plus de venin dans le corps de la personne attaquée. Il s'ensuit quelques journées complètes ou le corps tente de lutter contre le venin qui prend possession de chaque morceau de notre corps et finalement la mort l'emportera, le venin ayant remplacé le sang humain. C'est un processus assez douloureux, mais notre nature est si bien faite que nous n'en gardons pas de souvenir. Une fois le venin en place le géniteur doit donner durant plusieurs jours de suite son propre sang à boire afin qu'il remplisse le corps et achève la transformation.

- C'est donc pour cela qu'on prend tant de temps à emmener à la chasse un nouveau membre ? J'ai bu le sang de papa ? Ce liquide qu'il m'amenait c'était son sang à lui ?

- Oui au départ et dans l'attente de la venue de François nous avons tous participé. Ta mère est celle qui a le plus participé, ce qui doit avoir tendu à faire de toi celle que tu es. Peut-être est-ce même pour cela que tu pleures comme elle, mais que tes larmes sont à différent degré. Enfin, cela n'est que pure conjecture de notre part à tous, car nous avons tous deux ainsi que François participé à te nourrir jusqu'à ton premier jour de chasse.

- Juste ciel ! C'est la raison pour laquelle je trouvais que cela n'avait pas le même goût selon les verres. Nous avons donc comme les humains des saveurs différentes ! Tu dis que cela a surement fait de moi celle que je suis aujourd'hui, jusqu'à quel point ?

- Nous ne connaissons personne ayant bu après la période nécessaire, du sang de son géniteur et surtout d'autres

Sanguisugas. Normalement une fois la transformation terminée, le nouveau Sanguisuga se nourrit seul. Mais comme tu avais des exigences de chasse, tu as bu un sang pur Sanguisuga durant une période assez longue. Nous ne pouvons dire si cela t'a donné un autre départ que d'autres, mais nous nous plaisons à y croire, surtout quand nous voyons celle que tu deviens au fil des jours.

- Mais je ne suis proche que de papa, je ne ressens que ses impressions à lui il me semble…

- Il est ton père, ton premier sang, celui qui coule dans tes veines, le nôtre n'a fait que te permettre de vivre et te rendre forte… Enfin, c'est ce que nous pensons et l'union que tu as avec ton père nous conforte dans cette idée d'un unique géniteur. Le premier sang est celui qui compte et permet cette complicité.

Franck se racla la gorge et regarda Carol comme pour lui passer la parole. Et c'est ce qu'elle fit :

- Pour ce qui est de l'unique et grand amour, c'est un lien invisible que personne ne peut expliquer. Il est beaucoup plus puissant que celui d'un géniteur et son enfant. Beaucoup d'entre nous vivent des siècles entiers avant de trouver leur moitié. Franck et moi avions la chance de nous connaître déjà en tant qu'humains. Ta mère a mis beaucoup plus de temps à rencontrer ton père, elle hésita, et d'autre, à peine née ont la chance de trouver leur âme sœur au pied de leur berceau…

- François et moi c'est de cela qu'il s'agit ? Non, vous faites erreur !

Sa voix enfla pleine de fureur, elle se leva et marcha de long en large.

- C'est une chose impossible ! Je le hais, il… il m'a embrassée, il m'a rejetée, il… je n'ai nul sentiment tendre pour lui. Peut-être l'ai-je cru la première fois où je l'ai vu, subjugué par sa beauté et sa gentillesse, mais je le connais trop bien maintenant et je sais que je ne l'aime point. Je serais bien sotte de l'aimer et ne me réserverais que des déceptions.

Elle arrêta son va-et-vient, serra les poings au souvenir de ce baiser et de la réaction de François... Il l'avait blessé, humilié au plus profond d'elle-même.

- Il m'a dit lui-même que c'était une erreur de m'avoir embrassé, que j'étais la fille de sa sœur et donc sa nièce et que...

Elle marqua une pause, prit une grande inspiration comme elle le faisait toujours quand elle se sentait nerveuse et qu'elle souhaitait se calmer.

- Je suis entièrement d'accord avec lui. Par ailleurs, il est Duc et je suis insignifiante, sa nièce ni plus ni moins, il a eu entièrement raison de le souligner.

Sa voix avait des accents de tristesse. Voyant Carol prête à intervenir, elle mit sa main en avant pour l'empêcher de parler.

- Non je vous en prie le sujet est clos... Auriez-vous la gentillesse de me parler en anglais de votre pays avant que je n'aille me reposer ? Ces dernières heures ont été plus épuisantes que je ne l'aurais cru.

Franck et Carol acceptèrent de bon cœur. Ils lui racontèrent les vertes contrées, la lande anglaise, le froid, la pluie, toutes ces choses étrangères à Générosa qui n'avait connu que le soleil sicilien et ses paysages arides. Cela la détendit totalement. Elle ne les interrompait que rarement, lorsqu'un mot lui était incompréhensible ou lorsqu'elle souhaitait un peu plus de détails sur un point ou un autre. Aux premières lueurs du jour, entendant la porte d'entrée elle les remercia, prit congé en les embrassant et monta se reposer.

Elle croisa François au bas des escaliers alors qu'elle se préparait à monter. Il empestait l'alcool et elle renifla l'odeur de la marquise sur lui. Cela lui fit horreur et lui donna la nausée. François tenta de l'intercepter, mais elle le contourna avec dans le regard une lueur meurtrière qui le dissuada d'insister. Elle monta précipitamment les escaliers, l'entendit l'appeler, mais l'ignora et ne s'arrêta qu'une fois la porte de sa chambre refermée derrière elle. Sa tante avait raison, elle l'aimait de chaque parcelle de son corps, mais il devrait l'ignorer toujours ou il s'en servirait contre elle, elle n'en doutait pas une seule seconde. Elle devrait donc apprendre à dissimuler ses sentiments. Même s'ils étaient prétendument des âmes sœurs et ressentaient les choses l'une de l'autre elle saurait détourner ce piège, il le faudrait ! Après tout, cela devait être possible, tant de choses en tant que Sanguisuga l'étaient, pourquoi pas celle-ci ! Cet homme l'avait humilié et âme sœur ou pas elle refusait de passer l'éternité avec lui ! Sur ces bonnes résolutions, elle se lava, ayant l'impression d'avoir sur elle l'odeur que François avait ramenée avec lui. La jalousie était vraiment un sentiment difficile à vivre. Cacher son amour aux autres était aisé, mais ce sentiment étrange... Elle se coucha et s'obligea à ne plus penser à lui en pensant au bal du Comte Gabrieli la nuit suivante. Elle entendit François s'arrêter brièvement devant sa chambre avant de faire demi-tour et entrer dans la sienne, dont il claqua la porte. Elle ferma son esprit à tous les bruits extérieurs et sombra dans un sommeil réparateur en pensant malgré elle à François.

Il était furieux, il n'avait pu éviter de voir la colère dans les yeux de Générosa et ressentir le dégout qui l'avait remué lors de leur brève rencontre dans le couloir. Elle l'avait évité et refusé de répondre à son appel. Et comme s'il avait eu besoin de cela, Carol et Franck lui avaient répété ce que Générosa leur avait confié quelques heures plus tôt… Elle lui en voulait toujours de son rejet suite au baiser et le pire de tout le voyait comme son oncle ! Livio rirait bien s'il venait à l'apprendre. Pourquoi pas son grand-père tant qu'elle y était ! Il se sentit anéanti et monta se coucher. Il voulut s'arrêter pour lui parler et s'expliquer, mais la soirée lui revint en mémoire et avec ce souvenir une honte qu'il n'aurait jamais imaginé ressentir un jour. Quel idiot ! Dans quelle histoire était-il allé s'empêtrer, la Marquise tenait pour acquis qu'il était désormais son compagnon attitré ! Il avait beaucoup bu et même sur un Sanguisuga l'ivresse avait quelques effets secondaires. Il ne s'amusait guère et buvait pour s'étourdir pour ne plus penser à Générosa et à ses réactions dès qu'il s'avisait de la toucher… La marquise lui avait posé une question qu'il n'avait pas écoutée et il avait répondu machinalement un *« oui, ma chère »* pour lui faire cesser son babillage incessant qui le lassait et lui donnait envie de lui mettre une gifle pour qu'elle se taise enfin. Quelques secondes plus tard, on lui disait qu'il avait beaucoup de chance d'avoir conquis une telle femme et toutes les personnes présentes les tenaient pour l'un à l'autre. Il y avait trop de témoins, elle l'avait piégé, enfin il le ressentait ainsi. Il aurait toutes les peines du monde à s'en dépêtrer, elle était du meilleur monde et pouvait rendre le séjour de toute la famille très désagréable voir intenable s'il la quittait de façon précipitée et malvenue. Il ne voulait pas infliger cela à Livio. Comment réussir à conquérir Générosa avec cette femme sur son chemin ! Quel sot il était ! Son idiotie n'avait pas d'égal dans le monde ! Il n'avait pas assez de mots pour décrire sa stupidité… Heureusement que ce n'était pas à une demande en mariage qu'il avait répondu… Cette soirée était un fiasco total… Cette colère qui l'avait poussé à sortir et l'avait amené à ce lamentable résultat au petit matin ! Le soir suivant, il y avait le bal chez le Comte, il ne fallait pas être devin pour voir qu'il était très attiré par sa Générosa, et il devrait quant à lui s'y rendre en compagnie de la Marquise. Cette fête allait être longue ! Entre la marquise qui se pavanerait à son bras et son aimée dans les bras de ce Comte. Il tenta de penser à autre chose pour s'endormir, mais comme chaque fois c'est en pensant à elle et elle seule qu'il trouvait la paix intérieure et pouvait s'endormir, même lorsqu'il était furieux contre elle. À son réveil, il se prépara et partit chez la Marquise ne se sentant pas la force d'affronter le regard de Générosa à son réveil. Il n'osait imaginer sa réaction lorsqu'elle apprendrait son engagement auprès de la marquise.

Lorsque Générosa se réveilla, elle vit que ses malles avaient été posées au pied de son lit et vidées de leurs contenus. Elle fut surprise d'avoir le sommeil aussi lourd, n'ayant rien entendu. Elle était contente de pouvoir récupérer ses robes notamment toutes celles achetées à Palerme en prévision des soirées à Venise. Se précipitant vers ses armoires, elle y découvrit de nouvelles robes. Elle resta un moment à réfléchir quelle robe elle allait porter et se décida pour une couleur d'un bleu rappelant un ciel d'été. Elle se maquilla, mit la robe et s'admira un instant dans un miroir espérant avoir fait le bon choix. Elle remit la parure que son père lui avait confiée lors de la soirée du Doge et descendit. Elle trouva son père et sa mère seuls, ils lui apprirent que Carol et Franck étaient partis quelques minutes plus tôt et les rejoindraient directement chez le Comte. Quant à François, ils lui expliquèrent ne pas savoir où il se trouvait, ayant seulement constaté son absence de la villa à leur réveil. Générosa n'eut aucune peine à deviner où il s'était hâté ! Elle ne réussit pas à maîtriser un pincement au cœur et ressentit un froid intense lui geler le cœur. Se raisonnant intérieurement, elle se ressaisit et tenta de donner le change en souriant comme si l'absence de François lui importait peu. Elle était fière d'elle…

partiellement... son père la regardait d'un air soucieux. Il avait senti son désarroi et cette peine qui l'avait envahi, mais sans en comprendre la raison profonde. Il savait que l'absence de François en était responsable, mais soupçonnait une raison supplémentaire et détestait ne pas savoir laquelle. Domenica inquiète de l'état d'esprit de Livio, lui serra la main et voulant leur changer les idées à l'un et l'autre, dit :

- Tu es splendide, comme toujours, ma petite chérie !
- J'allais oublier de vous remercier ! Quelle joie, toutes ces robes retrouvées et celles que vous y avez ajoutées ! Quand les avez-vous achetées ?

Domenica jeta un regard rapide vers Livio.

- Quelques robes venues de France un cadeau de...
- Notre ami les a ajoutées aux bagages lorsqu'il nous les a retournés, l'interrompit Livio.
- De France ? Quel bonheur ! Je porte des robes de France... Cela rappellera son pays à François et il en...

Elle ne termina pas sa remarque et demanda plutôt :

- Regardez, celle-ci me va bien, non ? Mais celles que vous aviez fabriquées avec Carol ou achetées à Palerme sont aussi très jolies, maman, c'est seulement grisant de se dire que ces robes sont de France et que de nombreuses femmes me l'envieront...

Elle jeta un coup d'œil à son père, comme inquiète de sa réaction :

- Ce n'est pas bien ce que je dis, je ne devrais pas réagir ainsi, mais certaines femmes comme cette Marquise regardent chaque détail de notre tenue et cela est très désagréable ! Alors, me dire que ma robe est parisienne est très plaisant ! Je sais que c'est de la pure coquetterie, mais je l'assume !

- Tu es magnifique et je provoquerais en duel quiconque osera prétendre le contraire... Tu as raison de ne pas vouloir te laisser dominer par ce type de femmes qui ont peur de la concurrence ! De plus, mon petit doigt me dit que le Comte sera lui aussi séduit, ironisa son père.

- Ha ha ha ! Je sais que je peux paraître futile, mais ça fait du bien de se sentir jolie et de se l'entendre dire, parfois j'ai la sensation de... non peu importe.

Voulant changer de sujet elle ajouta :

- Je me suis permis de réutiliser les bijoux que tu m'as prêtés, papa.

- Ce n'était pas un prêt, ils sont à toi mon ange. J'aurais dû te l'expliquer... Considère-les comme ton cadeau de bienvenue à Venise dans la maison de mon enfance ! Mais ce cadeau n'est pas de moi. Ils sont dans la famille depuis de très nombreuses années, ils appartenaient à ma mère. Elle était encore une toute jeune fille lorsque son père les lui a offerts pour son premier bal. C'était bien avant qu'elle n'épouse mon père qui la couvrit de bijoux. Elle me les avait montrés alors que j'étais encore un tout jeune homme. Elle m'avait fait promettre que je les donnerais à mon tour à ma fille lorsqu'elle se rendrait à son premier bal. Ce jour étant venu, je me devais de tenir ma promesse et il n'est donc que justice qu'ils te reviennent !

- Je ne sais que dire, c'est si... merci papa !

- Au risque de me répéter, elle aurait été très fière d'avoir une petite fille aussi intelligente et jolie que toi ! Bien si nous partions avant que ton maquillage ne soit totalement ruiné ! Un petit tour avant pour un encas et nous pourrons nous rendre à la soirée, Générosa pleinement rassasiée, ce qui devrait t'éviter d'avoir faim... personne ne garantit que tu trouves ce soir une âme charitable pour te servir de dîner !

Il acheva sa phrase dans un grand éclat de rire tandis que Domenica lui donnait un coup de coude dans les côtes.

- Tu te trouves amusant sans doute ! Dit Générosa avec un large sourire tout en haussant les épaules. Mais, je dois admettre que c'est une excellente suggestion !

Ils sortirent et allèrent se nourrir dans un quartier sombre de la ville où quelques prostituées vendaient leurs services. Une fois leur soif étanchée, ils se rendirent au palais du Comte. La fête battait déjà son plein. Générosa sentait d'instinct qu'elle n'apprécierait jamais d'être dans les premiers arrivants et se sentit tout à fait à l'aise pour se plonger dans la foule ce qui lui permettait de passer inaperçue en ayant une vue d'ensemble des personnes déjà présentes. Elle aperçut Carol et Franck, déjà arrivés ainsi que François et la Marquise. Il la fixait et se levait pour aller à sa rencontre quand elle le vit se laisser retomber et perçut son changement d'humeur. Elle se tourna dans la direction où son regard et sa colère se portaient. Elle reçut le Comte avec un sourire et une révérence. Ce dernier les accueillit chaleureusement et l'on pouvait voir dans ses yeux briller une flamme de plaisir à la vue de Générosa. Il la complimenta sur sa robe et les inflexions douces de sa voix laissaient entendre toute la joie qu'il avait de la recevoir en sa demeure. Il ne vivait cette soirée que dans le but de la revoir et ne cherchait même pas à s'en cacher.

- Je suis ravi de vous recevoir tous trois dans ma demeure, le reste de votre famille est déjà présente. Monsieur, dit-il en s'inclinant devant Livio, m'accorderez-vous le privilège de tenir compagnie à votre fille et de la faire danser ?

- Bien entendu, lui répondit Livio avec un grand sourire. Nous vous remercions pour votre invitation à cette soirée et vous confions notre fille avec plaisir. Amuse-toi bien mon ange, dit-il à Générosa en entraînant Domenica derrière lui.
- Je suis bien aise de vous voir, je craignais que vous n'ayez changé d'avis et votre absence m'était pesante.

Sa voix était rauque et mettait mal à l'aise Générosa. Il devait le sentir, car il embrassa doucement sa main et prit un ton plus jovial :

- Danserons-nous ?
- Je vous suis avec plaisir. J'espère seulement ne pas vous faire honte en me trompant dans les pas... J'ai peu dansé par le passé et ces soirées me sont totalement étrangères. Papa a voulu me protéger du monde le plus longtemps possible...
- Jamais vous ne me ferez honte, c'est impossible ! Je fais nombre d'envieux ce soir à vous avoir à mon bras et je n'échangerais ma place pour rien au monde ! Je suis si heureux que vos premiers pas dans la société soient faits en ma compagnie, tellement heureux... Regardez donc tous ces jaloux !

Éclatant de rire, Générosa prit son bras et le suivit joyeusement dans la danse, collant ses pas aux siens. Elle vit ses parents rejoindre Carol et Franck et se mêler à la masse des danseurs. Sa mère avait un air heureux en regardant Livio. Ce dernier la couvait d'un regard amoureux qui les faisait passer l'un et l'autre pour de jeunes mariés. Cela émut profondément Générosa, qui manqua un pas. Elle s'excusa avec un sourire et se concentra sur la danse et son cavalier.

Ils dansèrent une Corrente[30], s'ensuivirent une Pavane[31] et une Romanesca[32], elle remercia en son for intérieur sa famille d'avoir pris le temps de lui apprendre toutes ces danses. Générosa s'amusait beaucoup. Elle croisa le regard de François et ressentit violemment sa colère. Elle le toisa et sourit de plus belle au Comte en dansant. À la danse suivante, elle pria le Comte de lui accorder une pause et un rafraîchissement.

Il l'accompagna vers un siège et lui promit de revenir promptement avec une boisson. Elle vit la jeune femme de l'autre soir se diriger avec son fiancé vers elle. Elle fit un effort pour se souvenir de leurs noms.

- Je suis si contente de vous rencontrer à nouveau Générosa, elle marqua un temps d'arrêt, vous permettez que je vous appelle par votre prénom ?
- Bien entendu, ravie de vous rencontrer à nouveau tous les deux.

Raffaele s'inclina devant elle :

---

[30] Courante en français. Danse très prisée par le Roi Louis XIV qui en fait l'ouverture de tous les bals. Les danseurs évoluent en zigzag comme un poisson en train de remonter le courant d'une rivière. En 1589 Thoinot Arbeau la décrit dans son Orchésographie : simple à gauche (pied gauche à gauche, pied droit joint), simple à droite (pied droit à droite, pied gauche joint), double à gauche (pied gauche à gauche, rapprocher pied droit, pied gauche à gauche, pied droit joint), recommencer le tout pied et sens inversé.

[31] Le nom de cette danse noble et majestueuse viendrait soit de son origine de la ville de Padoue soit du fait que les danseurs font la roue l'un devant l'autre à la manière des paons. Elle est dansée par des couples disposés en cortège. En 1589, Thoinot Arbeau la décrit dans son Orchésographie : simple à gauche (un pas du pied gauche en avant, joindre le pied droit au gauche), simple à droite (un pas du pied droit en avant, joindre le pied gauche au droit), double à gauche (un pas du pied gauche en avant, un pas du pied droit près du gauche, un pas du pied gauche en avant, joindre le pied droit au gauche). On peut continuer à avancer parcourant la pièce ou refaire les pas en arrière.

[32] Alla maniera di Roma, en français la Gaillarde. Apparaît en Lombardie vers 1480 et se répand en Europe entre 1550 et 1650. La reine Elizabeth d'Angleterre faisait de la Gaillarde sa gymnastique matinale, à l'âge de 65 ans elle en dansait six ou sept à son lever. Il en existera plusieurs formes. La base de cette danse comporte cinq pas : trois sauts mineurs et un saut majeur. Décrite en 1589 par Thoinot Arbeau dans son Orchésographie : pied en l'air gauche, pied en l'air droit, pied en l'air gauche, pied en l'air droit suivi d'un saut majeur, retomber les deux pieds au sol, pied gauche en avant, pied droit en arrière. Refaire les pas en miroir.

- Je vous confie Giuliana pendant que je vais lui chercher un rafraichissement, en désirez-vous un aussi ?
- Merci, mais le Comte Gabrieli est parti m'en chercher un.
- Très bien, je reviens de suite, ma chérie.
- N'est-il pas formidable ? Je ne sais si c'est possible, mais j'ai l'impression que chaque jour qui passe, j'aime Raffaele davantage. J'espère que vous viendrez à nos noces, votre famille et vous.
- Ce sera un honneur pour nous tous d'honorer une telle invitation, croyez-le bien Giuliana.

Générosa se promit de ne plus oublier le nom de ces deux jeunes gens si aimables. Elle savait qu'elle pouvait laisser parler Giuliana et que celle-ci ne s'offusquerait pas de son silence, elle soupçonnait même qu'elle ne le remarquerait pas. Elle colla un sourire de circonstance sur ses lèvres et examina la foule tandis que Giuliana lui parlait de son futur mariage. Elle sentait le regard de François sur sa peau et cela la dérangeait, mais elle s'interdisait de tourner son regard vers lui et sa richissime compagne. Plusieurs minutes se passèrent avant que l'heureux fiancé n'apparaisse à leurs côtés suivi de près par le Comte. Tous quatre devisèrent joyeusement et la soirée se passa comme dans un rêve. Se sentant épuisée, elle prit congé du Comte qui eut toutes les peines du monde à la laisser s'en aller. Elle savait que sa famille l'avait entendu, aussi prit-elle une gondole sachant qu'il ne s'inquièterait pas ni ne la chercherait et rentra à la villa. Elle n'avait pas fini de monter les escaliers qu'elle se sentit tirer en arrière tandis que François l'embrassait violemment comme un homme assoiffé et désespéré. Elle recula vivement, le gifla et se précipita dans sa chambre. Elle referma la porte derrière elle, sachant que ce geste ne servirait à rien si François souhaitait rentrer dans sa chambre rien ne l'en empêcherait, mais elle comptait sur sa chevalerie et sa noblesse d'âme. Elle se laissa tomber sur le sol dos à la porte. Elle se sentait furieuse et pourtant si émue... Son baiser comme le premier l'avait totalement retourné... Elle ne s'y ferait jamais... Quel mufle, comment avait-il osé ! Il l'avait surprise, voilà pourquoi cela l'avait tant touché. Il frappa doucement à sa porte.

- Pars, va-t-en ! Je ne veux plus jamais te voir.
- Chérie, pardon, je ne voulais pas... Je voulais juste te parler, mais quand je t'ai vu en haut de cet escalier si magnifique, je n'ai pas résisté. S'il te plaît, pardonne-moi !

Son ton était implorant.

- Non ! Laisse-moi tranquille !

Son ton à elle était sans appel. Tout autre que François l'aurait compris !

- Il y a si longtemps que je rêvais de toi dans une robe venant de mon pays. Et ce soir quand je t'ai vu dans une de ces robes que j'ai spécialement commandées pour toi à Marcelin j'ai été si heureux... j'avais si peur que tu refuses même de les porter en sachant qu'elles venaient de moi.
- Toi ! C'est cela que maman voulait me dire, c'est toi qui m'as offert ces robes... elles sont toutes plus belles les unes que les autres, je ne sais pas quoi dire...
- Tu n'as qu'à me dire merci, dit-il la voix souriante.
- Oui merci beaucoup, mais...
- Non, ne rajoute rien s'il te plaît mon amour, pas de mais. C'est un cadeau pour mon propre plaisir. Si tu m'y autorisais, je te couvrirais de robes et de bijoux... Tu mérites ce qu'il y a de plus beau sur cette terre. Je ne suis qu'un égoïste imaginant le plaisir que j'aurais à avoir la plus belle femme au monde à mes côtés, cela me rendrait si fière, tout comme mes parents auraient été

heureux de voir la femme dont mon cœur s'est épris… Mais ce n'est pas à mon bras que tu étais ce soir. Je ne me suis cependant pas trompé, tu étais magnifique… Le Comte, comme la plupart des hommes de la soirée, a eu l'air d'apprécier, dit-il amèrement.

- Le Comte est bon pour moi, François, il a été très gentil toute la soirée, comme il l'avait été la soirée précédente. Il m'a présentée à de nombreuses personnes toutes plus sympathiques les unes que les autres. J'ai passé une partie de la soirée avec ma nouvelle amie Giuliana Rizzo et son fiancé Raffaele Moretti.

- J'ai vu oui, ils ont l'air très gentil tous les deux. Mais j'ai aussi vu tous ces hommes te tournant autour comme des vautours sur un morceau de viande…

- Ce n'est guère flatteur ce que tu me dis, mais je suis surprise que tu t'en sois aperçu concentré que tu étais sur ta compagne la Marquise et tes nouveaux amis.

Générosa se mordit les lèvres, elle n'aurait pas dû dire cela, on aurait pu la croire jalouse. Conclusion sur laquelle François sauta sans hésitation.

- Jalouse mon aimée ? La Marquise ce n'est qu'une erreur de parcours, je t'assure que je n'ai pas voulu ce qui arrive. Elle n'est rien pour moi, tu es la seule et unique dans mon cœur. Je t'aime ! Ce qui se passe avec elle n'est rien, je t'en conjure crois moi, mon cœur, tu n'as absolument rien à craindre de cette femme ! Je t'aime de tout mon être, je t'aime comme un fou, je t'aime avec un grand A.

- Je ne crains rien comme tu le sous-entends. Tu peux aimer qui tu veux, tu peux coucher avec qui bon te semble, peu me chaut. Mais cesse immédiatement de mentir en voulant me persuader de ton amour pour moi. Je refuse que quiconque me mente que ce soit pour une chose insignifiante ou une chose importante !

Le ton de Générosa était glacial et François comprit qu'il devait la laisser s'il ne voulait pas ternir totalement ses relations avec elle. Il aurait tout le temps un autre jour de tenter de la séduire et de la convaincre que son amour est sincère. Il faudrait qu'il trouve la solution pour se débarrasser de la Marquise, il avait senti la peine et la colère dans le cœur de son aimée à l'évocation de cette femme.

Il quitta la porte de la chambre de Générosa en soupirant, désespéré... Il caressait la cicatrice de sa main inconsciemment. Il allait rédiger une nouvelle lettre à Kenneth, il fallait qu'il vienne rapidement... Il descendit dans le bureau de Livio et écrivit une courte missive :

Très cher Kenneth,

Je me permets ce nouveau courrier afin de quérir à nouveau ta présence auprès de nous. Livio t'a écrit il y a déjà quelques semaines et je ne répèterais pas combien Générosa est extraordinaire. Je ne doute pas que Livio t'a tout raconté et que tu saches combien elle m'est précieuse. Étant fou d'amour pour elle tu prendras chacun de mes mots avec un sourire de douce indulgence et j'en suis conscient. Quand il s'agit d'elle, je ne suis guère partial, je l'avoue. Mais nous avons un réel besoin de ton aide, elle comme nous autres.

Je ne sais que dire pour te convaincre de venir, si ce n'est que tu nous manques et que voir Générosa bouleversera ton existence comme elle a transformé la nôtre.

Avec l'espoir de te voir très vite, reçois, cher Kenneth, toute mon amitié

François Duc de Cortenève
Palazzo Baldi della Julienus

Venise
Le 14 mars 1662

L'ATTENTE

Les semaines et les mois passèrent. Livio reçu un bref mot de Kenneth lui expliquant qu'il comprenait leurs désirs à tous de le voir rencontrer Générosa, mais qu'il se trouvait dans une tribu africaine et ne pouvait les rejoindre pour l'instant. Il promettait, cependant, de venir dès que cela serait possible.

Générosa devenait de plus en plus sûre d'elle, de plus en plus belle. François essayait de garder ses distances avec elle, mais cela n'était pas sans difficulté. Lui qui, si elle l'avait autorisé, l'aurait toujours eu contre lui, l'aurait couverte de baisers, en aurait fait sa femme aux yeux de tous…

Il y eut de nombreuses soirées. La Marquise était toujours accrochée au bras de François, le suivant comme son ombre et il sentait combien cela peinait Générosa. Mais la cour pressante que lui faisait le Comte le mettait lui aussi en rage et il ne gardait cette relation avec la Marquise que comme une vengeance à cette intimité qu'il sentait s'installer entre le Comte et elle. Mais à force d'attendre, une rupture avec la Marquise s'avèrerait de plus en plus difficile. Elle restait une des figures les plus importantes de Venise !

Générosa était devenue la coqueluche de tous les hommes de Venise, tous les uns après les autres tombaient sous son charme. Ceux qui n'en étaient pas amoureux lui vouaient une amitié sans borne. Le Comte la surveillait jalousement de près, tandis que Livio, Franck et François le faisaient à distance, mais tout aussi jalousement, chacun à des degrés différents.

Les femmes pour la plupart en étaient jalouses, mais d'autres comme Giuliana Moretti était devenue une amie très proche et n'hésitait pas à se confier à Générosa de toutes ses tracasseries ou inquiétudes. Son mariage avec Raffaele avait été grandiose et un souvenir très important pour Générosa. C'est la première fois qu'elle assistait à ce type de noces. De plus sa bonté naturelle et les voir si amoureux l'un de l'autre la rendait heureuse pour son amie. Le fait que leurs habitations soient si proches l'une de l'autre favorisait aussi cette amitié que Livio et Domenica voyaient d'un très bon œil.

Générosa poursuivait sa vie entre ses amis humains qui lui permettaient une étude approfondie de l'être humain avec ses joies et ses souffrances, complétant ainsi sa propre expérience, puis avec sa famille elle poursuivait les cours au court desquels ils lui inculquaient tout ce qu'elle souhaitait ou presque. En effet, ils attendaient tous que Kenneth vienne à leur secours. Générosa posait des questions de plus en plus précises sur divers sujets et pour certaines de ces demandes ils estimaient qu'elles seraient mieux abordées par lui et pour d'autres ils étaient impuissants et il aurait quant à lui des réponses complètes ou une ébauche de réponses.

Un soir, elle entra vivement dans le salon où se trouvaient ses parents.

- Je n'ai pas envie d'aller à cette soirée, dit Générosa à peine entrée dans la pièce, nous n'avons pas eu une seule soirée de tranquille depuis deux semaines. J'ai envie d'oisiveté, de me reposer, de lire, de me promener peut-être...
- Ne rien faire est quelquefois agréable, dit Domenica en souriant, si tu ne veux pas sortir personne ne t'en voudra ma chérie, je n'ai guère envie moi-même de m'y rendre. Veux-tu rester seule ou pouvons-nous te tenir compagnie, ma puce ?
- Ne restez pas simplement pour moi, maman !

- Non chérie, ce n'est pas le cas. Je vais apprécier une soirée tranquille.
- J'ai reçu un message et j'attends une visite pour nos projets d'agrandissement. J'ai oublié de t'en avertir... Fit Livio.
- Aucun problème, mon cœur. Aurais-tu la gentillesse d'envoyer un message au Palazzo Bragadin Carabba[33] pour nous excuser ta fille et moi ?
- Bien entendu, chérie, j'envoie ce message de suite.
- Bonsoir ! Personne ne sort ce soir ?

S'enquit Carol en entrant dans le salon, accrochée amoureusement au bras de Franck. Ils embrassèrent leur nièce et leur sœur. François surgit au même moment.

- Générosa se sent lasse et préfère passer la soirée à farniente. Je ne suis guère enthousiaste moi-même pour sortir, alors nous resterons tranquillement ici. Vous nous rapporterez les derniers commérages et vous nous ferez un résumé de la soirée !
- Bien entendu ! Bonne soirée à vous trois. Veux-tu que je porte ton billet, Livio ?
- Avec plaisir !

Franck prit le message et ils partirent si vite que l'on aurait pu douter de leur présence dans la pièce quelques secondes plus tôt. François s'avança.

- Je dois m'y rendre aussi... J'aurais préféré rester en votre compagnie, mais je suis attendu et je ne peux annuler... Bonne soirée.
- Bonne soirée à toi.

---

[33] Palazzo qui deviendra le logis de Casanova pendant 9 ans, de 1746 à 1755.

Il semblait très malheureux. Générosa cependant ne se joignit pas à ses parents pour lui souhaiter de s'amuser. Elle savait qui l'attendait et malgré elle, la jalousie la dévorait ! Elle vit son regard posé sur elle avec une grande intensité comme pour lire dans ses pensées. Elle soutint tranquillement son regard. François décampa, mécontent d'avoir une fois de plus rendu malheureuse celle que son âme appelait de toutes ses forces. Il était cependant ravi de savoir que le Comte devrait s'abstenir de sa présence lors de cette soirée... Il prenait chaque soir ombrage de la voir en sa compagnie et de constater à quel point il était amoureux de Générosa qui pourtant ne l'encourageait nullement... Il se décida à aller chasser pour se calmer avant de se rendre à cette soirée.

Générosa s'approcha de la cheminée en marbre noir. Debout devant l'âtre où un bon feu se consommait, elle déplaça machinalement sur le manteau, l'un des deux candélabres en marbre blanc de carrare et en bronze ciselé et doré, avec six branches, une pour chacun d'entre eux, comme se plaisait à dire sa mère. Ils entouraient une pendule assortie décorée d'un enfant jouant avec un chat. Générosa sourit machinalement, elle adorait ces petits animaux, et regrettait qu'il n'y en ait pas dans la maison...

- Tu parais soucieuse, mon ange ?
- J'ai une question délicate à vous poser et je ne sais pas trop comment le faire.
- Nous t'écoutons chérie, tu sais bien, que tu peux tout nous dire et nous interroger sur tout ce que tu veux !
- Bien, j'ose donc... Quels sont les moyens qui vous permettent de faire de l'argent, j'ai compris qu'il y a des avoués qui gèrent vos affaires et qu'ils réinvestissent pour faire proliférer vos biens, mais quelles sont vos affaires ? Vous ne vivez que sur vos

héritages ? Je demande cela, parce que Carol m'a dit qu'ils n'étaient pas riches lorsqu'ils étaient humains et moi je n'ai rien du tout ! Vous dépensez tous sans compter pour acheter des vêtements, parfums et autres objets de grande valeur. Je... je comprendrais que vous jugiez ma question indiscrète... J'ai eu une conversation avec le Comte, hier soir, et il m'expliquait que ses administrateurs achetaient des morceaux d'entreprises, ce qui lui permettait de fructifier ses biens...

- Ta question n'est pas indiscrète, dit Livio, tu as raison de t'en inquiéter. Nous avons à travers le monde François, Carol, Franck, ta mère et moi sommes propriétaires de nombreux logements que nous louons. Nous avons des entreprises de construction d'habitations, des fermes, des usines de fabrication de verre et autres nous assurant à tous un revenu continuel et grossissant nos fortunes gérées par nos avoués. Près d'ici, sur l'île d'Amurianum[34], nous avons l'une des verreries les plus importantes. Nous en avons en Angleterre et aux Pays-Bas. Tous les verres qui se trouvent dans nos demeures sortent de ces verreries. Tes verres ont été fabriqués uniquement pour toi et selon tes goûts, enfin ceux que nous imaginions et nous avons confirmation que nous te connaissons bien.

- C'est formidable. Mais comment puis-je moi-même devenir indépendante financièrement, je n'ai absolument aucune fortune ?

- Chérie, notre richesse est aussi la tienne. Il y a toujours de l'argent dans le tiroir de ce bureau si tu en as besoin n'hésite pas à t'en servir !

- Mais comment ferais-je pour voyager ?

---

[34] L'île d'Amurianum, aujourd'hui Murano, était le centre de la verrerie depuis le 13e siècle. Elle devint rapidement la capitale de la production verrerie mondiale. Ils innovent par des procédés d'imitation de pierres précieuses en verres, les cristaux, l'émail, les parures au fil d'or, les techniques de transparence, de coloration et de décoration du verre, les millefiori (verres multicolores), le lattimo (verre couleur lait ressemblant à la porcelaine).

- Nous avons le temps d'y penser, intervint Domenica que ce sujet dérangeait toujours autant.

- Ta mère a raison, nous n'en sommes pas encore à ton départ vers d'autres contrées. Cependant, tu as raison d'en parler, j'aurais dû faire le nécessaire il y a déjà longtemps. Ne t'inquiète pas, mon ange, je vais dès demain remplir les papiers nécessaires auprès de nos avoués ici, à Venise, pour t'ouvrir des droits sur tous nos biens. J'irais voir aussi la famille Pisani[35] pour remplir les formulaires nécessaires ainsi tu pourras dans n'importe quelle banque du monde retirer l'argent qui te serait nécessaire.

Un coup à la porte interrompit la conversation. Girolamo Flangini[36] fit son entrée accompagnée de l'architecte Alessandro Tremignon[37]. Girolamo était un ami proche de Livio et une relation importante à Venise. Générosa les salua et sortit de la pièce. Elle se décida à aller se promener un peu sur les bords des canaux. Elle adorait ces moments de solitude, lui permettant de réfléchir en toute tranquillité. Elle rentra et se rendit dans son petit salon qu'elle adorait tant. S'assit dans son fauteuil favori et ouvrit un ouvrage au hasard.

Un soir d'avril 1664, plus de deux ans s'étaient écoulés depuis leur arrivée. Alors qu'ils se décourageaient tous de voir Kenneth à Venise, François se préparant à rejoindre sa famille pour un dîner chez le Comte, réceptionna un mot très bref venant des Anciens. Quelques lignes qui le remplirent de joie.

Kenneth Mac Indulf est à Venise depuis ce jour. Il est notre hôte pour la nuit. Il se rendra à votre domicile dès la prochaine fin de journée, impatient de voir notre nouvelle protégée en tête à tête.

---

[35] Famille réelle, banquiers de Venise

[36] Personnage réel, siégeant au grand conseil des dix en 1664

[37] Personnage réel. Grand architecte Vénitien. Auteur de la façade de l'église San Moise, et du Palazzo Labia. Mort vers 1711.

Il se hâta de finir de se préparer pour rejoindre le reste de la famille. Il monta dans une gondole et se mit à penser à tous les changements que la présence de Kenneth allait entraîner. Il était heureux de revoir ce vieil ami de la famille, mais sa présence signifiait aussi que Générosa passerait plus de temps à la maison en la compagnie de Kenneth pour assouvir sa soif de connaissance et donc serait moins présente au côté du Comte Lorenzo Gabrieli. L'intimité qu'il y avait entre eux rendait François envieux, jaloux et malheureux. Le jour où elle s'était mise à l'appeler par son prénom avait été un jour noir pour François. Il s'était senti trahi et sans Carol il aurait pu tuer cet homme, il n'avait fait que se repaître de son sang ! Tout comme ce jour où il avait tenté d'embrasser Générosa… Mais cette dernière avait su fuir à temps et sans le froisser ! Elle était d'une diplomatie digne de celle de son père… Il ruminait encore quand la gondole accosta le long du Palazzo Gabrieli.

Il entra rapidement chez le Comte et chercha sa famille. Il vit ses sœurs avec leurs conjoints en train de danser, mais ne vit ni Générosa, ni le Comte. Il fit taire sa jalousie en sentant sa présence et la sérénité qui l'habitait, il en déduisit qu'elle devait être dans les jardins. Il fit demi-tour, car il venait d'apercevoir la Marquise, mais voulait annoncer la nouvelle à sa famille avant qu'elle ne le monopolise comme à son habitude. Il fit un signe à Livio qui le rejoignit avec Domenica.

- Un ennui, François ?
- Non, une excellente nouvelle au contraire ! Kenneth est chez les Anciens depuis ce soir, il vient s'installer chez toi dès demain soir.
- Enfin !

Livio eut un sourire de contentement en entendant l'exclamation de sa moitié qui était si heureuse qu'elle ne trouva rien d'autre à ajouter, embrassa François et entraîna Livio derrière elle pour danser à nouveau. Elle était radieuse ! Oui, la venue de Kenneth allait rassurer chacun d'entre eux. Carol, intriguée par l'attitude de sa sœur, ne put résister à l'envie de lire ses pensées et ce qu'elle y vit la rendit elle aussi très satisfaite. Elle expliqua à Franck qui se tourna vers son frère et lui fit un clin d'œil complice, il savait à quel point il attendait cette venue et tous les espoirs qu'il portait en Kenneth.

François savait que même si Kenneth était un enchanteur et un magicien extraordinaire il n'était pas un faiseur de miracles. Mais savoir que son aimée passerait du temps avec lui le satisfaisait, elle aussi l'attendait impatiemment. Et lui ne voulait que son bonheur maintenant et pour toujours. Il ferait toujours tout pour qu'elle soit heureuse, il voulait la gâter, la voir sourire tout le temps. Ce qu'il voulait par-dessus tout c'est qu'elle comprenne que sans lui elle ne serait jamais pleinement heureuse…

La marquise l'avait vu et il se retrouva très vite entouré par la cour qu'elle traînait toujours derrière elle et dont il était toujours le favori en titre. C'est à cet instant qu'il vit Générosa revenir des jardins en compagnie du Comte. Instinctivement, elle se tourna vers lui et comme chaque fois qu'elle les voyait ensemble, les traits de son visage se contractèrent, mais elle retrouva très vite un air d'impassibilité. François n'était pas dupe, il sentait que le malaise qui avait envahi Générosa était toujours tapi au fond d'elle. Il souffrait de faire tout le temps autant de mal à sa bien-aimée ! Il se décida à la rejoindre la douleur étant trop intense, mais tandis que le Comte attirait Générosa contre lui pour danser, la Marquise faisait de même avec lui et il perdit de vue son tendre visage, mais pas ses tourments intérieurs. Il croisa le regard de Livio, un regard attristé et solidaire.

Leurs querelles en ce qui concernaient Générosa avaient cessé depuis longtemps, tous deux conscients que cela n'amenait rien de positif dans leur famille, bien au contraire. Même si Livio était toujours furieux que Générosa soit déjà destinée à quelqu'un, il n'en voulait plus à François qui n'y était pour rien et était même plutôt satisfait que ce soit lui, un Sanguisuga qu'il connaissait bien de préférence à un inconnu. François, en accord avec lui, ne forçait pas les choses laissant Générosa vivre et faire ses premières expériences sans lui, même si cela était à contrecœur. Il savait aussi que sa fille souffrait à cause de François, mais il ne lui en voulait pas, car il savait la souffrance de François tout aussi vive. Il ne résistait cependant pas autant aux charmes de Générosa qu'il l'aurait souhaité. Il était difficile d'être seul avec elle sans la toucher ou l'embrasser. Chaque fois, elle se détournait de lui ! Longue était la conquête de son aimée ! Pourquoi l'avait-il détourné de lui lors de ce premier baiser ? Elle ne manquait jamais de le lui rappeler.

Générosa n'était guère à son aise ce soir-là, elle se sentait triste et n'avait guère envie de s'amuser. Aussi décida-t-elle de déserter la soirée tôt. Ne voulant pas froisser le Comte, elle prétexta :

- J'ai une migraine atroce, Lorenzo, je suis vraiment désolée, mais je n'aspire qu'à me coucher pour essayer de dormir et faire passer ce mal.
- Je suis navrée de vous voir supporter ce type de douleur, chère Générosa. Me permettez-vous de prendre de vos nouvelles dès demain ?

Elle fit un petit signe de tête lui accordant le droit de le faire. Il lui baisa dévotement la main. Générosa faisant une petite révérence sortit vivement de la pièce. François qui avait gardé son attention entière sur Générosa voyant cela profita de ce moment pour abandonner la Marquise, il fallait qu'il parle à

231

Générosa en étant seul avec elle.

- Chère amie, je me dois de vous laisser, ma nièce...

Il grimaça à ce mot qu'il haïssait utiliser en parlant de Générosa, ce mot honni qui était à l'origine de ses rejets répétés et reprit :

- ... ne se sent pas bien et je ne peux la laisser rentrer seule ainsi. Ses parents s'amusent si bien, je... Permettez-moi de prendre congé, je vous prie.
- Bien entendu mon ami, vous êtes si prévenant. Nous nous verrons demain soir chez les Pisani, n'est-ce pas ?

Il ne répondit pas, mais elle prit son visage et l'embrassa tendrement sur les lèvres avant de le laisser s'éloigner. Il avait ressenti une douleur aiguë, atroce et comprit que Générosa avait tout vu. Il se précipita derrière elle et la rejoignit au moment où la gondole allait partir. Il l'attira hors de la gondole pour rejoindre celle de la famille. Elle lui jeta un regard rapide et peu avenant, s'y installa sans et l'ignora tout en traînant la main dans l'eau d'un geste machinal pendant qu'il dirigeait l'embarcation.

- Mon amour, elle n'est rien...
- Je ne veux rien savoir.

Son ton sec et impitoyable blessa François. Instinctivement, il tendit la main vers elle, voulant caresser ce visage qu'il aimait tant, mais laissa son geste en suspens. Elle hésita et d'une petite voix dit :

- J'ai faim, tu m'emmènes ?
- Bien entendu, mon ange !

Il était ravi qu'elle le lui propose. Il dirigea la gondole vers leur lieu de chasse, un endroit discret bien connu d'eux tous.

Générosa y allait toute seule régulièrement, elle ne s'était toujours pas résolue à boire sur le Comte et n'avait pas réitéré son expérience sur son amie Giuliana. La seule sur laquelle elle aurait bien posé son croc était la Marquise, mais elle ne l'avait pas encore fait… Elle savait pourtant qu'un jour elle ne résisterait pas, elle voulait savoir, comprendre ce qui attirait François en cette femme qu'elle trouvait vulgaire et voyante. Elle savait que c'était la jalousie qui la faisait réagir ainsi, mais elle assumait totalement cet état de fait et s'était promis de le faire avant de quitter Venise.

Ce type de scrupules François n'en avait pas, il étanchait régulièrement sa faim sur la Marquise et ses amis et il avait goûté au Comte par vengeance. Il l'avait trouvé sucré, appétissant à souhait et avait dû résister de toutes ses forces pour ne pas l'achever. C'était la première fois qu'il avait eu une telle envie de tuer et d'abuser de son statut de Sanguisuga. Mais l'amour qu'il portait à Générosa l'avait retenu. Il savait que sa mort la rendrait malheureuse et il ne pouvait s'y résoudre, il la peinait déjà bien assez souvent comme cela.

Ils s'abreuvèrent tous deux copieusement, retrouvant dans ce moment, l'intimité de leurs chasses à Palerme et Syracuse. Rien ni personne ne pourrait leur enlever ces moments-là et la complicité qu'ils avaient alors. Une fois rassasiés, ils reprirent la gondole et rentrèrent en silence.

Générosa rentra rapidement, mais François la rattrapa au bas des escaliers. Il ne résista pas à la tentation de l'embrasser, elle commença par répondre à son baiser, mais soudain elle le repoussa et le gifla violemment. Elle le toisa un instant sans rien dire, tourna les talons et commença à grimper les escaliers doucement. François la dépassa et l'attendant en haut des escaliers, l'empêcha de passer.

- Monsieur le Duc, j'aimerais me laver et dormir !
- Pardonne-moi mon amour, je ne sais ce qui m'a pris...
- Toujours le même discours, Monsieur le Duc, je vous prie de vous pousser du chemin !
- Chérie, je… J'ai une très bonne nouvelle pour toi mon ange.
- Oh vraiment ? Venant de vous, cette bonne nouvelle ? Permettez-moi de douter.

Son ton était amer et François eut toutes les peines du monde à ne pas la reprendre contre lui.

- Mon amour, Kenneth est à Venise depuis ce soir, nous avons reçu, avant de nous rendre à la soirée, un mot nous signalant son arrivée chez les Anciens. Il nous rejoindra ici dès demain en début de soirée. Il espère avoir le plaisir de t'être présenté et passer quelques heures en ta compagnie.
- Pardon, c'est en effet une nouvelle inespérée. Je vous sais gré, Monsieur le Duc, de m'en avoir fait part.
- Générosa, je t'en supplie… Je t'aime mon amour et cela me ronge de l'intérieur, je…

Il soupira, secoua la tête et s'écartant :

- Je te laisse maintenant. Bon repos Générosa.
- Merci, bon repos à toi aussi François.

Elle passa devant lui sans le regarder et rejoignit sa chambre. Elle fit une toilette rapide et avant de se coucher, sortit le coffret contenant la rose de sa cachette et l'admira un long moment, pleurant sur cet amour perdu à peine né en elle… Elle referma le coffret et le remit à sa place, toujours le visage noyé de larmes. Arrangeant les oreillers pour la nuit elle s'aperçut qu'il lui en manquait un, elle fit le tour de la pièce des yeux et ne le voyant pas ne s'attarda pas plus sur la question, elle en avait suffisamment ! Allongée elle fixa le plafond repensant à cette soirée, les larmes coulaient toujours le long de ses joues. Elle tenta de se calmer en fixant ses pensées sur une autre personne que François. Elle songea à l'enchanteur, elle était contente de le rencontrer enfin, tant de questions allaient trouver réponse. La première chose qu'elle lui demanderait serait de l'aider à cacher ses sentiments ! Elle finit par s'endormir bien plus sereine quant à son avenir immédiat, ayant toute confiance en sa future rencontre avec Kenneth Mac Indulf.

François se rendit dans sa chambre et se coucha sur le lit sans se dévêtir. Il avait l'oreille tendue vers ce qui se passait dans la chambre voisine. Il l'entendit pleurer et sut qu'il était responsable de ses larmes. Cela le rendit furieux contre lui-même. Il résista à l'envie de casser la moindre chose de sa chambre, sachant qu'elle entendrait tout et que cela ajouterait à sa peine. Il serra contre lui un oreiller qu'il avait chapardé un peu plus tôt dans la chambre de son aimée. Il était imprégné de son odeur et la lui faisait sentir encore plus proche, comme si le mur entre eux deux n'existait plus. Il finit par s'endormir dans cette position.

À son réveil, il tendit l'oreille comme il le faisait quotidiennement. Entendant la douce respiration de Générosa il sut qu'elle dormait toujours profondément. Il se leva rapidement, se lava, s'habilla et la rejoignit prestement. Il voulait la voir avant de descendre au salon. Il entendait les voix de Kenneth et de sa famille en bas, mais ne pouvait se résoudre à descendre sans l'avoir embrassé avant, ce qu'il faisait chaque fois que cela lui était possible. Il était toujours furieux contre lui-même de l'avoir fait pleurer la veille. Il entra doucement dans sa chambre et s'assit au bord du lit. Elle dormait sur le dos, les bras délicatement posés au dessus de la tête. Il caressa doucement ses cheveux et déposa délicatement un baiser sur ses lèvres. Elle gémit doucement et un léger sourire se dessina sur ses lèvres. François

235

se sentit heureux comme si par ce sourire inconscient elle lui disait qu'elle lui pardonnait son attitude de la veille. Son corps ne pouvait mentir, elle avait toujours cette réaction quand il la touchait dans son sommeil. Ce corps si chaud, si doux, le reconnaissait et savait qu'il était à lui et à lui seul. Il caressa tendrement ses joues et embrassant ses lèvres à nouveau, il la laissa et descendit rejoindre leur invité.

Il entendit sa sœur se défendre et s'arrêta à l'entrée de la pièce pour suivre la conversation.

- Je t'assure que nous n'exagérons pas Kenneth. Je me doute que cela peut te paraître surprenant, mais elle est telle que nous te la décrivons. Les Anciens ont dû t'en parler aussi, non ? Carol a lu dans leurs esprits qu'ils sont eux aussi conquis et intrigués par notre fille.
- C'est vrai, ils sont sous son charme et n'ont cessé de me vanter ses mérites. Je les ai rarement vus aussi heureux d'accueillir une nouvelle Sanguisuga. Mais, je l'avoue je reste dubitatif. J'ai vu tant de choses au cours des siècles et une Sanguisuga telle que vous me la décrivez tous me paraît irréelle.
- Bonjour Kenneth. C'est pour cela que tu as pris ton temps pour venir nous rejoindre, parce que tu crois que nous ne sommes pas impartiaux si cela concerne Générosa ? Tu dois pourtant croire ce qu'ils te disent tous, c'est une merveille ! Dis-toi qu'ils sont en dessous de la vérité et tu t'en rendras très vite compte toi-même.
- Disait l'homme fou d'amour pour elle.

Ironisa Kenneth se tournant vers François en disant ces mots. Sa raillerie n'était pas méchante, mais pleine d'affection. François le savait et ne se vexa point.

- Je suis ravi de te revoir jeune François. Je suis désolé de vous avoir fait tant attendre. Je suis en effet sceptique sur vos paroles, mais il y a de quoi, non ? Domenica et Livio défendent leur fille, Carol et Franck une nièce qu'ils adorent, toi la femme qui t'es promise et que tu aimes, les Anciens une nouvelle Sanguisuga séduisante…

- Je l'aime éperdument oui, mais je prends le pari que tu seras à ton tour sous son charme dès que tu l'auras vu ! Hors sa ressemblance avec Domenica elle…. Il ne sert à rien d'en dire davantage, tu verras par toi-même. On parie ?

- Pari tenu, François ! Quel en est l'enjeu ?

- Que tu lui accordes le temps qu'il faudra pour répondre à toutes ces questions !

- Et si j'ai raison et qu'elle n'est rien d'autre qu'une Sanguisuga séduisante ?

- Je suis convaincu que cela n'arrivera pas, mais si tu y tiens je te promets tout ce que tu veux.

- Hum, dans ce cas nous dirons que tu promets… je vais y réfléchir et nous en reparlerons demain, puisque tu parais si sûr de toi, tu n'as aucune crainte à avoir !

- Effectivement, mon ami, j'ai confiance en mon jugement et je sais mon pari gagné d'avance ! Pour changer de sujet, j'ai cru voir en passant devant la salle principale que ton diner était servi. Sans vouloir te commander, tu devrais y aller si tu ne veux pas manger froid et si tu veux avoir fini ton repas avant le réveil de Générosa.

Se tournant vers le reste de la famille, Kenneth demanda :

- Vous attendez son réveil ou vous nous laissez faire cette première rencontre seul à seule ?

- Nous partons maintenant, je vais laisser un mot pour dire à Générosa que nous sommes sortis et te laisser en tête à tête avec elle, répondit Domenica.

- Vous êtes sûr qu'elle ne vous en voudra pas, elle aurait surement aimé s'y rendre aussi.

- Non, elle était impatiente de ton arrivée. Des soirées, elle en a déjà vécu beaucoup depuis son arrivée ici et elle en vivra de nombreuses autres dans le futur, alors que ta présence elle ne pourra en bénéficier que quelque temps et elle ne voudra pas gaspiller ces instants en vaines activités.
- Dans ce cas, je vais prendre mon dîner. Encore merci pour la chambre, elle est toujours aussi accueillante. Je vous souhaite de bien vous amuser en échange je prendrais soin de Générosa, même si elle n'est qu'une Sanguisuga ordinaire, dit-il jetant un œil rieur vers François.
- À demain Kenneth.

Domenica alla déposer un mot rédigé hâtivement, sur la petite table près du lit de Générosa. Elle l'embrassa et rejoignit les autres. Ils partirent tous ensemble.

François ne voulait pas aller chez la Marquise, il ne doutait pas qu'elle saurait le retrouver à la soirée, comme sous-entendu la veille. Il voulait profiter de quelques instants sans elle. Ses espoirs furent vains, car arrivé sur place, il vit qu'elle était déjà là l'attendant impatiente, elle l'accueillit chaleureusement, bien trop à son goût. Elle se l'appropriait alors que lui ne souhaitait qu'une chose : qu'elle s'éloigne de lui. Il était heureux et soulagé de savoir Générosa à la villa avec Kenneth. Cela éviterait qu'il la peine davantage… Le Comte vint vers François pour s'inquiéter de l'absence de Générosa. François lui signala que sa migraine de la veille avait empiré. Il vit Lorenzo pâlir à la pensée de Générosa souffrante ce qui le mit en joie. Il ne serait pas le seul à être malheureux ce soir !

RENCONTRE
Kenneth Mac Indulf
avril 1664

À son réveil, Générosa trouva le mot déposé par sa mère.

Ma chérie,

Comme François te l'a dit hier, Kenneth est arrivé à Venise et il est depuis ce soir à la villa. Nous lui avons donné la chambre verte près des jardins, c'est celle qu'il a toujours occupée lors de ses séjours à Venise.

Tu le trouveras dans la salle à manger attablé, il t'attend. Nous te confions à lui pour la soirée, vous aurez beaucoup de choses à vous dire, nous n'en doutons pas. Nous avons toute confiance en lui et espérons tous que tu l'apprécieras autant que nous.

Nous nous absentons tous pour la soirée chez les Pisani, vous aurez donc la maison pour vous seuls. Nous nous doutions bien que tu refuserais de nous accompagner sachant Kenneth dans nos murs !

Passe une très bonne soirée mon ange.

Je t'aime

Maman

Sa mère avait raison, elle était ravie d'être seule avec l'enchanteur. Elle reposa le mot, se prépara rapidement puis descendit le rejoindre. Elle entra discrètement dans la pièce où sa mère lui avait dit le trouver. Un homme se tenait à table à moitié caché par un chandelier. Il mangeait tout en lisant un ouvrage que Générosa ne reconnut pas. En l'apercevant, il se leva brusquement, déglutit rapidement et essuya sa bouche puis reposant la serviette sur la table s'inclina devant elle.

- Bonjour Générosa. Je me présente Kenneth Mac Indulf.

Il s'approcha d'elle et lui baisa la main. Il paraissait mal à l'aise dans ce genre de pratique et retourna très vite près de son siège, mais resta cependant debout.

- Pardonne-moi ! Je n'ai pas terminé mon repas, j'ai pris mon temps et je n'ai pas vu le temps s'écouler. Je finis rapidement.
- Nul besoin de vous hâter, je ne suis pas pressée. Je suis déjà bien aise que vous preniez de votre temps pour vous inquiéter de m'instruire. Je sais votre temps précieux. C'est un véritable honneur pour moi de vous rencontrer enfin et de devenir l'une de vos élèves. Si cela est toujours d'actualité bien entendu...
- À ton entier service, je suis moi-même très satisfait de rencontrer le nouveau membre de cette famille qui est comme la mienne.
- Rasseyez-vous, je vous prie, et terminez votre repas. Vous préférez peut-être que je revienne un peu plus tard.
- Nullement, nous pouvons continuer à deviser et faire connaissance. J'ai pratiquement achevé mon diner. Nous pouvons aussi laisser tomber ce langage redondant et discuter ensemble en toute simplicité.

Il se rassit et refermant le livre reprit son repas où il l'avait laissé. Il était troublé d'avoir une Domenica en plus jeune devant lui. C'était impressionnant et perturbant une telle ressemblance pour deux femmes étrangères l'une envers l'autre et nées à des siècles de différences.

Générosa prit place dans un fauteuil. Ne souhaitant pas le mettre mal à l'aise en le fixant éhontément, elle le fit à la dérobée, mais elle comprit vite qu'il n'était pas dupe au petit sourire sur ses lèvres fines. Il avait des cheveux et une barbe mi-longue d'un blanc plus pur que la neige. De petites lunettes rondes couvraient des yeux gris fascinants. Kenneth subit cet examen en silence tout en continuant son repas, ce petit moment pour reprendre ses esprits lui convenait très bien. La sentant satisfaite par ce qu'elle voyait, il prit la parole.

- Au risque de me répéter, je suis content de passer du temps avec toi afin de mieux te connaître et je te remercie de supporter ma présence et d'accepter mon enseignement. Je sais que tes parents ne te l'auraient pas imposé. J'ai cru comprendre que tu souhaitais voyager et voir les choses par toi-même et je dois dire que j'encourage de toutes mes forces ce qui effraie pourtant ta famille !
- C'est vrai que mes parents ne sont guère enthousiastes quand je leur parle de ce projet… Carol, Franck et même François sont unanimes pour dire que les voyages sont la meilleure expérience du monde qui existe, mais même eux souhaiteraient m'accompagner plutôt que me laisser faire ces découvertes toute seule. Je dois avouer que cela a tendance à m'énerver qu'ils me couvent autant tout le temps !

Elle fit la moue en disant ces mots ce qui fit éclater de rire Kenneth. Il s'essuya la bouche et recula son assiette. Il avait terminé son repas et pouvait se consacrer entièrement à Générosa.

- Il faut se mettre à leur place, ils sont inquiets et c'est pour cela qu'ils m'ont chargé de compléter ton éducation. Mais tes voyages futurs compléteront toutes informations que je pourrais t'apporter. Ils se disent que tu seras mieux armé si je réponds à tes questions et que je te transmets mes connaissances, et sur ce point je les rejoins. Je veux aussi que tu saches avant que nous commencions que je serais toujours présent pour toi si lors de ces voyages des questions se posaient à toi. Tu sauras toujours où et comment me joindre ! Je vais te paraître très présomptueux, mais en tant que fille de Livio et Domenica et surtout parce que tu es la petite-fille de Paolo tu es devenu un membre à part entière de ma famille comme ils le sont tous. Je dois aussi avouer que le scientifique tapi au fond de moi est fasciné par ce que les tiens ont pu me révéler sur toi.

En disant cela, il s'était levé de table et approché de Générosa. Il caressa doucement sa joue, elle était immobile, suspendue à ses lèvres et nullement effrayée ou choquée comme il l'avait craint. Sous sa main, sa peau était tiède et douce. Elle transpirait la bonté, la générosité et chose surprenante la magie était puissante en elle. Cela troublait Kenneth qui pensait avoir déjà tout vu en ce monde et n'était venu que par amitié pour cette famille. Il devait bien cela au grand-père de cette jeune beauté, son ami Sanguisuga le plus ancien. Jamais il n'aurait cru rencontrer une telle magie dans une Sanguisuga si jeune. En prenant la route, il était convaincu que Livio et François avaient exagéré ses compétences. Il s'aperçut avec effarement qu'ils étaient en fait bien en deçà de la vérité. Le fait que les Anciens n'aient pas tari d'éloges sur elle l'avait intrigué et il comprit alors qu'aucun Sanguisuga la côtoyant ne soupçonnait l'étendue des possibilités pour ne pas dire des pouvoirs de cette jeune beauté. Il était heureux d'être là et de l'aider a les faire éclore ! Il sourit en pensant à la stupéfaction qu'ils allaient tous avoir au fur et à mesure qu'elle se révélerait ! Ils allaient tous avoir une énorme surprise, il ne pouvait en être autrement, elle l'avait surpris, lui l'enchanteur que rien ne stupéfiait jamais. Il lui faudrait écrire à Paolo pour lui dire de ne pas faire comme lui qui avait trop attendu avant de venir. Il allait le prier de venir rapidement pour rencontrer sa petite-fille. Il vit alors son air interrogateur et laissant tomber sa main, poursuivit :

- Excuse-moi ce silence, je prenais conscience de l'étendue du travail que nous allons avoir ensemble et à quel point je suis ravi d'être ici, à Venise pour répondre à tes questions et t'aider à devenir une femme Sanguisuga telle qu'il n'y en a jamais eu en ce monde. Les Anciens eux-mêmes sont fascinés par toi et j'en comprends encore plus à présent la raison. Tes dons sont infinis et précieux. Merci de me laisser t'aider ! Je t'en suis infiniment reconnaissant !

Générosa sentait que cet instant était en lui-même magique et elle n'osa dire ce qu'elle ressentait. Elle fit bien, Kenneth se sentait en effet terriblement ému et, pour la première fois de sa vie, désorienté. Il jalousait Livio d'avoir une fille telle qu'elle, il jalousait aussi François à qui elle était destinée. Jaloux, lui ! Qui aurait pu imaginer cela ! Il était sincère quand il lui disait qu'il était heureux de devenir l'un de ses maîtres, quoique ce mot ne lui plaise guère pour parler de la relation qu'il espérait établir avec elle. Il devait le reconnaître, ils avaient tous raison, elle était exceptionnelle, rare et encore plus magnifique que tout ce qu'ils avaient pu dire. François avait gagné son pari et il serait bon perdant, il tiendrait son engagement sans effort et avec joie. Dès cet instant, il se sentait lié à Générosa et pour l'éternité ! Elle aurait tout le temps qu'elle voudrait

Il se racla la gorge et reprit :

- Je sais que tu as de nombreuses questions, mais nous devons procéder par étapes. Nous commencerons donc par ce que m'a demandé ta famille. Ils ont jugé que j'étais le plus à même de te parler des autres entités peuplant le monde. Franck devait s'en charger, mais il a plus confiance en mon impartialité qu'en la sienne. Je me contenterais, cependant, de te parler des deux plus grandes espèces, celles que je connais le mieux, les Vampires et les Loups-Garous. Puis je te parlerais bien entendu des enchanteurs, mais nous ferons vite le tour de cette question. Quant aux autres, il sera plus agréable et plus facile de te faire ta propre opinion si tu les rencontres lors de tes pérégrinations. Cela te convient-il ?

- Comme vous voulez, je prendrais tout ce que vous me donnerez et dans l'ordre que vous choisirez. Je dois vous avouer que je suis honorée que vous acceptiez de prendre du temps avec moi. Souhaitez-vous rester dans cette pièce ou rejoindre la bibliothèque ?

- Choisi !

- Dans ce cas, la bibliothèque. On y est plus à l'aise et c'est là-bas que je reçois toutes mes leçons. J'aime cette pièce, je m'y trouve très bien, comme dans un mini chez moi.

Elle se leva gracieusement et le précéda. Il la rattrapa par la main.

- Générosa, m'acceptes-tu comme membre de cette famille ? Je veux dire, es-tu d'accord avec le fait que je sois plus qu'un ami de ta famille et plus qu'un simple professeur ?

- Bien entendu ! Pourquoi cette question ?

Elle avait l'air surpris et choqué d'une telle interrogation. Il la voyait se torturer l'esprit pour tenter de deviner ce qu'elle avait bien pu dire ou faire pour qu'il lui demande cela. Cela la peinait réellement, il le ressentit profondément et s'empressa d'apaiser ses inquiétudes :

- Ne t'inquiètes pas je souhaite juste que tu me parles comme tu le fais avec les membres de ta famille et pas comme à un étranger. S'il te plait, arrête ce vouvoiement qui me fait me sentir un étranger dans cette maison et encore plus vieux que je ne le suis.

Elle éclata de rire, soulagée par sa réponse et posa un léger baiser sur sa joue.

– Promis, oncle Kenneth ! Mais il ne faudra pas m'en vouloir si j'oublie de le faire par moment ! Ce ne sera pas parce que je vous… te prends pour un étranger, mais par respect ! C'est un accord ?
– Accord signé jeune fille. En route !

Une fois dans la bibliothèque ils s'installèrent tous deux confortablement face à face.

– Bien, nous allons commencer par parler de ceux qui vous ressemblent énormément : les Vampires. Ils ont des caractéristiques assez proches des Sanguisugas. Comme si vous étiez frères ou aviez la même origine, mais aussi loin que je sois remonté dans mes recherches rien ne vous relie les uns aux autres. Pour les humains, vous êtes tous des Vampires.
– C'est vrai, quand j'ai vu papa et maman pour la première fois c'est le mot qui m'était venu à l'esprit. Nous entendons parler des Vampires comme des êtres réels et dangereux. Les humains en ont une peur panique. Mais je n'avais jamais entendu parler des Sanguisugas ni de légendes s'y rapportant. C'est d'ailleurs étrange que les humains connaissent l'existence des Vampires et non des Sanguisugas. Sont-ils plus nombreux que nous ?
– Non, pas que je sache. Vous avez, en fait, su rester plus discrets et suivre scrupuleusement les commandements de vos Anciens. Vous êtes de plus très différents des Vampires. Tout d'abord la transformation. Ils vident de leur sang leur victime et au moment où celle-ci va expirer ils versent une goutte de leur propre sang dans la bouche, l'achèvent et l'enterrent immédiatement. La nuit

suivante, la victime se réveillera en tant que Vampire, un Vampire assoiffé qui fera des ravages pour se nourrir si son créateur ne la surveille pas. Ce qui arrive malheureusement trop souvent et c'est probablement l'une des raisons qui les rend si tristement célèbres.

- C'est vraiment répugnant. Mais je ne comprends pas pourquoi tu parles de créateur. Ce n'est pas comme pour nous un désir d'enfants qui les pousse à de telles extrémités ?

- Non les Vampires n'ont aucune notion de famille, uniquement celle de clan. Et leur unique but est d'être le clan le plus puissant.

- C'est triste, je ne vois pas l'intérêt d'une telle vie.

Elle avait un visage allongé et concentré en disant cela, comme si cette nuance entre famille et clan lui paraissait étrange. Elle semblait réellement triste qu'ils aient à vivre de cette façon.

- Ça va ? Je continue ? Préfères-tu reporter notre conversation ? Parler d'autres choses ?

- Non, non ça va. Je suis intriguée par ces Vampires. Je t'écoute Kenneth. Et nous n'allons pas arrêter à chaque fois que quelque chose me rend triste ou me dégoûte !

- C'est toi qui décides jeune fille. Certains Vampires ne supportent pas cette vie et tentent de se sociabiliser, ils ont gardé une grande partie de leur humanité et font tout pour la préserver. Mais ils ne sont qu'une poignée. Ils ont tenté de s'intégrer parmi les Sanguisugas, mais vos différences sont tellement importantes que cela n'a pas été une réussite. Ils se contentent donc de vivre en bonne intelligence avec vous, tu ne manqueras pas d'en rencontrer lors de tes voyages, je t'indiquerais où en rejoindre certains qui sont de mes amis et de ceux de ton grand-père. Tu auras beaucoup de choses à apprendre à leur contact et ils seront ravis de côtoyer une Sanguisuga telle que toi, je n'en doute aucunement.

- Ce serait formidable, merci d'avance, Oncle Kenneth !
- Bien maintenant, parlons de ces différences entre vos deux races. Les plus simples pour commencer. Ils ont un teint livide alors que vous gardez votre couleur chaude d'humain. Leur reflet n'apparait pas dans les miroirs, alors que vous, vous pouvez vous mirer, vous maquiller, vous habiller le tout en vous regardant sans problème.
- Ce doit être désagréable ! Ils doivent être mal habillés alors !
- Non même pas, ils ont un instinct qui les fait se vêtir sans faute de goût et à la dernière mode comme vous autres. Ils ne sont pas attirés par tout cela et rester vêtus de la même façon plusieurs jours de suite ne les gêne pas. Leur apparence est la dernière de leur préoccupation.
- Je serais triste de ne pouvoir voir ce que donne tel ou tel vêtement sur moi… Cela peut paraître vain et narcissique, mais j'avoue que j'aime voir le résultat lorsque je m'habille…
- C'est normal, jeune fille, tu es une Sanguisuga et tu as gardé tes instincts de femme !

Son sourire était moqueur et Générosa ne s'y trompa pas. Kenneth continua :

- Leurs ongles sont aussi très longs et durs, alors que les vôtres sont humains si je peux dire, quoiqu'assez durs aussi. Les Vampires se nourrissent comme vous de sang humain, mais ceux qui souhaitent garder leur part d'humanité survivent grâce au sang animal. Votre race elle ne le peut pas sous peine de mourir, comme l'a constaté François. Les Vampires ne peuvent manger aucune nourriture terrestre, cela les rend totalement malades. Lorsqu'ils se nourrissent, ils ont leurs deux canines qui grandissent alors qu'elles sont déjà proéminentes à la base.

En disant cela, Kenneth montra de quelles dents il parlait.

247

- Vous vous n'avez qu'une seule dent rétractile qui est une dent supplémentaire ressemblant à un aiguillon et qui pousse derrière et entre vos incisives, enfin je te dis cela tu as déjà dû t'en apercevoir. Entre Sanguisugas, vous l'appelez votre croc.
- J'ai en effet tendance à me nourrir parfois, quelle idée !

Elle roula les yeux au ciel en faisant cette remarque. Ils éclatèrent de rire tous deux. Kenneth reprit son sérieux et continua :

- Ensuite, un Vampire qui se nourrit devient très laid alors que vous, vous restez aussi séduisant qu'habituellement. Ce qui est votre force quand je pense à la nouvelle façon de vous nourrir dans cette famille. Il est extraordinaire que tout comme François tu aies une répugnance à tuer des humains pour te nourrir. Je suis si fier de vous tous. Je sais bien que jamais Paolo ne fera l'effort de se nourrir ainsi, mais il est bienheureux que tout le reste de la famille se soit ainsi mobilisé autour de toi.
- C'est à François qu'il faut dire cela, sans lui je serais morte de faim aujourd'hui, car je n'aurais jamais accepté de sacrifier un humain pour ma propre survie. Il y a déjà eu beaucoup trop de morts par ma faute. Je ne sais pas ce que papa t'a raconté, mais ma famille m'a nourrie de son propre sang jusqu'à son arrivée. Mais il faut avouer aussi qu'ils ne me l'ont avoué que récemment… J'aurais refusé tout net si je l'avais su ! Ils ont attendu très longtemps pour m'avouer que c'était du sang que je buvais. Papa me forçait à boire et ne me disait pas ce que c'était. Quand j'ai su que c'était du sang, j'ai supposé que cela était le produit de leur chasse, ce qui avait déjà une forte tendance à me répugner ! Mais papa m'avait fait promettre de boire tout ce qu'il me donnerait jusqu'à l'arrivée de François.
- C'est admirable ma toute belle. François m'a dit quelle élève remarquable tu as été. Très peu de morts, contrairement à ce que

tu dis et beaucoup d'amour dans tout ce que tu entreprenais. Si tu as faim, je suis tout à ton service pour te servir de mon sang.

- Non !

Elle avait l'air horrifié, et il s'avoua à lui-même qu'il n'aurait jamais imaginé faire une telle offre un jour ! La théorie selon laquelle les pouvoirs qu'elle aurait viendraient du fait d'avoir bu du sang de chacun des membres de sa famille lui donnait envie de lui faire goûter du sien.

- Comment pouvez-vous envisager cela et même me l'avoir proposé ! C'est inimaginable, c'est... Cela me met très mal à l'aise que vous ayez osé me dire cela, comme si...
- Calme-toi, Générosa, je suis désolé de t'avoir choquée ainsi, mais toute la famille t'a servi de son propre sang et je dois avouer que... jamais je n'aurais osé te le proposer si je ne voyais pas en toi quelqu'un de très exceptionnel... et je me demandais si ton savoir, ta soif de connaissance, tes pouvoirs ne viendraient pas de ce sang que ta famille t'a fait boire... mais laissons cela pour le moment nous en rediscuterons plus tard. Donc, un vampire se reconnaît aisément à ses yeux. Un regard averti comme celui des Sanguisugas le détectera de suite. Pour un humain, c'est plus difficile. Leurs yeux brillent et une aura rouge entoure les prunelles, comme si des flammes avaient pris possession de leurs yeux.
- Oh ! Cela doit être très beau !
- Beau ? Oui, je pense que l'on peut dire cela. Tu es vraiment étrange, à voir des beautés là où personne n'envisagerait même d'en voir ! Vous-mêmes avez ces yeux enflammés quand vous vous nourrissez... D'après François, cela doit en partie hypnotiser les humains.
- Est-ce mal que je trouve cela beau ?

- Non ! Loin de là, tu es une femme extraordinaire et surprenante ! Je n'avais jamais osé rêver rencontrer une femme telle que toi chez les humains, alors chez les Sanguisugas c'est un miracle ! Tu m'impressionnes !

- Mais bien sûr ! Plutôt que de dire des bêtises si tu continuais à me parler des points communs et différences entre les Vampires et les Sanguisugas.

- Je ne dis jamais de sottise, jeune fille !

Son ton se voulait sévère, mais son sourire disait tout le contraire. Il était surpris d'être enchanté de cette soirée, à être heureux et frivole. L'envie de rire et de plaisanter avec cette jeune femme lui tenait à cœur, il y a des siècles qu'il n'avait ressenti pareille joie. Il prit un air de martyr et reprit :

- Bien donc, poursuivons puisque vous l'ordonnez Madame !

Générosa éclata d'un rire joyeux tandis que Kenneth poursuivait :

- Les Vampires tout comme vous n'ont nul besoin de respirer, mais quand ils le font cela les rend plus fort... Avec vos Anciens, j'ai exploré cette option dans votre nature et je n'ai trouvé aucun écho. Il nous faudra étudier cela ensemble si tu le permets. Tant de choses à voir ensemble...

- Et bien comme cela vous ne vous ennuierez pas ! Enfin, je l'espère... Papa m'a dit combien tu aimes partager tes connaissances.

- Il a raison et enseigner à quelqu'un d'aussi intelligent que toi est et restera un véritable honneur pour ne pas dire le mot bonheur. J'ai autant à apprendre de toi que toi de moi ! Entre nous c'est un véritable échange qui aura lieu ce ne sera pas à sens unique ! Bien, retournons à nos moutons. L'une des grandes difficultés des Vampires est de réussir à pénétrer dans une demeure où des personnes vivent régulièrement. Ils doivent être invités à le faire par l'un des résidents, qu'ils soient humains ou autres ! Le seul endroit où ils peuvent entrer sans crainte est une maison abandonnée ou bien celle d'un autre vampire. Et encore faut-il qu'il n'y ait que des Vampires qui y vivent !

- C'est bien compliqué !

- Non, c'est tout naturel pour eux, quelque chose de normal !

- Mais l'invitation doit être faite à chacune de leurs visites ?

- Non une seule et unique fois. C'est pour cela qu'ils sont rarement invités par ceux connaissant leur véritable nature, car cela peut s'avérer dangereux.

- C'est bien ce que je disais, c'est compliqué !

- Juste une habitude à prendre, pour eux c'est une seconde nature. Vous avez la chance de ne pas avoir ce problème. Un autre de leurs problèmes est qu'ils doivent vivre rigoureusement et uniquement la nuit, ce n'est pas comme vous une option préférable, mais une obligation impérative. Leurs raisons sont radicalement différentes des Sanguisugas. La lumière du jour est un véritable fléau pour eux, elle leur est fatale, elle les brûle littéralement ! Chez les Sanguisugas, cela ne fait qu'entraîner un processus de vieillissement, comme ta famille a dû te l'expliquer.

Elle hocha la tête pour approuver ces paroles.

- J'en suis d'ailleurs comblée, pouvoir voir un coucher ou un lever de soleil sur la mer est un plaisir si intense ! Quand j'étais humaine, cela me permettait de me vider l'esprit et me rendait tout simplement heureuse de vivre l'instant présent.

- Je te comprends, car je ressens à cette vue un plaisir et une sérénité que rien d'autre ne me procure avec autant de force. Et tu n'as pas vu ceux d'Afrique dans le désert…

Il paraissait rêveur en disant cela, cela fit sourire Générosa qui ne s'était pas représenté cet homme avec des sentiments. Il était humain et elle en était ravie. Kenneth reprit :

- Bien, continuons, donc ensuite comme vous ils sont insensibles aux différences de température, mais pas à la douleur physique. Leur résistance à ces douleurs est bien plus importante que celle de simples humains, mais bien moins que la vôtre cependant.
- Je n'avais jamais fait attention à tout cela ! Je m'habille au vu de la saison et c'est vrai en y réfléchissant que je n'ai jamais eu froid ou trop chaud !
- Tout comme vous, une simple blessure physique guérit à une vitesse vertigineuse. Si la blessure est plus grave, boire du sang vous aide les uns comme les autres à guérir plus vite. Une légende que je n'ai pas vérifiée voudrait que boire le sang d'une jeune fille vierge leur donne davantage de pouvoir. Je dis légende, car je ne suis pas certain que cela soit véridique. J'ai testé avec les Anciens et cela n'a rien donné. Leurs pouvoirs sont comme les vôtres divers et variés. Il semblerait que pour les uns comme les autres vos pouvoirs soient un héritage de votre vie d'humains. Ils ont cependant un pouvoir commun que vous ne possédez pas, ils peuvent lire dans les pensées des humains, mais uniquement des humains.
- Ce doit être bien pratique !
- En effet, ils savent très vite quand leur secret est éventé et cela leur permet de tuer les individus qui risqueraient de les dénoncer… Et pour finir, ils sont comme vous immortels. La seule façon de les tuer est de leur planter un pieu de bois, de préférence en chêne, à l'endroit où se trouvait leur cœur, qui contrairement au vôtre ne bat plus du tout, et de les brûler complètement.
- Un peu comme pour nous alors… Sont-ils nos ennemis ?

- Non. Vous n'êtes pas les meilleurs amis existants, mais vous vous respectez les uns les autres et n'allez pas à la confrontation. Vos ressemblances font de vous des cousins éloignés.
- Très bien, je ne pensais pas qu'il y eut tant de choses à apprendre sur une seule espèce…
- Je les ai beaucoup étudiés après ma vie avec les Anciens. C'est pour cela que j'en sais autant ! Vous êtes les deux ethnies qui me fascinent le plus et maintenant que je te connais, encore bien plus que je ne l'aurais cru… J'en sais bien moins sur les autres, j'apprends au fur et à mesure de mes voyages, mais je n'étudie pas avec autant de profondeur ceux que je rencontre. Souhaites-tu te reposer ?
- Non, mais pouvons-nous faire autre chose ?
- Bien sûr, il faut varier et tu ne pourras pas tout apprendre en une seule soirée ! De plus, je soupçonne une impatience à avoir des réponses à tes questions…
- Oui, c'est vrai ! Répondit Générosa d'une petite voix. Je peux ?
- Je t'écoute !

Générosa fit comme à son habitude lorsqu'elle allait dire quelque chose de difficile, elle inspira profondément et se lança :

- J'aimerais que tu m'apprennes à maîtriser mes émotions. Je voudrais que papa et François ne puissent plus percevoir ce que je ressens. Tout comme j'aimerais que Carol ne puisse plus lire en moi comme dans un livre ouvert. J'ai essayé de travailler dessus toute seule, mais c'est difficile. J'ai cru avoir quelques succès, mais je n'en suis pas certaine. Est-ce possible de travailler là-dessus ?
- Nous pouvons essayer. Si tu penses avoir eu des succès, c'est qu'ils ont eu lieu… C'est certain !
- Tu… tu ne trouves pas que c'est anormal comme demande ? Tu n'es pas choqué que je veuille me préserver de ma famille. J'ai

253

énormément de questions aussi, mais nous pourrons en parler un autre jour…

- Bien entendu. Je conçois aussi qu'il te soit pénible de ne pas avoir de jardin secret et que ce manque d'intimité soit difficile à vivre. Je t'aiderais de mon mieux.

- Merci beaucoup !

Générosa se sentait rassurée, elle avait eu si peur que Kenneth refuse...

- Je pense qu'il faut que tu commences par te concentrer sur les émotions que tu ressens en toi. Mais cela, nous ne pourrons le travailler que discrètement en présence de ta famille. Pour ce qui est de la lecture dans ton esprit, nous pouvons commencer à y travailler dès ce soir. Je peux grâce à un sort magique lire dans les esprits et pour nous entraîner c'est l'idéal.

- On commence ? Que dois-je faire ?

- Canalise-toi sur ton toi intérieur. Ferme-toi aux bruits extérieurs. Vas-y, je lance mon sort.

Générosa se concentra. Elle entendit Kenneth murmurer dans une langue qui lui était inconnue et pointer la main vers elle en même temps. Cela lui fit oublier ce qu'elle était en train de faire, intriguée de voir Kenneth ainsi tendu vers elle.

- *Leughadh gu tur cnuachd !*

Il lui sourit :

- Voilà je peux désormais entendre tout ce que tu penses. Il me suffira de lancer un autre sort pour l'annuler. Prête ?

- Oui. Très bien, je vide mon esprit, je ne pense à rien et j'oublie les bruits...

Ils travaillèrent quelques heures ainsi. La famille qui rentrait sonnait la fin des exercices pour la soirée. Kenneth lança rapidement le sort d'annulation « *Dubhadh a-mach buidseachd !* » tendant la main discrètement vers Générosa et en lui faisant un clin d'œil complice. Il y avait eu beaucoup de larmes de tristesse et de rage lors des échecs répétés, ce qui laissa Kenneth ébahi d'en voir la texture et le danger potentiel. Quelques succès remontèrent le moral à Générosa et lui rendirent le sourire. Elle craignait de ne jamais y arriver, mais ces brefs succès lui laissaient penser qu'elle y arriverait définitivement assez rapidement avec un travail intensif.

- Kenneth ! Vous travaillez encore ? Mais tu vas l'épuiser !

Domenica se dirigeait vers sa fille l'air inquiet. Générosa se leva et déposa un léger baiser sur sa joue pour la rassurer.

- Non, maman ! C'est moi qui ai demandé à Oncle Kenneth de travailler tant qu'il s'en sentirait la force. J'ai tant à apprendre !
- Oncle Kenneth, rien que cela, intervint Livio d'une voix surprise.

Kenneth rougit ce qui amusa beaucoup Générosa qui vint à son secours.

- Oui, Oncle Kenneth ! N'est-il pas de la famille ? N'est-ce pas vous qui souhaitiez que je l'accueille chaleureusement et que je l'aime autant que vous ? Vous n'allez pas me le reprocher maintenant !
- Non chérie ! Nous sommes ravis que nos espérances aient trouvé un écho en toi !
- Je suis fatiguée, puis-je disposer ?
- Bien sûr mon cœur. Repose-toi bien !

- Oncle Kenneth, tu seras toujours là à mon prochain réveil, n'est-ce pas ?
- Oui petit ange ! Je ne quitterais cette maison que le jour où tu n'auras plus besoin de moi. Tu devras me renvoyer à coups de pied dans le derrière dans le cas contraire !

Il finit ces mots dans un sourire rieur. Son regard pétillait de malice, comme s'il partageait avec Générosa une plaisanterie comprise d'eux seuls. Elle éclata de rire.

- Cela n'arrivera jamais. Merci pour cette soirée de rêve et à très vite. Bon repos, tu auras besoin de force, contrairement à ce que maman pense c'est moi qui vais t'épuiser.
- Ne crains rien, ma petite chérie, je suis solide moi aussi !

Cette connivence dérangea Livio qui était un peu jaloux de cette complicité si rapidement et si facilement conquise par Kenneth. Générosa embrassa Kenneth, le remercia une fois encore avec chaleur dans le creux de l'oreille. Elle embrassa son père et sa mère, chuchotant à l'oreille de son père quelques mots de réconfort, ayant senti sa jalousie au fond d'elle :

- Ne sois pas jaloux, personne ne pourra jamais te remplacer ! Tu es mon père et cela rien, ni personne, ne pourra le changer ! Je t'aime mon petit papa chéri.

Elle embrassa Carol et Franck puis sortant de la pièce fut surprise en découvrant François appuyé dos au mur. Il l'attira à lui et la serra fort contre lui posant ses lèvres contre sa gorge. Il avait l'air d'un homme désespéré. Instinctivement, elle l'enlaça aussi passant ses mains dans ses cheveux, mais l'odeur de la Marquise sur lui la fit reprendre pied avec la réalité très rapidement. Elle était foncièrement déçue d'avoir une fois de plus cédé. Cette impression violente et désagréable de se retrouver à nouveau comme une simple humaine à chaque fois qu'elle se trouvait contre lui, dans ses bras, la décontenançait toujours autant.

Elle s'écarta légèrement, l'embrassa sur la joue et murmura d'une voix ou la haine transpirait :

- Tu empestes ! La prochaine fois que tu voudras me serrer ainsi, je te conseille gentiment de prendre une bonne douche ! Encore mieux… Ne me serre plus jamais contre toi de cette manière, cela t'évitera de nouvelles déconvenues.
- Jamais je ne cesserais de vouloir t'avoir contre moi, mon amour ! Jamais !
- Tu aimes les désillusions alors ! Bon repos François !

Il laissa retomber ses bras, une tristesse immense envahissant sa poitrine. Une fois de plus, il l'avait éloignée de lui ! Générosa tourna les talons. Il la regarda s'éloigner de lui sans se retourner.

- Bon repos à toi, mon ange… Ma vie !

Générosa entendit, mais gravit les escaliers sans le regarder. Elle n'avait pas envie de se battre avec lui ce soir. Elle était épuisée par tous ces efforts fournis dans la soirée. Elle se doutait que cela n'allait pas être de tout repos, mais aussi épuisant, elle ne l'avait pas même soupçonné ! Elle se lava rapidement, ayant une fois de plus l'impression d'avoir l'odeur de cette femme sur elle. Se couchant, elle s'endormit rapidement.

François rejoignit le reste de sa famille dans la pièce, Carol s'approcha de lui discrètement et lui serra la main pour tenter de soulager sa peine. Il lui sourit pour la remercier. Il était rentré avec toute sa famille, content de retrouver Générosa et de quitter la Marquise qui devenait de plus en plus entreprenante. S'il n'y prenait garde, il se retrouverait bientôt fiancé avec cette femme… Il envisageait sérieusement de tenter de l'hypnotiser pour qu'elle cesse de le poursuivre ainsi de ses assiduités. Il se secoua et reprit pied dans la réalité immédiate. Il demanderait conseil à Carol sur l'attitude à tenir.

- J'ai gagné mon pari semblerait-il ! dit-il avec une bonne humeur qui ne trompa personne.
- Oui et je paierais ma dette de bon cœur. Elle est au-delà de tout ce que j'aurais pu imaginer rencontrer. Jolie comme un cœur, j'ai été troublé un instant par la ressemblance frappante entre vous deux Domenica. Mais je dois avouer que je ne vous croyais ni les uns ni les autres et que je pensais que vous exagériez tous, même les Anciens. Pardonnez-moi tous, votre description de Générosa était parfaite. Ses dons sont extraordinaires. Laissez-moi vous dire que c'est un véritable cadeau que vous me faites. Merci à vous tous. Générosa est un diamant brut. Je suis ravi de vous aider à en faire le plus beau bijou du monde !
- Oncle Kenneth est donc satisfait ! ironisa Livio.
- Au-delà des mots ! Je vais écrire à ce vieux grigou de Paolo pour lui dire de se dépêcher de venir voir sa petite fille, s'il ne veut pas que j'aille le chercher par la peau des fesses. C'est inadmissible qu'il fasse attendre une telle beauté, d'autant plus qu'elle est de sa famille !

Ces réflexions firent rire l'assemblée.

- Sur ce, je suis navré de vous laisser ainsi, mais je n'ai plus l'habitude de vivre la nuit et il va me falloir un temps de réadaptation ainsi qu'une bonne journée de sommeil ! Générosa est une jeune femme affamée et impatiente, elle m'a épuisé comme je ne l'avais pas été depuis bien longtemps…
- Souhaites-tu manger avant d'aller te coucher ?

- Non, je n'aspire qu'à retrouver mon lit. J'ai souvenir qu'il était moelleux à souhait.

- Dans ce cas bon repos, Kenneth !

- Bon repos à vous tous, mes amis.

Et il sortit de la pièce, bien plus éreinté par cette nuit qu'il ne l'avait dit. Il avait été bien imprudent en prenant à la légère cette soirée. Il avait pensé se retrouver au lit de bonne heure et cette nuit avait été en fait une surprise gigantesque. Générosa avait réalisé des progrès impressionnants en une seule séance ! Elle désespérait d'y arriver, il l'avait lu dans son esprit. Mais lui n'avait aucun doute, il savait qu'elle réussirait et très vite. Elle ne se rendait pas compte de la difficulté de l'exercice. Il n'était même pas sûr lui-même de parvenir à l'aider et pourtant le résultat était là, quand il n'avait pu lire en elle pendant quelques brèves secondes magiques, il était resté stupéfait !

Elle bouillait d'impatience et cela lui plaisait. Tout comme cette soif de connaissance qu'elle ne faisait rien pour dissimuler. Sans le savoir, elle travaillait sur deux exercices en même temps. Réussir à cacher ses pensées et empêcher François ou Livio de percevoir ses émotions ! Il savait qu'elle y arriverait très rapidement et qu'ils pourraient alors travailler sur des points différents. Les Anciens avaient raison, cette femme serait une grande Sanguisuga qui les dépasserait tous en connaissances et pouvoirs !

Il voulait qu'elle exploite ses capacités avant de lui apprendre à manier la magie. Il était convaincu qu'elle serait la seule et unique Sanguisuga utilisant la magie sans aucun problème ! C'est aussi la première fois qu'il se sentait l'envie de transmettre toutes ses connaissances et d'enseigner sa magie, car il sentait qu'elle n'en ferait jamais un mauvais usage. Lui qui n'avait jamais voulu d'apprenti !

259

Il entra dans sa chambre et se mit sur le bureau il fallait absolument qu'il écrive à Paolo avant de se coucher.

Mon très cher et plus vieil ami,

Je suis depuis hier chez tes enfants. Ils se portent tous bien et je suis bien aise d'être en leur compagnie après tant de temps passé loin d'eux tous.

Si je t'écris, ce n'est pas pour te donner de leurs nouvelles, ils sont bien assez grands pour le faire eux-mêmes. Ce qui m'amène c'est ta petite-fille, le joyau de ta famille. Il te faut venir ici promptement voir par toi-même ce dont je veux parler. Te dire qu'elle est belle et gracieuse ne serait rien si elle ne ressemblait autant à sa mère dont elle a hérité le sang chaud et l'impatience. Sa beauté intérieure est encore plus extraordinaire. Elle est pleine de surprises. Tu sais que je ne parle jamais à la légère et si je te dis que Générosa est une perle rare, c'est que j'en suis convaincu.

Je suis venu à Venise par respect et affection pour ta famille, ce que j'ai découvert fait que j'y reste pour mon plus grand plaisir. Je vais être son professeur et j'en suis fier ! J'espère réussir à lui apprendre tout ce que je sais, elle a un potentiel énorme, mais je ne t'en dirais pas plus. Je t'attends avec impatience et te dis à très bientôt mon ami !

Reçois toute mon amitié et mon meilleur souvenir

Kenneth   *Mac*   *Indulf*
Palazzo Baldi della Julienus

Venise, 13 avril 1664

Posant la lettre en évidence sur le bureau, il alla se coucher. Il adorait cette maison et ses mystères, lorsqu'il était venu aux noces de Domenica et Livio, ce dernier lui en avait confié les secrets, il en restait toujours ébahi, car la transformation de Livio n'avait rien changé aux habitudes de la maison. Par exemple ce courrier, il savait qu'il aurait disparu à son réveil. Et pourtant aucun bruit n'était venu perturber le sommeil de l'occupant de la pièce. Livio avait toujours su s'entourer d'un personnel discret et qualifié. Ce personnel ignore tout de la véritable nature des habitants de la demeure, à Venise vivre la nuit est une seconde nature pour l'élite ! Et pourquoi chercher à comprendre, lorsque l'on a un employeur généreux et compréhensif...

Il s'endormit satisfait de sa nuit et heureux d'être à Venise, dans cette maison parmi des gens qu'il aimait profondément. Il rêva de cette sorcière Sanguisuga qui avait su, sans faire le moindre effort, le séduire d'un seul coup d'œil !

- Bien, nous pouvons être rassurés. Kenneth est séduit par notre Générosa. Elle recevra près de lui la meilleure éducation possible. Je ne doute d'ailleurs pas que votre père arrive très bientôt maintenant ! Il saura lui éveiller l'envie et la curiosité de la rencontrer enfin, bien mieux que nous n'ayons su le faire...
- Oui. Je ne le connaîtrais pas si bien et depuis si longtemps, j'aurais pu croire qu'il est tombé à son tour fou amoureux d'elle

François sursauta, jaloux et dit inquiet :

- Amoureux ? Il est fou d'elle, je te rejoins sur ce point, mais amoureux ? Je doute même qu'il connaisse la signification de ce mot...
- Ne t'inquiète pas, petit frère, il est fou d'elle c'est vrai, et c'est une bonne chose d'ailleurs. C'est une diplomate et une manipulatrice hors pair. Elle saura tirer tout ce qu'elle veut de lui... Je suis lasse, mon ami, je vais aller embrasser notre fille et me coucher.
- Je te suis. Bon repos à vous tous.

La réflexion de sa sœur avait fait se glacer François. Il avait toute confiance en ce vieil ami de la famille, mais la jalousie est un sentiment qu'on peut difficilement gérer. Même s'il savait que Générosa était à lui et lui seul, il devait déjà lutter contre le Comte, mais il refusait de se battre contre un ami… Il soupira, se sentant seul et un peu idiot dans ses réactions extrêmes. Il tressaillit quand il entendit la voix de Carol.

- Nous allons te laisser aussi François, nous avons tous été tendus lors de cette soirée et cela nous a épuisés. Nous aurions dû avoir confiance en notre Générosa et savoir que Kenneth ne pouvait que comme nous tomber sous son charme !
- C'est vrai, un seul regard et tout le monde se trouve sous son charme ! Humains, Sanguisugas et désormais Enchanteur. Gageons que nul ne lui résistera jamais, dit Franck avec humour.
- Demain pourriez-vous m'accorder un peu de temps j'aurais besoin de vous parler, il hésita un instant et continua, j'ai besoin de vos conseils.

Franck leva un sourcil interrogateur

- Urgent ? Nous pouvons si tu le veux en parler maintenant ! Cela concerne Générosa ?
- Non, cela peut attendre notre prochain réveil, Franck. Bon repos à vous deux !

Voyant le sourire de Franck il continua :

- Et pour répondre à ta question, depuis qu'elle est entrée dans ma vie, tout concerne et concernera Générosa de plus ou moins près !
- Très bien, message reçu petit frère. Nous serons à ta disposition demain dès notre réveil. Bon repos à toi.

Il entraîna Carol à sa suite, mais elle s'arrêta une seconde pour embrasser François.

François prit un livre au hasard puis s'installa dans le fauteuil que Générosa prenait toujours dans cette pièce, son odeur y était fortement ancrée, nul autre qu'elle s'y installait. Elle se l'était approprié et chacun respectait cela. Il savait qu'elle adorait cette pièce et il la comprenait, il avait lui aussi toujours adoré l'intimité de cette bibliothèque ! Il s'interrogeait pourtant toujours sur le choix de ce fauteuil plus qu'un autre… il y avait un portrait de Domenica au dos de celui-ci, le fauteuil y faisait face la première fois ou elle en avait pris possession. Cette nuit maudite… Il avait l'impression que c'était hier alors que deux ans s'étaient écoulés. Il se souvint de la terreur ressentie cette nuit-là en ne la trouvant nulle part… Mais aussi de la colère de Générosa lorsqu'il lui avait hurlé dessus sans raison, sa peur ayant dicté ses mots. Il serra les poings sur le livre… Le fauteuil tournait le dos au portrait désormais, il n'avait jamais été remis en face. Il n'était ni plus confortable qu'un autre, ni plus proche des livres ou des tables… L'un des mystères de sa bien-aimée, mais il saurait, un jour elle le lui dirait ! Il tenta de se concentrer sur le livre, mais n'arrivait pas à en déchiffrer le moindre mot, il n'aurait même pas su dire quel en était le titre. Il se décida donc à monter dans sa chambre. Il s'arrêta brièvement devant la chambre de Générosa et écouta. Elle dormait profondément comme toujours. Il résista à l'envie d'entrer l'embrasser, sachant qu'un jour il ne saurait pas se contenter d'un simple baiser pour s'endormir. Il entra dans sa propre chambre et ne prenant pas le temps de se dévêtir s'endormit le nez dans l'oreiller de Générosa. Depuis deux ans, il avait toujours un oreiller avec l'odeur de Générosa. Il ne pouvait plus s'endormir sans ce parfum et le doux bruit de sa respiration.

À son réveil, il se précipita pour l'embrasser avant même de prendre le temps de se préparer. Il n'aurait pas supporté de

263

commencer sa journée sans ce baiser volé, ce baiser du matin ne comportait aucun risque, il savait se maîtriser au réveil contrairement au coucher... Il retourna dans sa chambre et prit conscience qu'il était une fois de plus vêtu comme la veille. Cela arrivait trop souvent ! Il allait devoir y prendre garde... Il ne pouvait faire moins que sa bien-aimée... Cela ne lui était arrivé qu'une ou deux fois et il en avait été surpris. Il se promit de faire plus attention à l'avenir, après tout ce n'était pas dans son éducation d'être ainsi et il se devait d'être digne de son rang, mais, et surtout de sa chère et tendre. L'hygiène d'un Sanguisuga était irréprochable, pas de transpiration ni d'odeur nauséabonde ou de choses de ce genre, mais ils avaient tous une grande affection pour les parfums et la sensation de l'eau et du savon sur leur peau leur était très agréable. Il se lava et choisit un habit, de coupe française, gris perle, l'un des préférés de Générosa. Puis il sortit de la chambre et se retrouva sur le palier en même temps que Franck et Carol. Ils s'embrassèrent rapidement et descendirent sans un mot. Arrivés en bas, ils saluèrent rapidement Kenneth en train de prendre son repas du lever entouré par Livio et Domenica qui lui tenait compagnie. Ils prirent, de leur côté, place dans une pièce proche du virage de l'escalier et François mit en place une bulle les protégeant tous trois de l'extérieur.

- Très bien, mon cher frère, que pouvons-nous faire pour t'aider ?
- J'ai un problème et je ne sais quoi faire. Il s'agit de la Marquise
- Tu es fort à son goût en effet ! dit Franck ironiquement.
- Bien trop même. Je suis lucide, je sais en être pour une bonne partie responsable. Mais maintenant, je me retrouve lié à cette femme sans savoir comment la détourner de moi et je sens qu'elle attend quelque chose que je ne pourrais jamais lui donner... J'aurais peut-être pu s'il n'y avait pas eu Générosa,

passer quelque temps en sa compagnie puis disparaître, mais je n'y arriverais plus maintenant. Ce qui est terrible, c'est que plus le temps passe et plus cela devient difficile de lui dire que je veux rompre. Je pensais tenter de l'hypnotiser, mais j'hésite…

- Tu dois prendre garde François, il y a des enjeux plus importants que toi désormais. Toute la famille se trouverait en péril si tu rompais sans ménagement avec cette femme. Elle est d'une grande influence à Venise.

- Je sais, mais je fais tant souffrir Générosa… et…

Il vit sa sœur et Franck s'adresser à l'escalier et se retournant sut avant de la voir que Générosa se tenait là. Il était heureux de la voir, cette robe la rendait encore plus belle si cela avait été possible. Il mit dans son sourire tout l'amour qu'il ressentait pour elle. Elle le lui rendit et disparut de son champ de vision. Ravi il se retourna cependant vers son frère et sa sœur, pour poursuivre leur conversation.

- Comme je le disais, Générosa souffre et se met en colère à chaque fois qu'elle voit cette femme, elle refuse de l'avouer et pourtant… Et puis d'un autre côté, comme tu l'as si bien souligné Franck, elle est une femme avec laquelle il faut compter à Venise. Je sais que beaucoup d'hommes aimeraient se trouver à ma place et l'épouseraient volontiers. Si cela était en mon pouvoir, je leur laisserais ce plaisir très volontiers… Que puis-je faire ? N'existe-t-il aucune solution rapide qui préserve notre famille, Générosa et toutes ces choses auxquelles je ne pense pas ?

- Pour le moment, nous n'en voyons pas François, mais tenter de l'hypnotiser serait dangereux après tout ce temps…

Voyant son air abattu Carol continua :

- Ce n'est pas la réponse que tu attendais, je le sais, mais tu ne peux te permettre d'être expéditif dans cette histoire… Tu dois continuer de te montrer en compagnie de cette jeune femme et être gentil avec elle… Générosa comprendra…

- J'en doute fortement hélas ! dit-il d'un ton amer, mais je suivrais votre conseil… pour le moment !

- Nous réfléchirons à la meilleure manière pour toi de rompre sans mettre en danger notre vie dans la cité. Surtout maintenant que Kenneth est ici et accepte d'être le professeur de Générosa, nous serons encore quelque temps ici…

- Promis je ne ferais rien d'inconsidéré et vous savez que je ne ferais jamais rien qui puisse nuire à Générosa ou à notre famille. Merci de m'avoir écouté et de savoir, que je peux compter sur votre soutien me fait beaucoup de bien.

- À ton service, petit frère. Sache que nous serons toujours là si tu as besoin de nous, n'est-ce pas Franck ?

- Toujours ! Et ne t'inquiète pas, nous trouverons une solution… Tout espoir est permis, la Marquise découvrira peut-être d'elle-même tes réticences à un mariage et, ne trouvant cela guère flatteur, cherchera un autre homme à mettre dans son lit… Allons rejoindre les autres, notre petit aparté pourrait leur faire se poser des questions gênantes !

- Vous avez raison, mais je doute qu'elle comprenne d'elle-même… Encore merci à vous deux.

Franck mit un coup de poing amical dans l'épaule de François. Ils sortirent et rejoignirent les autres.

Générosa se réveilla. Elle entendait ses parents rire ce qui la poussa à écouter attentivement en compagnie de qui ils se trouvaient. Entendant Kenneth raconter une anecdote d'un de ses voyages elle eut un sourire et cessa d'écouter, ne voulant pas être indiscrète. Elle se prépara, choisissant une jolie robe toute simple, rose pâle. Elle ne comptait pas sortir, mais bel et bien rester à la maison en compagnie de Kenneth. Ils avaient beaucoup de travail ! Elle prêta l'oreille aux autres bruits de la maison sans détecter quoi que ce soit d'autre que la conversation de ses parents avec Kenneth. Elle sortit alors de sa chambre pour les rejoindre. Descendant les escaliers, elle vit François, Franck et Carol en grande discussion et comprit que François les avait enfermés dans une bulle pour pouvoir parler tranquillement. Carol et Franck lui faisaient face. Carol l'apercevant lui envoya un baiser de la main avec un clin d'œil chaleureux, Franck lui fit un petit geste affectueux. François se retourna et un sourire franc et heureux éclaira son visage, sourire auquel elle ne put résister, le lui rendant sans réfléchir, puis continua sa descente pour rejoindre Kenneth et ses parents qui discutaient toujours ensemble.

- Bonjour Oncle Kenneth !

Elle alla directement l'embrasser sur le haut du crâne en ignorant totalement ses parents. Kenneth était en train de prendre son repas.

- Bonjour jeune beauté, tu m'as l'air bien joyeux.
- Pourquoi ne le serais-je pas ? Tu es ici et… j'adore apprendre !
- C'est ce que j'ai cru comprendre…
- Bonjour Générosa.
- Pardon ! Bonjour papa et maman.

Elle alla vite les embrasser, confuse. Son père la taquina :

- Je vais finir par te donner un pense-bête. Petit un, embrasser avec chaleur et amour son petit papa chéri d'amour ; petit deux faire de même avec sa maman adorée ; petit trois si d'autres personnes se trouvent dans la pièce, essayer de faire montre de moins d'affection au risque de rendre jalouses les deux personnes susnommées !

Générosa éclata de rire, c'est ce moment que choisirent François, Franck et Carol pour les rejoindre.

- Je pourrais moi aussi faire un pense-bête à ton attention petit papa. Petit un, faire confiance à sa fille adorée ; petit deux, sa fille adorée n'a qu'un seul père et une seule mère, les autres ne pourront jamais les supplanter dans son cœur ; petit trois, admirer le fait que sa fille chérie pense à saluer les invités et à tout faire pour qu'ils se sentent à l'aise.

Livio et Générosa éclatèrent à leur tour de rire, rejoint par les autres.

- Je confirme, ce que je disais tout à l'heure en son absence, elle a un esprit hors du commun !
- C'est ma fille, il ne pouvait en être autrement, dit Livio la voix toujours riante.
- Mon ange, nous restons ici ce soir, mais nous te laissons Kenneth, dit Domenica et jetant un œil vers Kenneth ajouta : Nous en aurions décidé autrement qu'il se serait chargé de nous rappeler que c'est à cause et pour toi qu'il est ici !
- C'est un peu vrai ! Même si je suis sûre qu'il serait venu juste pour une visite de courtoisie... Mais ne vous souciez pas il se lassera bien vite de ma compagnie !
- Et pleine de diplomatie avec ça ! Je doute me lasser de toi avant bien longtemps ! J'ai passé de nombreux siècles en compagnie des Anciens avant de ressentir le début d'un ennui. Je suis patient et en ce qui te concerne trop curieux et avide de t'apprendre pour envisager m'ennuyer de toi un jour !
- Quel flatteur ! Je me rends à la bibliothèque pour t'y attendre, Oncle Kenneth !

- Oui jeune fille, vas-y je te rejoins dans une minute.

Elle passa devant François et trébucha dans le tapis en voulant l'éviter. Il la rattrapa et la serra dans ses bras. Alors qu'elle tentait de fuir ses bras, il la retint et lui souffla à l'oreille :

- Je me suis lavé et parfumé, mon amour ! Et ne crains rien, je sais me tenir quand il le faut, je ne t'embrasserais pas devant ton père, je tiens à ma peau… Écoute-moi ! Je… Il faut que je te dise que le Comte s'est inquiété de ton absence hier soir, je lui ai dit que ta migraine te faisait toujours autant souffrir. Il… il t'a fait envoyer des fleurs dans la journée, elles se trouvent dans la bibliothèque.
- Quel amour ! Il est vraiment très attentionné !
- N'est-ce pas ! fit François ironiquement, malade de jalousie.

Elle lui jeta un regard noir. Il poursuivit, faisant taire sa jalousie :

- Une invitation accompagnait les fleurs. Nous sommes tous conviés demain soir à une soirée privée chez lui, il serait bon que tu t'y rendes. Voyant qu'elle allait protester il poursuivit rapidement : je sais, tu préférerais être avec Kenneth. Mais tu ne peux te couper de la vie sociale que t'imposes ton rang et qui est ta vie, ici, à Venise. Tu te doutes que le fait de te savoir loin du Comte me ravit au plus haut point, mais tu…

Elle fit un geste pour le faire taire, comme s'il l'agaçait ou qu'elle chassait une mouche.

- J'y serais ! Je ne tiens, effectivement pas à peiner le Comte, c'est un homme bon et généreux.

Elle se rendit prestement à la bibliothèque sans même se donner la peine de regarder sa réaction à cette réflexion. C'était plus fort qu'elle, il fallait qu'elle le défie.

Elle admirait les fleurs quand Kenneth arriva. Elles étaient colorées et odorantes.

- C'est un homme de goût que ce Comte !
- Oui, c'est aussi un être charmant et bon. Je ne supporterais pas qu'il puisse souffrir par ma faute. Mais nous ne sommes pas là pour parler de lui. Poursuivons, s'il te plaît, je vais déjà perdre une soirée dès demain.
- Rien n'est jamais perdu, chère Générosa. Tu te dois de garder une vie sociale active. Tu apprendras de nombreuses choses des humains encore et toujours. Tu as déjà appris la manière de feindre, si j'en crois ta dernière migraine…

Elle parut gênée et décida de ne pas se laisser faire.

- Je n'ai pas appris que cela des humains, tu sais, j'ai une excellente amie humaine qui vit non loin d'ici… De toutes les façons, pour le moment c'est de toi que je dois apprendre et…
- Nous travaillerons lors de cette soirée. Ton ami le Comte, ayant appris mon arrivée dans votre demeure, a tenu à ce que je sois moi aussi présent. Nous profiterons de ce moment pour travailler sur tes émotions. C'est un lieu idéal qu'une pièce pleine d'humains. Il te faudra tenir une conversation, danser, t'amuser et d'autres choses, tout en réussissant à ne pas trahir tes émotions les plus intimes à ton père et François ainsi que dissimuler tes pensées. Le programme est-il suffisamment lourd pour toi ? Devrais-je ajouter des difficultés ?
- Cela sera bien amplement suffisant… pour commencer, dit-elle avec un sourire plein d'humour.
- Très bien jeune fille, je n'oublierais pas cette remarque, crois moi ! répondit-il sur le même ton.
- Palabrerons-nous toute la nuit ou peut-on s'arrêter de parler pour commencer à travailler et à réfléchir ?

- Quel caractère, mademoiselle ! Très bien, nous avons parlé hier des Vampires. Je pensais, si cela te convient, te parler de ce que je suis. Un Enchanteur...

Générosa s'installa dans son fauteuil, redevenue sérieuse et attentive.

- Parfait ! Nous ne sommes que peu nombreux dans ce monde. Peut-être cinq ou six. Je n'ai pas eu le loisir de tous les rencontrer lors de mes voyages.
- Comment pouvez-vous alors savoir que vous êtes si peu ?
- Nous le savons. Parfois, des réponses s'imposent tout simplement. Les conversations que j'ai eues avec mes confrères ont confirmé que nous ressentons tous ce petit nombre.
- Très bien, j'accepte cette réponse dans ce cas. Je te laisse continuer.
- Nous utilisons des potions, des formules magiques, prenons le contrôle des éléments nous entourant et avons une faculté naturelle pour créer des illusions. Nous sommes capables de voir le passé et pouvons déchiffrer l'avenir de la majorité des humains. Je dois avouer que cela est très instructif lors de voyages. Nous avons un don naturel qui est très prisé par vos Anciens : nous sommes capables de discerner quels sont les talents magiques d'une personne et cela même chez les Sanguisugas. C'est fascinant de voir la rareté, mais aussi la diversité des dons parmi les différentes races humaines ou non et notamment dans la population Sanguisuga.
- Et moi ? Tu vois quoi, en moi ?
- Nous en parlerons une autre fois, je ne voudrais pas gâcher la surprise. Je trouve beaucoup plus agréable de me donner le temps de te faire découvrir tes dons par toi-même. Je suis un peu sadique comme ton père me l'a dit tout à l'heure ! Tu connais

déjà tes larmes d'autodéfense, contente toi de cela pour le moment !

- Très drôle ! Quel âge as-tu ? Es-tu immortel ?

- Je suis très âgé, j'ai environ trois cent soixante-quinze ans. Une petite centaine d'années de plus que ton grand-père. Nous sommes mortels, mais nos divers pouvoirs nous permettent de traverser le temps aisément, sans trop de dommage. Nous réussissons à maintenir l'illusion d'un être humain d'environ soixante-dix ans grâce aux sortilèges et potions.

- Votre magie est bonne ou mauvaise ?

- Nous sommes bons, enfin nous essayons de l'être. Notre magie guérit, protège, renforce, mais elle peut aussi tuer, détruire, fragiliser. Tout dépend de qui s'en sert et des buts à atteindre. Je te choque ?

- Non ! De quel droit te jugerais-je ?

Elle avait un air si sincère que Kenneth, qui avait retenu sa respiration, se détendit. Il avait craint cette question, mais s'était promis de toujours être honnête avec elle, même si certaines réponses pouvaient s'avérer difficiles à donner. Il aurait dû avoir confiance en elle.

- Comme je te le disais, nous sommes capables d'utiliser les éléments nous entourant, ayant quelques notions druidiques. Par exemple, l'eau permet de purifier, le feu sert aux sacrifices, le vent permet d'anéantir, le brouillard de se déplacer de manière invisible. Voilà un échantillon de ce que nous sommes capables de faire grâce à la nature. Les Druides se servent quotidiennement et exclusivement de celle-ci, nous ne sommes que des amateurs comparés à eux. Ce qui fait que nous n'utilisons guère ces capacités ayant bien d'autres pouvoirs permettant un résultat identique.

- As-tu été marié ? Des enfants ?

- Non, je n'ai jamais rencontré la compagne me convenant et honnêtement je n'ai jamais voulu faire peser mon style de vie ni ce que je suis à une femme. Mais je pense que si je t'avais rencontré il y a quelques siècles j'aurais tenté de rivaliser avec François. Tu es tout ce que je n'imaginais pas rencontrer un jour en une femme et j'envie François d'avoir ce bonheur.
- Peut-on parler d'autre chose ? François… Je n'aime pas parler de cela, ce n'est pas mon sujet favori, ni quelque chose dont j'ai envie de discuter avec toi…
- C'est ce que j'ai cru comprendre, je…

Voyant son petit air triste implorant, il n'insista pas. Elle ajouta avec un sourire pour dédramatiser la situation :

- Je suis flattée de savoir que tu m'aurais trouvé digne de ton affection ! Me faire courtiser par un homme tel que toi aurait été un honneur et je n'aurais pas pu résister !
- C'est cela moque toi de moi ! Bien, entamons la dernière famille que je souhaite te présenter. Pour les autres, je te laisserais te forger ton opinion lors de tes futurs voyages. Nous pourrons ainsi nous consacrer par la suite au cœur de ce que tu es… Et je dois avouer mon impatience…
- Cela me convient tout à fait.
- Dans ce cas, parlons des Loups-Garous appelés aussi lycanthropes. Ce sont des êtres d'apparence humaine la plupart du temps. Une transformation en loup ou en créature proche du loup se déclenche à chaque pleine lune et pour les plus jeunes d'entre eux chaque nuit. Transformés ils ont une grande gueule, des yeux étincelants et des dents crochues pour dépecer leurs victimes. Ils se déplacent sur leurs quatre pattes dans leur jeunesse, mais finissent par rester sur leurs deux pattes arrière lorsqu'ils sont devenus adultes. Ils sont pourvus d'une force colossale, d'une grande férocité et ne contrôle plus leurs faits et

gestes quand ils sont sous cette forme. Tout comme ils ne se rappellent plus leurs méfaits de la nuit lorsqu'ils reprennent forme humaine.

- Quelle horreur ! Avoir des pans de sa vie mis aux oubliettes comme cela…

- Cela vaut mieux pour eux, je t'assure. Au vu des crimes qu'ils perpétuent lorsqu'ils sont métamorphosés.

- Cela ne peut être pire que nous !

- Je t'assure que si, mon ange. Ils aiment la chair fraîche et même s'ils se nourrissent parfois de jeune bétail ils ont une nette préférence pour les jeunes enfants qu'ils dévorent. Ils ont ainsi dévasté des orphelinats entiers en une seule nuit ! Ou bien encore, ils faisaient le tour des maisons d'une ville pour en dévorer les bébés…

Générosa poussa un cri d'effroi, en posant ses mains sur sa bouche pour en atténuer le son qui malgré elle en était sorti. Et dire qu'elle avait cru les Sanguisugas, les pires monstres que cette terre portait ! Après ce qu'elle avait appris sur les Vampires, elle avait déjà réétudié la question, mais là c'était inimaginable… Kenneth lui fit un sourire désolé, mais ne posa pas la question qui l'aurait, il le savait maintenant, irritée. Il s'apprêtait à continuer quand ils virent surpris François et Livio devant eux, les visages décomposés par l'inquiétude et les poings crispés :

- Tu vas bien, mon ange ?

- Mais oui papa ! dit-elle exaspérée par cette interruption.

- Ne t'inquiète pas Livio. J'ai tendance à oublier que c'est une toute jeune femme, mais elle est si mature que…

- Oncle Kenneth, tu n'as pas à leur donner d'explication. Papa, François, nous parlons de choses qui peuvent paraître effrayantes, mais ne sont que la dure réalité et… vous n'allez pas venir ici dès que quelque chose vous perturbera dans ma façon de réagir ? Je demande à apprendre, j'assume tout ce que cela entraîne comme conséquences, hors le fait de vous avoir dans mes jambes dès que j'ai une réaction un peu vive...

- En fait, la terreur que tu as ressentie était si violente que...

- Que vous allez repartir tous les deux et nous laisser tranquilles ! Je vous interdis de revenir sans qu'on vous le demande expressément !

- Mais, mon amour, tu ne veux pas que nous nous inquiétions et ne pas venir nous assurer que tu n'as pas de problèmes !

- C'est un ordre, François !

Sans le vouloir ni même, s'en rendre compte, Générosa furieuse d'avoir une fois de plus trahi ses sentiments avait usé de La Voix... Elle les laissa tous trois ébahis. Elle ne s'en aperçut pas tellement concentrée sur sa colère et sa contrariété. Elle continua sur le même ton :

- Je ne plaisante pas ! Laissez Kenneth faire le travail pour lequel vous l'avez convié, n'allez pas le dégouter de m'instruire... Si cela arrivait, je vous en voudrais à tous deux au-delà de ce que vous pouvez imaginer et ma vengeance serait terrible !

- Très bien ma chérie, nous partons.

- Mon cœur...

- Partez ! Que voulez-vous qu'il m'arrive dans cette maison en compagnie d'Oncle Kenneth ?

François n'insista pas et tous deux jetèrent un dernier regard interrogateur vers Kenneth avant de sortir de la pièce. Même s'ils l'avaient voulu, ils n'auraient pu rester. La Voix était puissante en Générosa...

- Ils sont impossibles. Comprends-tu maintenant pourquoi je tiens tant à me préserver d'eux ?

- Oui chérie, mais ils t'aiment tous deux intensément. C'est la raison de cette inquiétude manifeste... Une petite question avant de poursuivre, es-tu consciente de ce qui vient de se passer ?
- Tu veux parler du fait que mon père et François sont pénibles ?

Elle soupira.

- Non une autre chose... Mais ce n'est pas grave, nous en discuterons plus tard.
- Que se passe-t-il ?
- Patience, ma petite chérie. Finissons-en avec les Loups-Garous. Ils naissent ainsi, le gène étant transmis par le père. Je n'ai jamais entendu dire qu'il existât de Loups-Garous femelles. Sous leur forme lycanthropique, ils sont invincibles ou presque. La seule chose permettant de les tuer étant l'argent. Cela les brûle littéralement et agit comme un poison sur leur organisme. Même sous leur forme humaine ils ne peuvent porter de bijoux en argent ou même se nourrir avec des couverts en argent, cela les empoisonne aussi surement que la cigüe sur un humain. Ils sont mortels et leur vie ne dure guère plus que celle d'un humain. Ils finissent par mourir de vieillesse. Ils ressentent les premiers symptômes à l'adolescence et ne comprennent ce qui leur arrive que parce que leur père leur explique. Certains décident d'aller contre leur nature et de rester enfermés les nuits de pleine lune, ne voulant pas avoir de sang sur les mains.

Voyant son air étonné il dit :

- Ils sont humains la plupart du temps. N'oublie pas cela ! Imagine ce que tu as ressenti lorsque tu as compris que ta famille tuait pour se nourrir ! Ils ont ces sentiments eux aussi et comme je te l'ai dit : leur repas favori est composé de jeunes enfants ! Certains sombrent dans la folie en découvrant leur vraie nature, quelques un préfèrent se donner la mort, d'autres encore font le

276

choix de s'isoler là où ils ne pourront tuer que des animaux et d'autres assument totalement leur état de Loup-Garou sanguinaire.

- Y a-t-il un moyen de les reconnaitre lorsqu'ils sont sous leur forme humaine ?
- Il y en a plusieurs. Leurs sourcils se rejoignent au-dessus du nez. Quand on examine leurs mains, on peut constater que le majeur et l'index sont de la même longueur...

Il lui montra les doigts dont il parlait.

- ... et leurs ongles sont légèrement rougeâtres. Ils ont aussi une voix très caverneuse, mais c'est plus difficile à discerner.
- Les humains savent-ils tout cela ? Je n'en avais jamais entendu parler.
- Certaines légendes en parlent dans des contrées très reculées, là où certains Loups-Garous se sont réfugiés pour ne plus s'attaquer à l'espèce humaine. Mais, la majorité des humains n'en soupçonnent même pas l'existence. Quand des massacres ont lieu, les hommes rendent coupables des hordes d'animaux sauvages.

Générosa médita ces paroles et se souvint de ce genre de massacre alors qu'elle était enfant, de la battue que les autorités de la ville avaient organisée.

- Avons-nous fait le tour de la question ?
- Oui, tu sais tout ce que je connais moi-même en ce qui concerne les Loups-Garous, les Vampires ou encore les Enchanteurs. Ce que j'aimerais maintenant, c'est que nous mettions à jour les pouvoirs que je sens en toi. J'aimerais aussi t'instruire ma magie, le secret des potions, en résumé que tu deviennes mon élève et que je t'apprenne tout ce que je sais, si tu l'acceptes.

277

- Ce sera un honneur Oncle Kenneth ! Je te promets de m'appliquer et de faire tout ce que tu me demanderas.
- Cela me convient. Pour ce soir, nous allons poursuivre notre entraînement sur tes pensées qui permettra de nous préparer à dissimuler tes émotions. Prête ?

Il murmura une incantation *« Leughadh gu tur cnuachd ! »* en tendant la main discrètement vers elle. Il lança une autre incantation au niveau de la porte *« Ionad diamhaireach sùghadh fuaim ! »*.

- Concentre-toi, applique-toi ! Je répondrais à tes différentes questions pendant que tu continueras ton exercice. Tu es douée et cela sera un bon entraînement pour demain soir que d'avoir plusieurs activités en même temps !
- Je n'y arriverais jamais ! Pensa-t-elle, découragée.
- Tu y arriveras parce que je l'ai décidé et que tu le veux ! Cet exercice te permettra aussi de dissimuler tes sensations à ton père et François... Ce travail sur toi-même est la base de tout ce que nous étudierons ensemble ! dit-il en réponse à sa pensée. Allez au travail jeune fille. Ne me fais pas regretter d'être là...

Il savait que ce n'était pas gentil de dire cela, mais il voulait absolument la motiver, et il savait que sa dureté trouverait un écho en elle, tout comme il savait qu'elle ne lui en tiendrait pas rigueur.

- Concentre-toi, fais abstraction des bruits extérieurs, ne pense qu'au néant... Voilà... Parfait...
- J'y suis arrivée dès le premier essai !
- Tu as du talent et des capacités que tu n'imagines pas. Maintenant, ouvre-toi à nouveau vers l'extérieur en gardant ce néant au fond de toi... Les informations rentrent, mais rien ne

sort ! C'est bien ma chérie. Garde cette concentration et menons une discussion normale.

Générosa se concentra à nouveau et à l'expression de Kenneth su qu'elle avait encore réussie.

- Je suis prête.

Elle perdit une seconde le contrôle, mais se reprit très vite et vit de la fierté dans le regard de Kenneth.

- Je répondrais donc aux trois questions que j'ai entendues. Premièrement, le geste n'a pas besoin d'être visible, quand nous le faisons de façon ostensible c'est pour que la personne en face de nous ne soit pas prise au dépourvu. C'est très rare, notre magie se doit d'être discrète sinon elle ne sert pas à grand-chose ! Un simple regard peut suffire en lieu et place du geste. Ensuite, le sort que j'ai lancé au niveau de la porte, est un peu l'équivalent du pouvoir de François, mais en amélioré. Personne n'entend ce que nous disons, ce que nous faisons et ce que tu ressens. Quant à la dernière question… Tout à l'heure avec ton père et François tu as utilisé La Voix.
- La Voix ? Comme maman, tu veux dire ?

Troublée, Générosa perdit un moment sa concentration, mais se ressaisit bien vite.

- Avec une intensité bien supérieure à Domenica. Comme les larmes que tu as améliorées, si l'on peut dire, La Voix est puissante en toi. Tu l'as utilisée naturellement sans concentration, instinctivement !
- Alors vient la question que je me pose depuis très longtemps.

Elle hésita, tendue, espérant une réponse à cette question qui la tourmentait depuis si longtemps. Kenneth l'écoutait attentivement.

- Les pouvoirs, talents, dons ou quelque soit le nom que tu leur donnes peuvent-ils être héréditaire, transmis par le sang ? Je veux dire ce ne sont pas mes vrais parents, mais tous m'ont donné de leur sang pendant une longue période pour me nourrir en attendant l'arrivée de François et après parce que je refusais de tuer. J'ai les larmes de maman, La Voix…

Elle marqua une pause, encore sous le choc de cette découverte, puis poursuivit :

- J'ai la diplomatie de papa, je suis capable de manipuler les gens à ma guise qu'ils soient humains ou Sanguisugas… Je ne dis pas que je le fais régulièrement, mais quand j'ai vu que comme papa les humains se ralliaient à mon avis, j'ai tenté sur ma famille sans aucune difficulté. Je sais ne pas utiliser ou abuser de cette capacité, d'ailleurs ils ignorent que j'ai ce don et j'aime autant que cela continue.

Elle le regarda, implorant son silence.

- Rien ne sortira de cette pièce si tu ne m'y autorises pas.
- Merci ! Et maintenant, nous découvrons que j'ai La Voix, que je l'utilise sans m'en rendre compte… Je vais devoir prendre garde à ce qu'elle soit indétectable et à éviter de l'utiliser, si tu l'as vu François et papa en ont été conscient aussi, non ?
- Ils ont été aussi surpris que moi. Tu les as renvoyés, tu as vaincu toutes tentatives de résistances avec un seul mot !
- J'ai aussi et je n'en ai parlé à personne, j'ai… j'ai par moment l'impression d'entendre les pensées des personnes présentes dans

la même pièce que moi. Cela va et vient. Je ne maîtrise pas du tout la chose et j'ai même cru à des hallucinations. C'est le pouvoir de Carol cela !

- Et celui de ton grand-père ! Je dois avouer que je suis intrigué par tout cela. Si je t'ai proposé mon sang, c'est un peu à cause de ce que m'a dit ta mère sur tes larmes. Aujourd'hui, nous découvrons La Voix en toi et pourtant ta mère ne l'est que par adoption contrairement à ton père. Je me pose la même question que toi, est-ce le sang qui est conducteur des talents et te permet de les absorber ? Ce qui voudrait dire que tu pourrais assimiler beaucoup de pouvoirs... Est-ce le seul sang de ta famille qui a ce pouvoir ? Ou encore est-ce que la seule fréquentation assidue d'une personne te permet d'absorber son essence profonde ? J'avoue que je l'ignore ma chérie et je doute d'avoir un jour la réponse.

- Ce n'est pas grave, je trouverais bien le moyen de réussir à vivre avec cette question sans réponses.

- Tu as les talents de ton père et de ta mère décuplés et c'est formidable. Voilà déjà un long moment que tu as la maîtrise de tes pensées. Il est tard et tu dois être épuisée ! En ce qui me concerne, je meurs de faim. *Gu lèir dubhadh a-mach buidseachd !* Tous les sorts sont levés. Je t'apprendrais les incantations, je sais maintenant que tu es capable de les utiliser tout comme tu sauras utiliser les potions.

- Dans ce cas, comme l'on dit chez les humains : Bon appétit, Oncle Kenneth ! Je souhaite rester un peu seule pour lire avant d'aller dormir.

- Bon repos, mon ange ! Ne te fâche pas, mais si tu as faim je peux...

- Non merci, c'est gentil. Je ne me fâcherais plus maintenant que je connais la raison de ton offre, mais je ne me sens pas prête à l'accepter.

- À ta disposition quand tu le voudras, jeune fille.

Elle lui sourit et s'appuya au dossier du fauteuil pour se détendre. Cette soirée avait été une fois de plus difficile et la suivante ne le serait pas moins… Elle finit par s'endormir épuisée. François la trouva dans cette position et la prit dans ses bras pour monter l'allonger, il l'embrassa et la laissa seule.

Les mois passèrent, difficiles, mais riches en enseignements. Générosa devint aussi forte que pouvait l'espérer Kenneth. Elle était très douée avec les incantations et les potions n'avaient plus de secrets pour elle. Savoir que cela lui permettrait de soigner des humains la motivait et elle retenait tout ce qu'il pouvait lui apprendre, elle n'était jamais rassasiée.

Paolo finit par les rejoindre courant de l'année 1665. Générosa adora de suite ce petit homme parlant haut et fort. Il était plus petit que tous les hommes de la famille, ses cheveux longs aussi noirs que ceux de Générosa lui donnaient un air de pirate tel qu'on pouvait en lire la description dans les livres. Une petite moustache au dessus de la lèvre lui donnait un petit air sombre et son regard, tout aussi noir que ses cheveux, empêcherait quiconque de tenter de se moquer de lui ou de lui chercher des noises. Générosa en était folle et il le lui rendait bien. Elle était devenue sa nouvelle fierté ! Il fut aussi émerveillé par sa petite-fille que Kenneth le lui avait promis. Il l'appelait avec tendresse *Minha Jóia* signifiant mon bijou en portugais.

Tous deux devinrent ses professeurs. C'est à peine si le reste de la famille pouvait encore l'approcher. Elle se nourrit sur son grand-père et Kenneth à de nombreuses reprises. L'un et l'autre souhaitant mettre toutes les chances de leurs côtés dans son apprentissage, ne sachant d'où venaient ses talents. Elle ne réussit pourtant pas à comprendre le mécanisme de la lecture dans l'esprit des autres. Les pensées lui étaient toujours jetées pêle-mêle à des moments qu'elle ne maîtrisait pas. Kenneth resta cependant positif et lui assura que ce phénomène trouverait une explication un prochain jour.

Son grand-père préservait le mystère sur son passé, éludant toutes les questions que Générosa pouvait poser et cela l'intriguait. Elle respecta son désir de secrets, espérant au fond d'elle qu'un jour il se confierait, il avait vu et vécu tant de choses…

Générosa poursuivit en parallèle sa vie sociale à Venise, fréquentant assidument Giuliana et Raffaele Moretti, devenus l'un et l'autre de très bons amis pour Générosa. Elle assista à leur mariage qui fut grandiose et qui resta l'un des plus grands évènements de l'année. Le Comte Lorenzo Gabrieli tenta de la demander en mariage et elle dut faire appel à toute sa diplomatie pour lui faire promettre d'oublier cela afin qu'ils puissent rester de bons amis.

Début 1666, Paolo et Kenneth reçurent des nouvelles de Londres, venant de sources différentes, mais disant la même chose. Des humains avaient découvert l'existence de Vampires dans leur ville et comptaient les éliminer. Cela les angoissa, Vampires ou Sanguisugas, les humains ne faisaient guère la différence. Pour eux, ils étaient tous des buveurs de sang, des criminels en puissance ne songeant qu'à éliminer la race humaine pour se nourrir. Les Vampires et les Sanguisugas vivaient en très grand nombre à Londres comme en chaque capitale du monde. Ils faillirent partir, mais firent taire leurs craintes et restèrent près de Générosa pour continuer son éducation, tout en écrivant à leurs relations dans les deux camps pour les avertir de ces rumeurs et leur demander de quitter la ville.

Septembre 1666, ce que Kenneth et Paolo avaient craint se réalisa. Un incendie ravagea Londres[38]. Franck et Carol furent très affectés par cette nouvelle. Kenneth et Paolo prirent aussitôt la route voulant voir les dégâts et se rendre compte si cet incendie avait été provoqué par les humains pour éliminer les Vampires et Sanguisugas ou s'il ne s'agissait que d'une coïncidence.

En décembre, ils reçurent tous un message de Kenneth leur expliquant que leur résidence un peu en dehors de la ville avait été préservée. Cependant, les pillards avaient tout détruit et volé de nombreuses choses. Cela n'inquiétait pas la famille, ils iraient à Londres après Venise et reconstruirait leur histoire dans cette maison. Tous leurs objets personnels et importants les accompagnaient toujours ! Paolo et Kenneth confirmèrent que cet incendie criminel avait été dirigé contre des Vampires, seize d'entre eux étaient morts dans cet incendie et c'étaient les seuls morts de cette catastrophe, les humains avaient été préservés ! Ils prirent le parti de s'éloigner de la ville ne pensant pas tout danger écarté et de partir quelque temps en Égypte où ils attendraient la venue de Générosa. Livio prit contact avec leurs avocats pour qu'ils fassent le nécessaire pour remettre en état le manoir et ses jardins.

Générosa fut heureuse de recevoir de leurs nouvelles, même si celles-ci n'étaient pas aussi bonnes que la famille l'escomptait.

---

[38] *Le 2 septembre 1666, un feu se déclare dans l'arrière-boutique d'une boulangerie de la rue de Pudding Lane, au cœur de Londres. Le Boulanger officiel du roi Charles II. Le vent attise les flammes et l'incendie durera 4 jours durant. Il est circonscrit grâce à l'arrêt du vent et à la mise en place de coupe-feu efficaces (ils firent tomber les immeubles). Il y aura près de 80 000 sans-abris, seuls quelques décès furent consignés, environ 16. Certains feux notamment dans les caves mettront près de six mois à être éteints. Londres fut reconstruite selon le tracé des rues tel qu'il était avant l'incendie.*

Elle usa de tout son charme et finalement de son autorité pour obtenir le droit de partir rejoindre son grand-père et Kenneth dans la jungle africaine. Ils lui en avaient tant parlé tous les deux, elle savait qu'elle devait y aller ! Ses parents ne furent pas ravis et réussirent à obtenir d'elle qu'elle ne parte qu'en juin pour avoir une mer agréable.

Générosa passa les mois qui suivirent à préparer ses bagages et ce voyage qui durerait de longs mois loin de ceux qu'elle aimait. Sa mère et sa tante l'aidèrent du mieux qu'elles purent, toutes deux très tristes, mais compréhensives. Elle passa aussi beaucoup de temps près de Giuliana qui attendait un heureux évènement et bougeait peu.

François fit tout ce qu'il put pour tenter de la convaincre de rester. Furieux de la voir partir, il commença, à fréquenter les femmes des rues en plus de la Marquise. Il voulait trouver auprès de ces femmes l'oubli de celle qui allait l'abandonner. Ses responsabilités au sein de la communauté vénitienne l'empêchaient de partir avec elle, à son grand désespoir. Mais il avait beau passer de bras en bras, rien n'y faisait. Fiorellina, la Marquise, ne parvenait pas à lui changer les idées et il était très souvent odieux avec elle. Ce qui devait lui plaire, car plus il l'était désagréable avec elle et plus elle s'accrochait à lui.

Finalement, le mois de juin arriva. Générosa était surexcitée et la famille heureuse pour elle malgré leur immense peine intérieure. Ils étaient aussi très inquiets, car dès qu'elle aurait embarqué il ne contrôlerait plus rien. Ils firent tous une lettre pour Paolo et une autre pour Kenneth, qu'ils intégrèrent à ses bagages. Le Comte Lorenzo Gabrieli, toujours fou d'amour pour Générosa, organisa une soirée la veille de son départ.

Elle passa son après-midi auprès de Giuliana et Raffaele Moretti. Giuliana qui venait de mettre au monde une petite fille adorable qu'ils prénommèrent Générosa en hommage à leur amie. Ils allaient beaucoup manquer à Générosa qui s'était attachée à ces deux humains si accueillants et si chaleureux avec elle. Leur amitié avait toujours été sincère et entière. La raccompagnant vers la sortie, Raffaele, inquiet de voir l'amie de sa femme partir si loin et seule, même si c'était pour rejoindre son grand-père, l'embrassa sur la joue et lui dit :

- Ne faites confiance à personne, Mademoiselle Baldi della Julienus. Écrivez-nous et revenez-nous vite ! Vous nous manquerez à tous les deux énormément !
- N'ayez crainte mon ami, vous êtes et serez tous les deux à jamais dans mon cœur ! Je reviendrais très vite, mon absence vous semblera très courte !

LE GRAND DÉPART
juin 1667

Générosa se prépara pour la soirée chez le Comte et porta un soin particulier à sa tenue. Elle avait envie de se sentir belle et séduisante. Elle voulait aussi faire honneur à son père et faire plaisir à François. Elle choisit donc une robe d'un bleu profond, venant de Paris et offerte par François. Quand elle rejoignit sa famille dans l'entrée, elle vit que ses efforts n'avaient pas été vains.

- Tu es magnifique, ma chérie !
- Merci papa.
- Mets cela ! lui demanda François d'un ton un peu rude.
- Cela te plaît de me dire ce que je dois faire…
- C'est que tu es douée pour exécuter !
- Et toi tu n'es pas doué pour la communication… Mais je te remercie ! Il est magnifique.

Il lui avait présenté un bracelet magnifique ouvragé et serti de saphirs et de diamants. Elle lui tendit son poignet pour qu'il le lui mette. Elle l'embrassa tendrement sur la joue pour le remercier. Il en fut ravi et s'il n'avait pas vu le regard de Livio, il l'aurait prise dans ses bras pour l'embrasser d'une manière moins fraternelle, moins sage. Générosa se retourna pour le montrer à sa mère qui lui prit la main et la serra fortement. Cette soirée allait être pénible pour Domenica.

Ils partirent tous ensemble en silence. Domenica ne lâchait pas la main de sa fille. À peine étaient-ils arrivés à la soirée que le Comte se précipita vers Générosa et la poussa gentiment, mais fermement vers les jardins. Il avait l'air d'un homme à la torture, aussi ne résista-t-elle pas. Elle se doutait en venant ce soir que la soirée serait difficile. Elle aperçut la Marquise, mais ne vit pas

François. Lorenzo la fit s'asseoir sur un banc et s'agenouilla devant elle.

- Pourquoi partir, Générosa ? Épousez-moi ! Je vous en prie.
- Lorenzo, s'il vous plaît, non ! Nous avons déjà eu ce genre de discussions et vous m'aviez promis de ne plus jamais aborder le sujet. Nous sommes amis ! Nous ne pourrons jamais être autre chose que cela. Je ne vous ai jamais laissé espérer... Il me semblait avoir été très clair.
- Je ne peux me résoudre à vous laisser partir ainsi. J'ai... Je vous aime !
- Vous êtes un jeune homme charmant, Lorenzo et vous ferez le bonheur d'une jeune fille, mais pas le mien. Il y a des tas de jeunes filles séduisantes qui ne demandent qu'à faire votre bonheur !
- Jamais ! Je vous attendrais, jamais je ne me marierais... Vous êtes la seule et unique femme de ma vie. C'est vous que je veux à mes côtés, c'est vous que je veux pour mère de mes enfants !
- Je n'aurais jamais d'enfants Lorenzo...
- Tout ce que tu veux mon amour, tu ne veux pas d'enfants nous n'en aurons pas. Épouse-moi !
- Lorenzo...
- Je vous en supplie Générosa...

Elle le vit s'affaisser, s'asseoir à même le sol en prenant appui au banc et lui tournant le dos. Il se prit le visage entre les mains.

- Je ne réussirais pas à vous convaincre n'est-ce pas ?
- Je suis désolée Lorenzo, je...

Elle passa la main dans ses cheveux et se laissa glisser sur le sol près de lui. Elle vit de l'espoir dans son regard quand il se tourna vers elle et cela lui fit mal.

- Je suis très attachée à vous et vous le savez. Vous êtes un ami comme je n'aurais jamais imaginé en avoir un jour, cela ne changera jamais. Mais, je veux que vous me fassiez une promesse.
- Tout ce que tu voudras, ma chérie.
- Promettez-moi de vous trouver une gentille petite épouse et d'avoir avec elle au moins deux enfants. Vous vous devez de perpétuer le nom de votre famille.
- Non, pas cela…

Générosa fit usage de La Voix et poursuivit :

- Promettez, Lorenzo et je vous fais la promesse en échange que vous ne le regretterez pas ! Ce qui se passera ce soir restera dans vos souvenirs les plus beaux.
- Je… je promets.

Générosa se pencha vers lui et l'embrassa tendrement. Puis se penchant vers son cou, elle murmura à son oreille faisant usage de La Voix :

- Voici ce dont vous allez vous souvenir, vous m'avez embrassée. J'ai résisté, mais vous m'avez dit tant de mots d'amour que j'ai cédé à vos avances. Nous avons fait l'amour avec beaucoup de tendresse et vous avez été très heureux.

Elle le mordit et se nourrit. Il lui fallait des forces pour poursuivre. Quittant son cou elle l'embrassa à nouveau et continua dans le creux de son oreille :

- Vous vous rappellerez m'avoir vue totalement nue, de la sensation de ma peau sous vos doigts. Vous finissez par me laisser, satisfait et comblé.

Elle se recula, vit son air béat et sut qu'elle avait réussi. Elle fit usage une dernière fois de La Voix :

- Ne sortez d'ici que dans une demi-heure. Il ne faudrait pas qu'on soupçonne ce que nous venons de faire ici. Et n'oubliez pas votre promesse, Monsieur le Comte, je veux à votre bras votre épouse lorsque je reviendrais à Venise. Ne me décevez pas !
- Générosa... Merci ! Je...
- Par pitié, silence, mon ami.

Puis le laissant seul, elle quitta les jardins.

Elle passa devant la cachette de François sans le voir, ni même soupçonner sa présence. Il avait vu le Comte entraîner Générosa dans les jardins et contrairement à son habitude, il avait laissé la Marquise sans explications et les avait suivis. Puis il s'était dissimulé pour les espionner, sentant que quelque chose d'important allait avoir lieu. Il ne s'était pas trompé, tout comme lui le Comte avait tenté de retenir Générosa. Il avait assisté à toute la scène et n'avait maîtrisé qu'avec difficulté la peine, la jalousie et la haine qu'il avait ressenties en les regardant. Générosa n'avait pas prêté attention aux sensations qu'elle avait éprouvées, elle savait son père et François tiraillés par leurs sentiments à la veille de son départ.

Cet entretien avec Lorenzo l'avait épuisé. L'usage de la voix était exténuant sur une si longue période. Mais elle n'avait pas eu le choix, il fallait absolument que le Comte réalise sa vie d'humain et elle lui devait bien cette petite compensation psychologique. Elle pénétra dans une pièce sombre, une douce odeur de fleurs fraîchement coupées embaumait l'air. Elle referma doucement la porte derrière elle, ayant besoin de quelques instants pour se remettre les idées en place. Un havre de paix après l'hystérie l'entourant quelques minutes plus tôt. Elle ferma un instant les yeux et se prit à imaginer qu'elle était dans un endroit plein de clarté. Un ciel cristallin de ces matins de printemps. Elle pouvait presque sentir le soleil brûler sa peau. Mais le bruit d'une porte se refermant bruyamment empêcha son rêve éveillé d'aller plus loin. Elle claqua de la langue, agacée. Le son se répercuta contre les murs. Elle soupira exaspérée. Elle était venue ici, pensant pouvoir se retrouver seule, au calme et à l'abri de tout contact et voilà que ses espoirs s'envolaient. La Marquise Razetta se présenta devant elle, passant la main dans ses cheveux, leur redonnant du volume. Elle tendit le buste en avant de manière agressive et regarda avec venimosité Générosa. Cette attitude hostile la surprit. Jamais la Marquise ne s'était retrouvée seule avec elle ni n'avait eu ce genre d'attitude. Au contraire, son regard l'avait toujours survolé comme pour lui signifier qu'elle était quelqu'un sans aucune importance, ce qui ne gênait pas du tout Générosa. Elle dut paraître quelque peu décontenancée, car Fiorellina profita de son avantage pour l'attaquer de front.

- Il est à moi ! Tu t'imagines que tu vas réussir à séduire ton oncle ! Je sais que ce n'est pas réellement ton oncle, mais je sais aussi que c'est d'une vraie femme qu'il a besoin, il n'y a qu'une femme comme moi qui réussira à le rendre heureux. Tu n'imagines pas l'énergie qu'il faut au lit pour contenter un homme tel que lui. Il m'épousera moi ! Il me demandera très bientôt de le faire.

Sa voix était stridente et l'on pouvait voir qu'elle résistait à grand-peine à l'envie de secouer et gifler Générosa. Elle fixa Générosa, la mettant au défi d'oser lui répondre. Cette dernière décocha un petit sourire narquois à l'humaine, si parfaite dans sa beauté. Elle sentit la jalousie prendre possession d'elle comme jamais auparavant. Pourtant elle avait pitié de Fiorellina, elle était tellement pathétique en l'attaquant ainsi. Comment pouvait-elle croire lui avoir fait peur ou même s'imaginer réussir à faire ce qu'elle voulait de François ! Monsieur le Duc allait avoir fort à faire pour préserver son célibat !

- Ce qui se passe entre François et vous ne me concerne pas. Laissez-moi cependant être surprise de ne toujours pas voir de bague à votre doigt... Rafraichissez-moi la mémoire, vous n'avez pas été reçu seule et officiellement présenté comme un futur membre de notre famille, ou aurais-je été absente ce jour-là ? Il n'a donc jamais trouvé un moment pour vous demander votre main ? Nous sommes pourtant à Venise depuis cinq ans ! Je serais à votre place, je m'en inquièterais.
- Comment oses-tu, petite dinde !
- Si j'avais décidé de mettre François dans mon lit, ce serait fait depuis très longtemps et jamais il ne serait revenu vers vous ! Il faut plus qu'une jeune veuve pour réussir à garder un homme comme François dans son lit, je ne fais que reprendre votre remarque... S'il avait gouté à mes charmes, aucune femme n'aurait pu les lui faire oublier... Il ne trouve d'ailleurs pas son compte auprès de vous puisqu'il lui faut des filles de joie pour assouvir ses plus bas instincts. Il semblerait qu'il ait oublié de vous signaler mon départ demain pour un long, très long voyage. Demain, ce sera donc fini puisque je quitte la ville, mais je reviendrais, ne vous réjouissez pas trop vite ! Je serais cependant surprise de devoir écourter mon voyage pour vous voir devenir ma tante... Il est à moi contrairement à ce que vous vous imaginez, chère Marquise, cela sans que j'aie eu besoin de lever le petit doigt ! Nous nous aimons et vous ne pourrez jamais rien faire contre cela...

Sur ces paroles pleines de fiels, Générosa n'attendit pas de réponse ou de réaction et passa devant la Marquise fière d'elle. Elle vit François appuyé au chambranle de la porte avec un sourire heureux sur les lèvres. Il n'avait rien raté de ce qu'elle avait pu dire, mais elle s'en moquait demain elle serait loin de lui. Elle sortit de la pièce, aperçut le Comte qui la cherchait et se décida à rentrer au Palazzo. Elle n'avait pas la force de se confronter à nouveau à Lorenzo et voulait profiter de sa dernière soirée loin de cette foule et de cette femme.

Générosa était pourtant satisfaite de cette dernière soirée à Venise. De retour au Palazzo, elle en fit le tour comme pour lui dire au revoir. Elle resta un moment assise dans ce fauteuil qu'elle affectionnait tant. Puis se leva, rejoignit sa chambre, se dévêtit, mais ne réussit pas à se résoudre à enlever le cadeau de François... Elle rangea ses bijoux dans son bagage à main et vérifia qu'elle n'avait rien oublié qui lui semblait important et se coucha. Elle s'endormit très facilement contrairement à ce qu'elle avait pu craindre, pensant à cet avenir qui s'ouvrait à elle, à cette liberté qu'elle allait découvrir.

Enragée par les paroles de Générosa la Marquise ne se maîtrisait plus et voulut entraîner François chez elle, mais celui-ci prétextant être furieux la laissa rentrer seule en son Palazzo. François était réellement en colère, comment avait-elle pu attaquer Générosa de cette façon... Cette soirée était décidément très étrange. Il rentra rapidement chez Livio et se rendit directement dans la chambre de Générosa. Il fallait qu'il lui parle avant qu'elle parte, qu'il tente de la retenir ! Ce qu'elle avait dit à Fiorellina l'avait rendu fou de joie : *« Il était à elle et ils s'aimaient »*...

Elle dormait profondément, étendue lascivement, si belle dans son sommeil. Il s'assit près d'elle, et leva doucement le drap, résistant avec peine à l'envie de passer ses mains sur cette chute de reins qui le fit frissonner au plus profond de lui. Il ne put cependant résister à l'envie de l'embrasser et se mit à déposer de doux baisers sur ses épaules. Plus il respirait le parfum de sa peau plus il la désirait. Il dut lutter contre un début d'érection. Caressant ses bras, il s'aperçut qu'elle avait toujours à son poignet son bracelet, son premier cadeau important à la femme de sa vie. L'un des joyaux hérités par sa famille et destinés à celle qui serait sienne ! Il était fier et heureux de la voir le porter encore... Un peu de lui dormait avec elle.

À peine effleurés, ses sens s'éveillèrent. Dans un mouvement spontané, la jeune femme se tourna vers lui, tendit les bras et ses jambes s'écartèrent doucement comme une invitation. François résista avec difficulté à la tentation. Elle se mit à gémir, le souffle haletant... Pourtant elle repose toujours et paraît comme en plein rêve. François est jaloux de ce songe, à qui pense-t-elle en cet instant ? Au Comte ? À ce baiser échangé avec cet homme un peu plus tôt ? À ce qu'elle avait imprégné dans son esprit humain et qu'elle aurait voulu réalité ?

Soudain, il l'entendit murmurer « *François* » son prénom, c'était bien son prénom, le sien à lui, pas celui de l'autre... Fou de bonheur, François, le cœur battant d'anticipation, ne peut résister à cette ultime invitation et s'allonge doucement près d'elle. Il l'enlace et caresse délicatement ce visage tant aimé. Il ne veut pas la réveiller, juste jouir de l'instant présent près d'elle... Demain, elle sera partie... Il sent son cœur se serrer de douleur à cette pensée...

Cette femme n'est pas n'importe quelle femme. Générosa, son seul et unique amour, sa femme qu'elle l'accepte ou non ! Son ange, son amour, son cœur, sa vie, la seule et unique, faite pour lui seul ! Elle lui est destinée depuis toujours et jusqu'à la fin des temps. L'entendant encore l'appeler suppliante dans son sommeil et coller son corps tout naturellement au sien, il éprouva une certaine satisfaction en voyant qu'elle n'était pas aussi immunisée contre lui qu'il l'avait craint. Elle ne pourrait jamais maîtriser ses émotions en dormant !

Il embrassa tendrement ses yeux. Elle remua et battit des cils lentement, paresseusement. Quand elle les ouvrit tout à fait, elle parut heureuse de le voir et un sourire de pure félicité éclaira son visage. Elle lui caressa tendrement les cheveux, la joue le menton, mais son esprit reprit bien vite le contrôle et elle voulut s'éloigner de lui. Ne pouvant la laisser faire sans se battre, il mit un bras en travers de sa taille la clouant ainsi au lit. Puis la dévisageant, il la vit hésiter, il vit aussi qu'elle luttait contre elle-même et ce qu'elle ressentait.

- Si tu ne veux pas de moi mon amour, dis-le et je pars tout de suite... Je te promets de respecter ta volonté. Cette part de pureté et d'innocence qui est en toi et que... que je n'ai pas encore piétiné je la veux mienne et saches que jamais je ne pourrais te faire de mal. Je t'aime ! Demain, sa voix se brisa sous le chagrin, demain tu pars loin de moi. Rester loin de toi, ne pas t'accompagner, devoir rester ici est un véritable supplice pour moi ! S'il te plaît mon cœur, ma vie, laisse moi t'aimer, laisse-moi ce souvenir de toi jusqu'à ton retour... Je t'aime, je t'aime, je t'aime... Ne me repousse pas ! Sois bonne, tu sais que je suis à toi...

Sa voix s'éteignit, il n'aurait pu ajouter un mot de plus. Il ne put effacer la très forte impression sensuelle qu'elle avait éveillée en lui par son toucher, mais respecterait sa volonté, quelle qu'elle soit ! Il la fixa avec tout l'amour qu'il avait au fond de lui et lut sur son visage ainsi que dans ses yeux la réponse qu'il cherchait. Elle aussi l'aimait, elle l'avait dit à Fiorellina et il en avait ressenti un bonheur sans pareil... Même si elle ne le lui avouait pas à haute voix, il attendrait patiemment avec ce souvenir... Il espérait, n'avait aucun doute qu'un jour elle répondrait à son amour avec la même intensité... Il avait hâte de l'entendre dire ces mots... Pour le moment, il se contenterait de ce qu'elle acceptait de lui donner et il savait qu'elle ne le rejetterait pas, cette nuit serait à eux seuls. Il la serra contre lui et l'enlaça tendrement. Les lèvres de Générosa se posèrent comme malgré elle sur le cou de François. Surpris par son audace, il eut un rugissement de victoire et se sentit envahi par un bonheur inouï à la sentir s'abandonner ainsi à lui.

Il l'aime tant ! Partager ce moment avec elle n'était ni plus ni moins qu'un rêve en cours de réalisation. Il se pencha sur la jeune femme qui gémissait de plaisir et embrassa ce corps si chaud et doux à la fois. Il passa ses mains dans le dos de la jeune femme afin de la dévêtir. Il voulait la sentir nue contre lui. Il devait faire appel à toute sa volonté pour ne pas lui faire l'amour furieusement immédiatement. Son sexe tendu de désir ne souhaitait qu'une chose : se glisser dans ce fourreau humide et chaud qu'il devinait idéalement conçu pour lui...

Il se coucha doucement sur elle, prenant garde pour ne pas l'écraser. Il lui leva les bras au-dessus de la tête, puis l'embrassa dans le cou, remonta jusqu'à son oreille et en lécha doucement le lobe. Cela déclencha un frisson de désir chez elle. Elle ferma les yeux de plaisir se trémoussant sous lui, ses jambes s'enroulant naturellement autour de la taille de François. Il sentit la passion flamber entre eux.

Il résista à son appel et cherchant ses lèvres l'embrassa passionnément, avidement... Leurs langues se mêlèrent. D'instinct, celle de Générosa répond à celle de François qui a toutes les peines du monde à ne pas la prendre de suite. Il préfère s'abandonner à la volupté que dégage sa compagne, même si cela lui demande un effort surhumain. Mais son esprit reste le maître, il ne veut pas aller trop vite, il a attendu trop longtemps cet instant.

Elle est si désirable. Sa peau sent si bon. Il frôle ses seins qui gonflent et durcissent sous l'effet du désir. Il vient tendrement en lécher les mamelons et les prend délicatement entre ses dents. Les mains de François passent sur ses hanches et descendent doucement, l'effleurant à peine. Il caresse doucement l'intérieur de ses cuisses, ses doigts dessinant des arabesques. Ses lèvres suivent le chemin que ses mains ouvrent, puis descendent encore pour finir dans une caresse très intime avec son aimée. Sa langue jouant avec elle et la faisant crier de plaisir. Elle ondoie sous cette caresse. Restant immobile, dégustant les sensations suaves qu'il faisait naitre en elle...

Ses caresses se font de plus en plus précises. Son corps s'agite, elle empoigne ses cheveux et l'attire vers elle. Elle le veut maintenant ! Elle se tend vers François qui cède enfin à cet ultime appel du corps de cette femme. L'embrassant fougueusement il prend possession d'elle. Sa femme, enfin !

Elle hurla son prénom ! Elle n'était plus que sensualité, elle avait faim de lui et le voulait en elle ! Quand enfin ils ne firent plus qu'un, elle crut mourir de bonheur. La jeune femme en oublia tout ce qui n'était pas eux deux, leurs corps et toutes ces nouvelles sensations qu'elle ne soupçonnait même pas possible. Cette intimité si intense entre eux, un moment d'amour parfait entre eux deux... Elle n'aurait jamais imaginé que cela pouvait être aussi fort d'être dans les bras de celui qu'on aime ! François ne cessait de lui murmurer des mots d'amour qu'elle savait sincères. Mais elle se refusait à lui répondre. Elle partait demain... Elle se serra davantage contre lui comme si elle voulait entrer en lui à son tour ! Elle ne cessait de le caresser et de l'embrasser… Ce souvenir devait être impérissable, autant pour lui que pour elle !

Ils atteignirent le plaisir ultime en même temps dans un parfait unisson ils crièrent tous deux le nom de l'autre ! François se laissa tomber près d'elle, se refusant de la lâcher, il la voulait encore contre lui. Il se massa le cou machinalement et vit son regard horrifié.

- Ne t'inquiète pas ma chérie. C'est tout à fait normal. Je t'ai moi aussi mordu…

Il frôla le cou de Générosa, à l'endroit où il avait laissé sa marque. Comment pourrait-il passer ses nuits sans elle à l'avenir ? Il refusait de gâcher cet instant avec des idées noires. Il l'embrassa tendrement à la naissance des seins et relevant les yeux chercha son regard.

- Je t'aime Générosa, ma vie, mon unique amour ! Je n'imaginais pas à quel point m'abandonner de cette manière à toi pourrait être si bon ! Je m'en étais douté, l'union de nos cœurs étant si forte, le rapprochement physique ne pouvait qu'être explosif, mais à ce point… Si je l'avais deviné, je t'aurais forcé à me laisser t'aimer bien avant ! Ce que tu as dit à la Marquise n'était que vérité ! Je devrais savoir que tu ne mens jamais, dit-il avec humour.
- Je… c'était parfait ! Merci François… je me préparais à te demander de partir quand je t'ai vu au-dessus de moi, alors que maintenant je me sens si paisible et si bien.

Elle sourit de façon mutine et ajouta :

- Je l'aurais regretté sans nul doute !

Il éclata de rire, il était si heureux.

- Merci à toi mon cœur ! Mais je ne serais pas parti sans avoir tenté tout ce qui est en mon pouvoir pour te séduire. Chérie, il hésita, tu veux toujours me quitter demain ?

- François, elle le repoussa à côté d'elle, se mit sur les coudes et le fixa dans les yeux, nous avons passé un délicieux moment ensemble, ce n'est pas toi que je quitte. Je dois partir et me focaliser sur l'avenir ! Je veux voir tout ce que j'ai lu et que vous m'avez raconté... Je veux juger par moi-même, admirer tous ces paysages avec mes propres yeux ! Je veux rejoindre Kenneth et Paolo pour continuer à apprendre, il y a tant de choses que j'ignore encore !

- Mais cette nuit ensemble ? Mon ange, nous pourrons visiter tout ce que tu veux plus tard, quand je serais libre de t'accompagner, je t'en prie. Kenneth pourra t'instruire ses potions plus tard, ce n'est pas urgent ! Mon amour...

Elle prit un ton glacial qui le blessa profondément, ce qu'elle ressentit vivement.

- Cette nuit ne change absolument rien entre nous ou dans mes projets. Tu es un partenaire extraordinaire, je ne le nie pas. J'envie les nuits que tu as passées et que tu passeras encore auprès de la Marquise ou de ces filles dont nous consommons le sang, mais je refuse de croire que nous sommes destinés l'un à l'autre comme vous le dites tous ! Ce n'est pas de l'amour entre nous, c'est un simple désir charnel ! Comme tu l'as dit par le passé, ce serait une erreur, tu es presque mon oncle et... je te remercie pourtant de m'avoir fait connaître ceci avant de partir.

Sa réplique avait claqué comme un coup de fouet, il l'interrompit en mettant sa main sur cette bouche si désirable.

- Non ! Tu ne peux pas dire ça... tu... Je ne réitèrerais pas mon erreur avec la Marquise, je vais rompre, je ne retournerais pas vers ces femmes de petites vertus, mais je t'en conjure, reste près de moi ! Si tu restes, je ferais tout cela, mon amour, tu peux en être sûre ! Je t'aime, tu es toute ma vie, et je te jure solennellement que si tu acceptes d'être à moi aux yeux de tous, je te consacrerais chaque minute de ma vie ! Je t'en prie mon ange... dis-moi que tu changes d'avis, ordonne-moi de vider tes malles...

Son ton désespéré l'émut profondément. Elle se sentit sur le point de craquer, mais tint bon. Elle s'était fixé un but et devait s'y tenir. François n'était pas digne de confiance et elle refusait d'avoir à souffrir encore à cause de lui. Mais elle comptait profiter de chaque minute dans ses bras. Elle prit son visage entre ses mains et l'embrassa tendrement. Il ne lui en fallut pas plus pour qu'il cède à ses impulsions. Il la bascula sur le lit, s'allongea sur elle et prit possession de sa bouche sauvagement, voulant laisser son empreinte sur elle. Ses mains se firent plus pressantes et il la pénétra vivement ! Puis dans un long va-et-vient, il prit possession de chaque parcelle de son corps. Elle tenta de se dégager, mais il était trop furieux et trop malheureux pour la laisser faire. Sa bouche se fit tyrannique exigeant qu'elle se plie à sa volonté. Elle rendit les armes et lui caressant le dos, se plia à son rythme.

François se calma et s'adoucit. Il lui fit l'amour tendrement, ne lui laissant pas le temps de réfléchir, ses baisers s'enchainaient et quand elle se mit à crier son prénom il sut qu'il avait gagné la partie. Elle pourrait dire tout ce qu'elle voulait, elle était à lui et à lui seul. Il tuerait quiconque tenterait de lui voler cette perle rare qu'elle était. Il l'embrassa, murmura son nom contre ses lèvres, approfondissant son baiser.

Il lui murmura des mots d'amour dans le creux de l'oreille et une fois encore ils atteignirent les sommets en même temps.

C'est elle qui, la première, prit la parole d'une voix rauque :

- Pardon si je t'ai blessé François... Je... Je dois te dire que si je suis odieuse avec toi tout le temps c'est plus fort que moi et j'en ai honte...

Il l'interrompit brutalement ne voulant pas se quereller avec elle.

- Ce n'est rien mon amour. Cela fait partie de toi, je l'accepte, car je t'accepte telle que tu es ! Mais tu ne peux m'empêcher de croire... de savoir que tu es à moi et un jour tu le reconnaîtras. Je saurais être patient ! Je t'aime comme un fou et t'attendre pour faire de toi ma femme aux yeux de tous sera mon but pour le moment. Ensuite, ce sera de faire de toi la femme la plus heureuse du monde. J'emploierais chaque minute de chaque jour de ma vie à te rendre heureuse... Je ferais tout pour que tes larmes ne soient à l'avenir que des larmes de joie !

La voyant sourire d'un air moqueur, il ajouta d'une voix tendre :

- Ne te moque pas j'y arriverais, mon amour, je te le jure ! Quoi que tu puisses en penser, un jour tu seras Madame la Duchesse de Cortenève. J'attendrais ton retour avec impatience et si je pouvais te convaincre de rester je serais le plus heureux des hommes... Je sais que je n'y arriverais pas, tu es plus têtue qu'une mule, et cela fait partie des choses que j'aime en toi. Je t'aime, je t'aime, je t'aime... Je ne me lasserais jamais de te le dire ma princesse !

Elle lui sourit tendrement et il l'embrassa amoureusement caressant ses cheveux. Elle s'écarta de lui, il la regarda d'un air suppliant :

- S'il te plaît mon cœur, permets moi de rester près de toi. J'ai tant envie de dormir avec toi dans mes bras. Laisse-moi cette nuit complète, je t'en prie...

Elle ne lui répondit pas, mais se coula dans ses bras, dos contre sa poitrine, puis embrassant ses mains les joignit devant elle. Il soupira d'aise et murmura dans le creux de son oreille :

- Je t'aime ! Je tuerais quiconque osera tenter de te prendre à moi... Je le poursuivrais à travers le monde entier, ne l'oublie jamais... Tu es ma raison de vivre, ma femme, mon amour ! Je dois t'avouer que je t'ai vu avec le Comte ce soir, j'ai cru mourir quand je t'ai vu l'embrasser et j'aurais pu le tuer. J'ai aussi vu ce que tu as fait, les souvenirs que tu as implantés dans sa tête... Je... Tu m'as transmis cette maladie honteuse qu'est la jalousie ! Je n'avais jamais été jaloux, je n'avais jamais eu des raisons de l'être !
- François, tu te fais du mal, s'il te plaît...
- Laisse-moi finir, j'en ai besoin, mon cœur. Me dire qu'il croit avoir eu le privilège de tes faveurs me rend fou, je pourrais le vider de son sang pour lui enlever ces souvenirs de la tête.
- François !
- Ne crains rien, mon amour, je ne toucherais pas à un seul de ses cheveux. Ne serait-il pas amusant qu'il épouse la Marquise ? Voilà un ordre que tu aurais pu leur donner à l'un et l'autre !
- Je n'ai pas à leur dire qui aimer ou épouser, chéri. J'ai déjà été très loin en lui ordonnant de se marier. Je dois avouer que ce que j'ai fait ce soir m'a demandé une énergie ahurissante.
- Alors, ne recommence plus !
- T'as t'on déjà dit que la jalousie est un vilain défaut et est mauvaise conseillère ?
- Oui, mais cela est devenu une seconde nature chez moi depuis que je te connais.

Il la serra un peu plus fort contre lui, inconsciemment elle l'avait appelé chéri... il était fou de bonheur qu'elle utilise ces petits mots affectueux... Il s'extasia intérieurement la courbure délicate et élégante de son cou et les frisons noirs bouclant sur sa nuque le fascinèrent. Il voulait s'imprégner de chaque détail pour qu'ils lui tiennent compagnie lors de son absence, cette énergie pétillante, cette vivacité qui n'étaient qu'à elle allaient tant lui manquer... Il l'embrassa dans le cou et après une courte hésitation se lança :

- J'ai une question à te poser... Cette rose rouge, symbole de mon amour, que je t'ai offerte alors que nous venions d'arriver ici... Qu'en as-tu fait ?

Elle hésita avant de lui répondre et choisit l'honnêteté :

- Précieusement gardée dans un coffret et désormais dans mes bagages... Je... C'est la première fois qu'on m'offrait une fleur et même si j'étais furieuse contre toi je n'imaginais pas m'en débarrasser... Ses épines me rappellent aussi combien tu es dangereux, complexe, confus en paroles et en actes et qu'il faut à tout prix se méfier et se protéger de toi, car dès qu'on t'approche on peut se blesser !

Il éclata de rire à cette réponse faite d'un ton posé et réfléchi... Il était fou de joie que cette fleur soit avec elle depuis toujours et qu'elle l'accompagne dans ses voyages... Un peu de lui partait avec elle ! Il l'embrassa dans le cou et elle répondit à son baiser par un petit ronronnement de plaisir. Ils finirent par s'endormir ainsi l'un contre l'autre.

À son réveil, il était toujours contre elle. Entendant sonner les cloches, elle compta les coups et sut qu'elle devait se préparer, le bateau ne l'attendrait pas. Elle défit les bras de François toujours solidement noués autour d'elle et l'embrassant délicatement sur le coin de la bouche, alla se préparer.

Finissant d'attacher ses bottines elle le sentit soudain derrière elle. Elle se retourna. Il était appuyé au chambranle de la porte, un air de profonde tristesse sur les traits de son visage.

- Je ne peux vraiment rien dire ni faire pour que tu changes d'avis ?

Elle secoua la tête.

- Alors, laisse-moi au moins t'accompagner à bord, je t'en prie... Pourquoi Franck et pas moi ? Je ne veux pas te quitter ainsi dans cette chambre...
- Je suis navrée, François. Les raisons de mon refus sont évidentes. Je veux quitter la maison seule avec Franck, il ne m'importunera pas, il comprend mon désir de voyage ! J'ai besoin de partir... Il n'y a que comme cela que je saurais qui je suis, ce que je veux et ce que je vaux comme femme et comme Sanguisuga !

Il s'approcha d'elle et l'enlaçant, captura sa bouche tandis qu'elle nouait ses bras autour de son cou.

- Je t'aime Générosa. N'oublie pas de revenir mon ange, pour tes parents, pour moi ! C'est toi la seule et unique de mon cœur. Si tu ne reviens pas, je n'aurais de répit tant que je ne t'aurais retrouvé. Je t'aime ! Si je te dis tout cela, c'est que je veux m'assurer que la situation est claire ! Penses de temps en temps à moi, essaie d'écrire, le plus souvent possible, à ta mère et si tu veux m'écrire, je serais le plus heureux des hommes ! Embrasse-moi encore, je t'en prie. Je suis sûr que nous avons encore quelques minutes et que je peux te faire mienne une fois encore avant que tu ne m'abandonnes !

Elle intensifia sa prise sur son cou et se hissant vers ses lèvres l'embrassa fougueusement. Il l'entraîna vers le lit et lui refit l'amour rapidement, mais tendrement. Il était désespéré et eut toutes les peines du monde à relâcher son étreinte quand elle tenta de s'éloigner pour finir de se préparer. Elle se retourna vers lui, l'embrassa avec tout l'amour qu'elle avait dans le cœur.

- Je dois me hâter François. Franck doit déjà m'attendre, ainsi que le reste de la famille aussi pour que je leur fasse mes adieux.

Il lui jeta un regard chagrin :

- Mon ange n'utilise pas ce mot, je t'en prie. Ce ne sont pas des adieux, mais un simple au revoir, promets-le !
- Ne crains rien, je reviendrais. Je ne pourrais vivre sans vous tous ! Vous êtes ma famille… Il est l'heure et je dois encore embrasser papa maman, ainsi que Frank et Carol.

Elle sortit, puis sur le palier se retourna et lui envoya un baiser, puis ajouta :

- Cette journée, cette nuit ont été les plus intenses de toute ma jeune vie de Sanguisuga… Nos disputes vont me manquer, tu vas me manquer !

Essuyant une larme, elle disparut de sa vue. François exhala un lourd soupir et, empli de tristesse, se plongea dans ce lit où ils avaient été amants. Leurs odeurs mêlées y étaient imprégnées. Il entendit les adieux déchirants de sa sœur et la porte se refermer derrière Générosa. Elle était partie loin de lui, loin d'eux tous ! Il eut l'impression qu'il allait exploser sous le poids écrasant du chagrin qui l'envahissait. Ces longs mois sans elle, allaient être

305

comme des siècles il le devinait, le savait ! Il n'arrivait pas à être content pour elle, car c'était sans lui qu'elle voulait être heureuse ! Ses prochains mois allaient se passer sans lui... Il ne serait que l'ombre de lui-même jusqu'à son retour, il le savait... Vivre sans elle allait être tellement difficile...

Générosa étreignit chaque membre de sa famille. Elle vit toute la peine de sa mère dans ses yeux et resta blottie dans ses bras quelques instants. Son père les serra, l'une et l'autre, très forts, insufflant du courage à sa femme et de l'amour à sa fille. Elle les quitta à regret, mais monta à bord de la gondole la menant vers ce bateau qui l'amènerait vers ce vaste monde qui l'intriguait tant...

Elle était triste d'abandonner tout ce qu'elle avait ici et pourtant elle se sentait joyeuse. François n'aurait pas pu lui faire de plus beau cadeau que cette nuit passée entre ses bras... Il lui manquerait, elle l'aimait de tout son cœur et rien ne pourrait jamais changer cela. Elle ne lui avait pas avoué et ne le ferait jamais ! Kenneth lui avait appris à maîtriser ses émotions et elle continuerait à travailler chaque jour, même loin d'eux tous. Désormais, tout son corps et son esprit se tendaient vers cet avenir prometteur en aventures et rencontres. Elle eut une pensée pour ses parents si tristes de la voir partir...

Elle les aimait tous tellement fort et elle n'avait pas menti à François en lui disant qu'elle ne manquerait pas de revenir vers eux tous. C'était sa famille qu'elle laissait là et aussi son cœur... Elle reviendrait à Venise avant leur départ pour de nouvelles terres.

Pour l'heur, destination l'Afrique, sa faune, sa flore et sa population ! Savoir que Kenneth et Paolo l'y attendaient rendait la séparation d'avec sa famille plus douce !

Tout ce qu'elle savait et sentait, c'est que ce n'était qu'un début !
Le début d'une nouvelle vie…

Table des matières

[i] **Rotrouenge du Captif.** Complainte en dialecte anglo-normand composée par Richard Cœur de Lion, Roi d'Angleterre et duc d'Aquitaine (Oxford, 1157 - Châlus, Limousin, 1199). Fait captif en automne 1192 lors de la troisième croisade par le duc Léopold d'Autriche et livré à l'empereur germanique Henri VI qui exige une rançon pour sa libération. Il sera libéré en février 1194 grâce aux efforts de sa mère.

Transcription

Jamais un prisonnier ne dira sa pensée
convenablement s'il ne parle comme un affligé ;
mais pour se consoler il peut faire une chanson.
J'ai beaucoup d'amis, mais pauvres sont leurs dons ;
ils en seront honnis, si faute de rançon
je suis deux hivers prisonnier.
Ils savent bien, mes hommes et mes barons,
Anglais, Normands, Poitevins et Gascons,
que je n'avais si pauvre compagnon
que je laissasse, faute d'argent, en prison.
Je ne le dis pas, pour ne faire aucun reproche,
mais je suis encore prisonnier.
Je sais maintenant avec certitude
que mort ni prisonnier n'ont ami ni parent,
puisqu'on me laisse pour or ou pour argent.
Cela est d'importance pour moi, mais encore plus pour mes gens,
car après ma mort ils auront de grands reproches
si je suis encore prisonnier.
Ils savent bien, les Angevins, les Tourangeaux,
ces bacheliers qui sont riches et bien portants,
que je suis retenu loin d'eux dans la main d'autrui.
Ils m'ont beaucoup aimé, mais aujourd'hui ils ne m'aiment plus.
Les plaines sont vides de beaux exploits
parce que je suis prisonnier.
À mes compagnons que j'aimais et que j'aime,
ceux de Caen et ceux du Perche,
va dire, chanson, qu'ils ne sont pas des hommes sûrs.
Jamais envers eux mon cœur ne fut faux ni volage.
S'ils guerroient contre moi, ils agiront en vilains,
tant que je serai prisonnier.
Comtesse, ma sœur, que votre renom souverain
soit défendu et gardé par celui à qui je me plains
et pour qui je suis prisonnier.
Je ne parle pas de celle de Chartres,
la mère de Louis.

Achevé d'imprimer en novembre 2011
par Actiade imprimerie (17100 Fontcouverte)
en 150 exemplaires